長谷川逸子の思考　2

はらっぱの建築
持続する豊かさを求めて（1993-2016）

長谷川逸子

Field building
Looking for sustainable wealth
Itsuko Hasegawa

左右社

長谷川逸子の思考②

目次

第二部　はらっぱの建築――持続する豊かさを求めて（1993-2016）

第三章　建築が担う社会的プログラムの空虚

第四章　持続する豊かさを求めて

第五章　場＝はらっぱをつくるテクノロジー

凡例

各章冒頭に記しているとおり、本著作集収録にあたってそれぞれのテキストのタイトルは適宜改題し、初出は文頭下段に記し、巻末に一覧とした。また、若干の注を付記した。

建築作品は「〈作品名〉（竣工年）」または「〈略称〉」などとし、そのほか表記の統一を行った。

長谷川逸子の思考②

はらっぱの建築　持続する豊かさを求めて（1993-2016）

第二部「はらっぱの建築」には〈新潟市民芸術文化会館〉（一九九三年コンペ、一九九八年竣工）と同時進行していた公共建築と集合住宅をめぐるテキスト、二〇〇〇年代以降の住宅をめぐるテキストを中心に収録した。長谷川が手がけてきた建築には、音響はじめ専門性の高いテクノロジーが必要とされる劇場やコンサートホールが多い。従来はあまりテクノロジーの面から長谷川の建築が語られることはなかったが、テクノロジーに関するテキストも収録した。

〈新潟〉が動いていた六年間は、〈すみだ生涯学習センター〉〈大島絵本館〉〈山梨フルーツミュージアム〉といった公共建築プロジェクトや集合住宅プロジェクトなど、竣工に至った物件だけでも二十件以上が同時に進行していた。さらに、〈カーディフベイ・オペラハウス〉などの十件以上の国際招待コンペはじめ、実現しなかったプロジェクトも同数程度が動いているという、極めて多忙な時期であった。それぞれのプロジェクトはどこかで〈新潟〉と似ている。それは祝祭空間をつくるためにはらっぱに張られた「幔幕」であったり、浮島のように点在する空間だったり、内外を貫いて伸びるブリッジであったり、それらの建築的要素を乗せて広がるはらっぱそのものであったりする。〈新潟〉で示されたアーキペラゴの諸相を現すこれらのプロジェクトの紹介を第一章、第二章に集めた。

当時はまだ公共建築への市民参加は社会的には定着しておらず、とくに自治体による温度差は大きかった。プログラムづくりから始まった〈絵本館〉では運営スタッフを全国に募集するといった試みにも展開した。事業計画を委託された〈すみだ〉では、運営プログラムを報告書として納入しているが、市民ワークショップは認められず、地域のまちづくりにかかわる市民グループや研究者らとゲリラ的にワークショップを展開して報告書にその成果を反映したという。

集合住宅や住宅の仕事、そして医療や福祉の仕事も無視できない。〈新潟〉をはじめとする公共空間が祝祭的な空間であるのに対し、住宅は日常の空間であるが、両者は「ガランドウ」と「はらっぱ」として繋がっている。そして、医療や福祉の空間も住宅の延長上にある。ブリッジやスロープや回廊で各住戸をつなぎ、玄関の内外に生活やコミュニケーションが展開する場を設け、バルコニーの奥行きを深く取り、人が集まって住む快適さをつくる。精神病棟も格子を入れずに海辺に配し、水辺の光や風を導入する。これら住宅系プロジェクトの紹介と論考を第三章、第四章に集めた。

第五章は長谷川のテクノロジー観、第六章は長谷川が信頼する作家との対話、第七章は長谷川の生い立ちを主題に、建築家・長谷川逸子のありようを多面的に伝えることを目指した。

序章

・・・「はらっぱの建築」

序章には、ルブリン文化会館（the Centre for the Meeting of Cultures in Lublin, Poland）のために二〇一六年に書き下ろされたエッセイと、比嘉武彦との対談『特集長谷川逸子　ガランドウと原っぱの建築』（「ディテール」二〇〇三年七月別冊）第三章前半および住宅に関する第四章の一部を「はらっぱの建築」として収録した。

『ガランドウと原っぱの建築』第三章「原っぱ」の前半は〈すみだ〉〈絵本館〉〈山梨〉といった公共建築と住宅・集合住宅について語ったものである。十五年以上前の対談となるため、比嘉・長谷川両者による本文自体の改稿を行い、公共建築と住宅建築に分けて、それぞれに長谷川による補記を添えた。「〈すみだ生涯学習センター〉〈大島絵本館〉〈山梨フルーツミュージアム〉での市民との交流」（二〇一八年）は、これまであまり知られていなかった、各公共建築におけるソフトづくり（市民参加や運営プログラム、人材育成など）の状況の違いを伝えるテキスト、「二〇〇〇年代の住宅と集合住宅」（二〇一八年）は、二〇〇〇年代以降の住宅および集合住宅を振り返るテキストである。

ルブリンは、中世の佇まいを留める東ポーランド最大の古都であり、住民にユダヤ人が多かったために、ナチスドイツの侵攻によって大きな犠牲を払った歴史もある。ルブリン文化会館のホームページによると、一九六〇年代に新しい劇場の建設計画が持ち上がり、一九七〇年代には設計競技も開催されたが、不景気のために建設が中断していた。二〇〇九年に改めて国際設計競技を開催し、地元ルブリンを拠点に活動するStelmach and Partners LLCが勝ちとり、二〇一五年に竣工、二〇一六年に開館した。ここに収録した「建築設計の原点」（二〇一六年）は、ルブリン文化会館からの「日常生活における建築の役割と重要性」をテーマにした文章を書いてほしいとの依頼に応じたもので、ルブリン文化会館が発行した文化会館の建築写真集『*MIEJSCE SPOTKANIA*（*meeting place*）』（書誌情報が書籍にはないが、二〇一八年発行と思われる）に収録されている。この写真集はポーランド語と英語の併記であり、和文は未発表のままであったものをここに収録した。伝統的住宅との関わりや〈不知火ストレスケアセンター〉に見られる自然と建築の関係、〈湘南台〉で生まれた市民との関わり、そしてアーキペラゴ・システムまでが一つの道筋のうえに書かれているため、序章にふさわしいと考えた。原題は「*The Role and Importance of Architecture in Everyday Life: Traditional Residential Architecture As My Starting Point*」である。

・・・建築設計の原点

1 生活のなかにある伝統を引き継いでいく建築

伝統的住宅を原点において、住宅から公共建築までの設計に取り組んできた。伝統的住宅＝民家が持っていた質を現代に引き継ぎ、公共建築にも持ち込んで、本当の意味での市民の公共空間を実現したいと考えているからである。

日本人にとって、住宅建築は生活のありようを形づくるもので、心身を優しく包み込み、四季とともに衣と同じようにしつらえを変え、風や光や植物などの自然に満たされたものとして求められてきた。公共空間にあっても伝統的生活の延長線上にある優しく美しい空間こそが、市民の公共空間にふさわしい。

学生時代に菊竹〔清訓〕さんの自宅である〈スカイハウス〉を見せていただいたとき、その設計は、菊竹さんが生まれ育った田舎にあった、大広間のスケール、家具などのモノ、行事などのコトの伝統的生活をも多方面に持ち込み、過去から未来にまでつなげていく作業だったという話を伺った。そのときに日本では住宅を設計するということは特別なことで、過去と対話し、未来につなげていくことだと知った。その後、自分で住宅設計の仕事をしながら、住宅設計とは身体的振る舞いからコミュニティや歴史や宗教に関わることだとだんだんと知っていく。さらにより規模の大きな建築を設計するようになって、建築設計には日本固有の風景や言葉や蓄積された文化芸術の力も必要としていると考えるように

「伝統的住宅建築は私の設計の原点」二〇一六年書き下ろし。*MIEJSCE SPOTKANIA*（ポーランド、二〇一八年）収録、和文未発表

なった。

大学を出ると菊竹事務所に入社した。当時菊竹事務所は大型の公共建築が多く、活気に満ちたなかで私も仕事を楽しみ、休みもなく働いた。しかし五年続けている間にさまざまな疑問を抱えることになった。その頃、公共建築の設計者は限られた少数のエリート建築家によって、仕事の発注者である権力主体へのオマージュとしての建築か、建築家自身の芸術作品としてつくられていた。だから、インテリアの設計をしていても利用する市民が見えない。完成後、市民がどう考えて利用しているのかも見えないまま終わる。次々に設計に参加しながら、公共建築は誰のためのものなのだろうという疑問から、つくる意義をずっと考え続けていた。私の疑問の根には「男性原理」を基とする建築のあり方があったのではないかと気づいたのは、だいぶ後になってからである。

いわゆる公共建築を見学するとだいたい立派なモダニズム建築で権威的なムードを持っていた。これからの公共性とは権威や閉じた芸術性を越えた先に、市民と共にある場づくりの手法から生まれるのではないかと考え続けたが、では具体的にどうしたらいいかという答えはわからなかった。

その頃、雑誌に発表されていた篠原一男の〈白の家〉に出会った。篠原先生は民家を研究し、それ以前まで日本の伝統を発想の出発点にし、〈土間の家〉のような作品のなかに、私は〈スカイハウス〉とオーバーラップするものを感じていた。「民家はきのこ」は篠原先生の言葉だ。伝統住宅は、その土地の産物として、素材、人材、環境が関わって、さらに人が生きていくことと自然との関係で存在しているという意味だ。

民家のあり方を取りあえず体得したいと考えて、日本を北から南の島まで一年を掛けて見歩く計画をたてた。日本列島は南北に長く、夏や冬や温度差は二五℃以上あり、東西で湿度も異なり地域差が激しく、雨量の違いで屋根の形態も異なる。生活のマナーも異なり、山や山里の生活と海辺の生活や言葉、文化やお祭りも違う。そうした人びとの営みと住宅建築が結びついたものになっている。寒い地方は外仕事を家のなかでやり、馬や牛と同居するなど内部化した外室を持っていた。分棟した配置をもつ南方の住宅とはまったく異なっていた。

全国を見歩いた結論は、民家は内側から捉えるべきものであり、どこにあっても居心地のいい空間と美しい空間があったということである。民家は自然の一部であり、日本的感性も単に空間と時間では捉えられないものだと知った。光や風という常に変化する不安定なものに人の振る舞いが絡み、自然をさらに建築が包む連続性のなかに民家の生命がある。伝統住宅建築は常に四季折々のセレモニーに合わせて、空間を閉じたり開いたり、まちの歴史とも繋がって、場を変化させて使われてきたものである。

民家のプランには床の間、神棚など中心になるものが存在するが、その中心をまったく支配力を持たない「空」にする文化構造の歴史がある。中心にどんなものでも包含できる「空」を保つことで、相対立するものや矛盾するものを敢えて排除せず共存させる。こうした考えは日本神話の基底にある特色で、均衡の論理と中空構造と呼ばれる。日本は、アニミズムに結びついた土着の神とインドからの渡来仏をも共存させて来た国だ。こうして「空」をつくって共存し、共生できる文化を営んだ歴史と、民家や集落のありようは切り離せない。そこには自然とも共生することが含まれて、あらゆる万物との一体感がある。

こうして日本の歴史的な文化構造に倣って、変化するものを引き受け、持続する空間を「ガランドウ（ヴォイド）」と呼び、住宅空間のなかに積極的に立ち上げて行く。どの室が入れ替わってもいいような相似形の領域を持つプランをつくるなど、その時々の生活に合わせて空間のありようを変え、人と環境の関係性を変化させてゆくガランドウをつくり続けてきた。領域は流動的な空間でもある。

私は木や畳や障子、襖、漆や瓦、土間などほぼすべて天然素材といってよいものでできている伝統的町屋で育った。その空間には子どもの頃から身につけられた振る舞いのルールがあった。伝統住宅の室内の展開は和紙の障子、和紙の襖、自然素材である白い壁は漆喰。そして地元の材木と畳や板が敷かれている。これらの素材はわずかな光にも反応し、柔らかな光の変化をつくり続ける。特に、庇は深いので春夏秋冬で光の入る高さも異なる。人びとの振る舞いにも各家の伝統の身体の動きを感じる。

伝統家屋は、近代建築で多く使われている石やコンクリートのように反射性の高い材料よりも、吸音性の高い素材を多く使うので、そのなかにいると話し声は静かで穏やかなものだった。視覚に特化した近代的思考は自由で強烈だが、聴覚や触覚など五感にはたらきかける、伝統的住宅が持っていた身体を取り囲む環境としての、一見弱よわしく柔らかい建築空間の質は、現代の日本人の身体にも引き継がれている感性や、生活の質と深く結びついている。住宅建築そのものが日本人の感性や生活の全体を過去から引き継ぎ、未来へと継承していく役割を担っているのである。

2 インクルーシブであること

能楽堂という伝統芸の代表のシアターを設計することになったとき[1]、女性はステージに登れませんとか、屋根は武士の力を示す切妻の勇ましいものであるべきですと説得された。市民の間に広く受け継がれてきた芸能が「伝統芸能」として一部の専門家だけの携わる特殊な芸術になってしまうと、途端に権威的になってしまうことがある。公共空間にそのよ

▼1…新潟市民芸術文化会館（一九九八）

うな差別を持ち込まなくていいのではないかと考え、屋根は民家風の優しい寄棟にした。この能舞台を音楽や日本舞踊もできる多目的空間にするため、能舞台のシンボルである老松の鏡板を移動できるものとし、取り外すと舞台の後ろに庭が見えるようにつくった。

劇場をつくるときも、歌舞伎という伝統芸のための劇場にするべきだという専門家が現れ、歌舞伎もできるように装置を入れた多目的なホールではいけないと抗議された。しかし、私は市民を交えて何回も意見交換して、現代演劇も伝統劇もさらにモダンダンスも鑑賞したい市民は、多目的ホールを希望していることがわかっていた。そのために、歌舞伎の大臣囲いや音楽のための反射板などの装置を導入するコストはかかったが、市民の要望に答えるほうを私は選んできた。伝統芸の代表の能でも歌舞伎でも、女形も男性が演じる。地方の祭りなど見ても日本は男性がハレの部分を担い、女性は奥様と呼ばれ、奥で家事をやるものとしてきた歴史があった。

設計という仕事を通して、女性に向けられていた大ブレーキが解かれたのは、二十一世紀に入ってからといえなくもない。その頃から建築学科には外国の大学並みに女性たちが入ってきて、優れた作品をつくり出している。私がスタートした頃、木造住宅を中心に設計してきたのだが、その仕事をこなす大工たちは私にことのほか親切で、うまくコミュニケーションをしてくださる人たちだった。女性差別をしない姿勢について聞くと、細かい打ち合わせは家にいる主婦とやってきたからかな、女性とうまく打ち合わせができるという家ができるよ、と返事されたことを覚えている。

建築の根源的原理はいままでずっと男性原理に則ってきたが、私のなかで住宅建築には女性原理・女性的なるものの必要性をずっと感じてきたように思う。女性的なるものとは、何ものも排斥しない「空」が持つインクルーシブな性質や、伝統的住宅が持っている柔ら

〈新潟市民芸術文化会館〉
寄棟の屋根、鏡板をとり
外すと中庭の光がはいる

かな空間の質とよく似たものである。

この状態を壊したのはバブル期に入って、住宅を商品化する住宅産業が職人なしでつくる商品住宅を大量に生産販売していくことになったからだ。災害が起こるたび、安直に手に入る商品住宅への流れはすごい勢いだった。投機的な経済の大きな流れのなかに建築もまた呑み込まれていく状況を見ながら、これからの時代にどうやって伝統的住宅が引き継いできた空間の質を未来につなげていけばいいのだろうかと自問している。

3　自然と交感し身体を癒す建築――〈不知火ストレスケアセンター〉

大牟田病院はもともと精神病院で、古い病院には窓に格子が入り、行き場のない人たちが狭い廊下を外の道のように徘徊していた。暴れる人を入れる牢屋のような部屋もあり、初めて見たときは、私は相当なショックを受けた。病院を引き継いだ息子さんは大学の研究者でもあり、私のつくった住宅を訪問して自然光が美しく快適そうだと感じて、自分らしい精神病院をつくりたいと、新しい病棟の設計者に私を選び、この設計がスタートした。

敷地を初めて見た日、不知火湾の入江に面していることを知った。私は長いイバラが幅一〇メートルほど植えられている敷地のエッジを選び、海に面したクリニックをつくりたいとイメージした。聞くと、入院患者が海に飛び込むので近づけないようにイバラを植えているという。私は海の近くのまちで生まれて小学校まで過ごした。嫌なことがあると、防潮堤に行き水平線を眺めながら、潮風を受けて自然にストレスから解放されていくということを何度も感じてきたので、海は人間のストレスケアになるという体験を話して、海辺に建てる許可を得た。

若い先生は何度も打ち合わせに来られて精神病に関する資料を提供してくれた。治ってくると一人で居られるようになる人と、皆と一緒にいることを楽しむ人がいることは、そのときとても興味を引かれたことだった。そこで、一人でするものづくりや魚釣りの場、皆でするものづくりやバーベキューなどのワークショップをする場を提案した。さらに四人部屋の家具を可動にして、入居者が自分で家具を高く積み上げたり低く並べたりして、空間の独立性を高めたり共同化したりできる部屋づくりを提案した。四人部屋であっても、それぞれに海の見える窓を設け、それぞれがドアを持つようにした。そして歯磨きしているときも、食事をしているときも、とにかく毎日変化する海と向き合うように、入江に沿って長くつながる平面図をつくった。閉ざされ、近寄りがたい場所だった精神病院を開かれたものにしようと考えた。

〈ストレスケアセンター〉がオープンすると、新聞にいろいろの記事が出た。ある大手新聞の記事は多くの反響を得た。子育てで悩んでノイローゼになって古い精神病棟にいた女性が〈ストレスケアセンター〉に移って二ヶ月ぐらいで、おしゃれや化粧をし出し、元の奥さまに戻って家に帰れた話だ。彼女は、古いコンクリートの病院では外で何が起こっているか、まったく知らないできたが、九州地方独特の土砂降りの雨が新しい病棟の金属屋根を打つ音に、自分が育った家を思い出し、子どものことを想ううちに我に返ったのだという。そのことで、この小さな家が集まった集落のようなささやかな海辺のクリニックが日本の良き時代の空間の質を携えていることに、私たちは気づいた。

その後もノイローゼ気味の人や登校拒否の子どもが、ここで本を読んだり、魚を釣ったりしているうちに落ち着き、退院したという報告を受けた。建築空間そのものが治療になっていることが評価され、国内外の病院設計の賞をいただくたび、医院長先生と同席し、その後の病院の様子などを伺ってきた。一番印象的だったのは、毎日変化する海と向き合

〈不知火ストレスケアセンター〉
不知火港の入江に面して立つ　左：屋根は部屋ごとにかけ、廊下にトップライトを設けている

うことで、入院者が自分も自然の一部であることを学ぶ様子を見て、設計者の始めの「海と向き合う」というコンセプトは大成功だったと思う、という先生の嬉しい言葉である。これまで特殊な建築とされ閉ざされてきた病棟に、伝統住宅が持つ、自然と交感する柔らかい空間の質を実現したことで、人びとの心身を解放し、癒す建築になったのである。

4　市民の公共空間を具現化する建築――〈藤沢市湘南台文化センター〉

初めて公共建築のコンペに参加した〈藤沢市湘南台文化センター〉で一等賞をとった。コンペ要綱に記されていた市長の言葉には、本来あるべき公共建築を求めたいとあり、そのメッセージに賛同しての参加だった。

私はコンペ案に取り掛かる前に敷地を見学した。敷地は区画整理のために緑の丘を削り取って平らにした八〇〇〇平方メートルの土地であった。かつてはこの失われた丘とはらっぱで散歩したり植物を採ったり、小さなお祭りもした、とそこで山菜を採っていたおばさんが懐かしそうに昔の様子を伝えてくれた。まさにこの失われた丘とはらっぱが市民の公共空間そのものだったことを知ったとき、丘をもう一度立ち上げてはらっぱをつくろうと考えた。コンペで要求されている床面積の八割をも地中に埋めて、グランドレベルにオープンスペースをつくった。

地上に出たエントランス空間の上部は屋上庭園で、このはらっぱ空間を包み込んでいる丘である。丘にはかつてここにあった植物を調べて植え、自然石のように三角の小屋根群を、雲のような日よけを配して、中央にはせせらぎを流し、はらっぱの様子を織り交ぜている。土地の土を壁に、軽く土を焼いた瓦を床にした。日本の伝統的素材でつくった土っぽい建築である。こうしてかつてあった丘とはらっぱを引き継ぐ空間が現れた。私はそれ

〈湘南台文化センター〉
オープニングの日、大勢の市民が広場に集った

を「はらっぱ」と呼んでいる。

日本ではかつて、「はらっぱ」は自然の風景のなかにあり、みんなで遊び、ピクニックをし、相撲を取り、幔幕を張って伝統芸や茶の湯を楽しんだ場である。広がりのある空間は、生活の多目的ホールでもあった。「はらっぱ」はコミュニティの祝祭的な高揚感のある場として生活空間の近くにあった。

ここで考えた「はらっぱ」は、住宅建築のなかの「ガランドウ」の延長上にあるものである。異質なものを包み込む「空」としての「はらっぱ」が、重層的に都市の過去と未来をつなぐ。過去からの連続する空間を立ち上げることで、開発行為で消された市民の公共空間の生成の場にしたいと考えていた。

このコンペ案を見た市民からの希望でスタートした市民との意見交換と共同作業は、その後の公共建築の設計でも、ずっと続けていく作業になった。「これまで建築家が意見を聞いてくれることはなかったので嬉しい」という言葉から始まって、賛否両論が半々の討論会からのスタートだった。設計過程でも、市民劇場の使い方をめぐるワークショップなどを展開して、市民の意見を設計と運営に反映するようにした。市民の生の声を聞き、市民の思考や生活を知る。そうしたことをできる限り設計に生かす方法をとってきた。防犯のためとして周辺にバリヤーをつくってきた公共空間をまちに開放するだけでなく、まちの東屋として朝から夜まで自由に建物のなかも開放することを実行してもらう。市民の生の声を聞くうちに、公共建築が担うべき市民のための公共性は、行政が管理をする社会性を超えた先にあることが見えてきた。

設計過程への市民の参加と、意見の複数性を設計過程に反映することが建築の質を変え、行政が管理する権威的な公共建築が、柔軟な市民の公共空間になったのである。

〈湘南台文化センター〉
左：両翼の小屋根群と屋上庭園　右：プラネタリウム（地球儀）の下からわき出るせせらぎ

〈湘南台文化センター〉が完成してしばらくしてまちの人たちと出会うと、この公共建築のなかに快適な居場所を見つけて、一人で、または友人や家族と利用することで、生活が豊かになっているという。この文化センターは政治家や特定の人びとのものではなく、市民の共生の場になっていた。反対者だった市民たちも、建築家と共同でつくってきたことを自慢するように変わっていた。

現存の敷地や人びとの活動の歴史を繙き、周辺地域との見えなくなってしまった関係性を引き出すこと。既存のつながり、土地の歴史、人びとの生活そして動植物まで観察し、未来に引き継いでいくこと。〈湘南台文化センター〉のコンペから設計過程を通して得たこの手法は、私が公共建築の設計に取り組む際の基本的な手法となった。

5　ランドスケープ・アーキテクチャー――〈新潟市民文化芸術会館〉

伝統的住宅は、どこに行ってもアプローチ空間や家の周りに花いっぱいの庭園をつくっていることが多い。東北の寒いところも、雪の多い日本海の方でも、沖縄の暖かいところでも。春訪れた富山では、私の東京の家と同じチューリップなのに赤が違う。ものすごく美しい赤色で、なぜか調べたくて聞き歩くと、黒部渓谷の栄養豊富な水が地下水となって流れているからだろうという答えが一番多かった。日本列島の中心に山脈の走る日本の各地は、山々の水の恵みを生けて花の色も野菜の味もつくっている。とにかく日本の家は庭と切り離せないものとなっていた。東京の下町の密集地でも家の前に鉢をならべて花づくりをしている家が多い。日本人は単に花が好きというより、花づくりを通して美しい自然に触れているように私には見えた。

私には母に連れられてスケッチをしながら野山を歩いた子どもの頃の経験や、中学で三年間、高齢で魅力的な植物学者に春休み夏休みと植物採集について歩き、たくさんの山の植物を知ったという経験がある。公共建築の敷地は広く、だいたいランドスケープを同時にデザインすることになる。私が建築とランドスケープを一体とした「ランドスケープ・アーキテクチャー」という考えで設計を進めることになったのも、こうした民家的な発想から来ているように思う。

〈新潟市民芸術文化会館〉の敷地を調査すると、川の埋め立て地で、古い地図や絵画には緑の浮島がいっぱい描かれてあり、芸能やお祭りの場所だったという歴史が見えてきた。そこでランドスケープデザインは、信濃川の原風景である緑の群島の再現をテーマにし、コンサートホール、シアター、能舞台などが入る大きな本体の屋上庭園含めて、空中庭園を七つつくり、緑の群島のランドスケープとした。それぞれに特色ある植栽と水景、照明装置を持ち込み、伝統芸の舞台となるよう、渦の庭、水の庭、風の庭、円の庭、祭りの庭、花の庭、展望の庭と名付けて設計した。そして建物とランドスケープデザインが一体となっていることで、ランドスケープ・アーキテクチャーと呼ばれる場を立ち上げることになった。それらの空中庭園を結ぶ空中歩廊は、近接する市役所や既存建物や信濃川の川辺や日本伝統庭園も結ぶ。この歩廊は市民にとても気に入られ、高齢者、身体障害者、学生、幼稚園児などいろいろの人たちが敷地の全体と街を自由に回遊できるこのデザイン方法を、私はアーキペラゴシステムと呼んできた。

アーキペラゴシステムは、個々の建築空間を緩やかにつなぐ開かれたシステムで、屋内外の空間の連続性をつくり、外気や光や植物などの自然を内包する建築をつくるシステムでもあった。それは、伝統的住宅が孕む「空」や女性的なるもの、自然と交感し五感を包み込む空間の質、その土地の生活と歴史を未来に引き継いでいく、市民のための公共的空

〈新潟市民芸術文化会館〉
信濃川沿いの敷地

間をつくるシステムである。「ランドスケープ・アーキテクチャー」は、建築とランドスケープが一体にあるというだけではなく、従来の公共建築を都市に開き、人びとの生活の場に展開してきて、人びとの希望する快適さや生活と関わる市民の公共空間をつくることも含んでいる。

まちも建築も使用され、時間と共に変化し消えるまでの長いプロセスを持つものだが、建築家はこの刻々と変容するダイナミックな世界にあって、時間を超えてあり続けるための場を、変化しつつも持続する建築のありようを提案していかなければならない。建築するということは、地域の歴史やそこで起こるさまざまな今日的出来事、自然と共にある生命性をすべて統合的に受け止める建築の力、可能性、すべてを包括するインクルーシブな在り方を追求する仕事だと考えて取り組んでいる。

はらっぱの建築

比嘉武彦×長谷川逸子

『特集長谷川逸子 ガランドウと原っぱのディテール』第三章「原っぱ」「ディテール」二〇〇三年七月別冊

〈すみだ生涯学習センター〉——分棟にしてブリッジでつなぐ

比嘉武彦 「第2の自然としての建築」という華やかなムーブメントの時期は、〈湘南台文化センター〉の二期工事の完了でひとつのピークを迎えて、それ以降の作品は再び〈松山・桑原の住宅〉的なものへと回帰していくように見えます。〈松山・桑原の住宅〉のように、形態を消して、半透明の境界とガランドウをつくるという建築の質を、ここへ来てより大きな建物で社会化しようとしていると見えなくもない。〈すみだ生涯学習センター〉〈山梨フルーツミュージアム〉が〈湘南台文化センター〉からの移行期で、〈大島絵本館〉あたりからその新しい傾向がはっきりしてきますね。

長谷川 この三つの仕事は、できるだけ形態を分節しながら消していくことを意識しています。そしてその複合化の形式として棟をつなぐブリッジの強調、さらにつなぐことを都市レベルまで広げていき、建築を都市の装置とすることでした。

〈すみだ〉では、建物をメディアセンター（南東のヴォリューム）、パフォーマンスホール（西のヴォリューム）、ラーニングセンター（北のヴォリューム）という三つのブロックに分けています[1]が、それらを各階数本のブリッジで連結しています。コンペの要項通りに単に一体の建物にしていたら、各階の関係は見えなかったと思います。それを分陣にしてブリッジを渡すことによって、人が各棟、各階へと動くのが見える。人の活動が視覚化される。

▼1…「下町的共同体と複合機能の建築化を意図して」、第一章参照

三つに分けた棟の隙間は、市民が横断する広場です。敷地を囲む三本の公道をつなぐ役割をこの広場はもっています。

比嘉 つまりは、互いに緊密に関係し合う「群れ」のようなものとして建築をとらえていくようになるということでしょうか。そこに生じる隙間を含めて、より都市環境にとけ込んでいくというか。そのあたりは〈湘南台〉からつながるものですね。〈湘南台〉にもブリッジがあり、広場もあります。

長谷川 〈湘南台〉で人が歩いているブリッジの風景がとても活動的に見えたのです。人が歩く空間が建築化されると、その両端での活動が見えるような気がするのですね。それから公共建築に複合化の効果をもたらすようなブリッジをつくり始める。人がとどまって活動する領域をつくるだけではなく、移動しながら都市へとつながるネットワーク的な空間の拡張性に興味を感じるのです。

比嘉 それがランドスケープまで拡張して展開されるのが〈絵本館〉で、ここまで来ると〈新潟市民芸術文化会館〉はすぐそこです。〈新潟〉でブリッジを歩く人はみんな演劇的な身振りを振り付けられているように見えますね。ステージへ向かう道行きのような感じで。

長谷川 それまでの建築はどちらかというと動く人やものを見えないようにしてきましたよね。壁で囲い込んでしまいますから。でも〈湘南台〉でも〈新潟〉でもそうですけど、ブリッジを渡るとみんなすごく活発で美しく格好よく見えるんですよ（笑）。〈湘南台〉のパンチングメタルの連なるブリッジなど、映画のコマ送りのシーンのように見えます。

比嘉 空中を渡るブリッジには行為を演劇化する働きがあるのでしょうね。

長谷川 人の動きを視覚化するという働きと、それが視覚化されることによってネットワークやコミュニケーションを誘発する働きがあるのですね。

左：〈大島絵本館〉　右：〈すみだ生涯学習センター〉

比嘉　異質なものをつなぐこともできる。

長谷川　〈新潟〉のコンペに参加する直前に、ハーバード大学に客員教授として滞在していたのですが、ボストンに流れるチャールズ・リヴァーを題材に、水のうえにパフォーマンスのためのスペースをつくるという課題を出して、学生の指導にあたっていました。高架下にある都市の音を聞くための空間や、川を移動していく劇場、水のうえに点在した島状に浮く場などの案を、学生たちとつくっていました。またイギリスのコンペでは、ウェールズの港湾に建つオペラハウスを船に見立てた劇場「オペラシップ」を提案したりしています。[2]

そういった一連の流れのなかで〈新潟〉が生まれてきたともいえます。プログラムや敷地条件が非常に複雑だったこともありますが、それらをうまく解きながら積極的に環境をつくりあげていくために、自然にアーキペラゴシステム（群島システム）というイメージが生まれてきました。島状に建築をつくり、駐車場のうえに場を設け、そうやって散りばめられ点在する楕円の島々をつないでいくというようなあり方をこのコンペでは見出していった。

〈塩竃ふれあいセンター〉では、新旧二つの公民館にはさまれた駐車場のうえに、空中庭園をつくってジョイントしています。内部の室は閉じているのではなく、スロープに沿ってオープンな場として広がっている。場が開けているということは、市民が互いに関わりやすいのです。教室型の学習センターと違って、市民が参加しやすい施設になるのですね。

比嘉　そういったいわば「群島化」の一方で、建築単体として見れば、たとえば〈すみだ〉の建築の形態を見ると、〈湘南台〉で見られた装置化が〈すみだ〉ではやや消極的に用いられていて、そういうものをつくりながら消そうとしていますね。〈湘南台〉を幔幕とい

▼2…カーディフベイ・オペラハウスコンペ、一九九四年。「海外で起こったこと」、第一部第六章参照

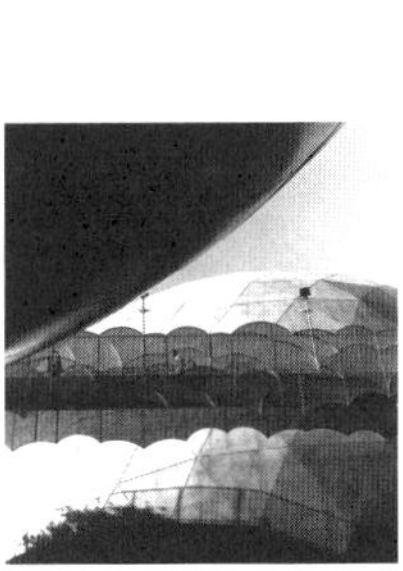
〈湘南台文化センター〉
市民シアターの前を横切るブリッジ

うなめらかな表層で囲って、形態的なエレメントを消し去るプロセスのように見えます。

長谷川 ここにはプラネタリウムもあって、プログラムが〈湘南台〉とほとんど同じなのですが、〈湘南台〉の平面的な配置計画が今回は立体化してうえに伸びているのです。同時に、過密な場所なので、周囲の人のプライバシーと透過性のバランスを考えて三つの建物をパンチングメタルで覆って一体化していったのです。そうやって三つの活動の場所をひとつの膜でパッケージして活動のまとまりをつくっています。それらがひとつのまとまりのなかにあれば、それぞれの活動の相乗効果が期待できるだろうと考えたのです。三つの異なる機能をパッケージングすることによって、複合的な新しい機能を発揮させようということです。

比嘉 その考えはのちの〈新潟〉にも通じています。〈湘南台〉で重視していた「人を集める広場」を、言い換えれば社会化された建築の外部空間を〈すみだ〉でも同じようにつくろうとした。しかし〈湘南台〉の装置群のような形態の強さに代わって、今回はその複雑な効果をもっと単純なパンチングメタルの大きな幔幕が担っているわけですね。幔幕の効果についてはどう評価しますか。

長谷川 内部で活動する人たちのシルエットの動きが面白く、サーカステントと呼ばれていました。パンチングのスクリーンの上部は、テンションがかかったように折れ曲がっていて立体感を出しています。テントで覆われたような仮設的な軽みをもたせようと考えました。内部の人が動く様子は、映像的な効果を出しています。都市のなかに浮遊するようなそのシーンはとても東京的です。周辺の過密な地域にあって布のような幕はやわらかく、建築のヴォリューム感をやわらげていると思います。広場は水場のある横丁のような空間で、奥の道に行く人の近道でもあり、いろいろな人がたたずんでいます。

左：〈すみだ生涯学習センター〉3棟をパッケージするパンチングメタルの幔幕　右：〈塩竈ふれあいセンター〉駐車場うえの空中庭園

〈大島絵本館〉——丘を立ち上げる

比嘉　〈湘南台文化センター〉で極端に装置化された建築があって、〈すみだ生涯学習センター〉ではその装置が膜で囲われています。〈大島絵本館〉ではさらにその装置も消えて、もっとシンプルに回帰している。これを積極的にとらえれば、〈湘南台〉のように極端に人工化しなくても、ランドスケープ的な建築だけで場をつくれないかということでしょうか。その方法論として「群島」があるのでしょうか。

長谷川　もっといえば、その先は何もない「はらっぱ」ですね。そのはらっぱこそオープンな公共空間だと私は思っています。移動式のテントが建つ劇場であったり、運動場でもあり、ピクニックの場所でもある。はらっぱが一番、活動の多様性を引き受ける。

私の生まれた町では「浜行き」といって、一年に一度黒潮が見え出す早春に、みんなが浜に集まる晴れやかな行事がありました。浜辺に晴着を着て行くのですね。海辺は劇場化していました。それは社交場でもあるし、祈りの場でもある。そういう時代を田舎で過ごしていますが、振り返ってみると、そうした何もない空間にパブリックなスペースとしての可能性を見てきたように思います。その砂浜は暖かくとても心地よいもので、海はきらきらと光り輝いていました。そのような公共性が立ち上がるところは、日本やアジアの多くの地域でも同じだろうと思います。芸能もそうした野外で行われていたのですね。

比嘉　何か触覚的なものをベースとした未分化で原型的な空間性ですね。空間というよりもまさしく「場」ということばの方がふさわしい。その浜辺の話はとても重要な気がします。長谷川さんの建築思考の芯というか原イメージをかたちづくっているのではないでしょうか。

でも建築は、あいまいで多様な活動を明快な機能として立ち上げざるをえないところが

「浜行き」の風景
（『焼津市史』より）

あります。劇場であり広場であり、水があって草原があり、遊び場であるような、人びとの活動のベースになるような、暖かい砂浜のような場所を、長谷川さんは本当はつくりたい。ところが劇場は劇場としてつくり込んでしまうと、それ以外の使い方ができないのが建築です。

それを受け入れざるをえないので、長谷川さんは「広場」を提案してきたのだろうと思います。でも〈湘南台〉の複雑な装置化は、長谷川さんの意図と離れて比喩的な形態という別の意味を帯びてきてしまう。そのため〈絵本館〉では、つくり込まないプレーンなものにしている。より原イメージに近づくために。

長谷川　この〈絵本館〉の丘は都会の現場からもってきた土のリサイクルでつくった人工的な丘です。みんなが座ってお芝居もできる劇場だということで、かなり人工的な丘をつくり出している。そこには、自然のゆらぎを感知するための風の装置や噴水、水琴窟の原理を応用した遊具などが設置されていて、人工的に環境をつくっていますが、全体としては芝のはらっぱのプレイスです。

比嘉　建築は非常にシンプルですね。大きな流れで言えば、住宅でつくっていたガランドウがパブリックな性格を帯びてくるといった感じでしょうか。さらにそれが外部領域へと展開して「はらっぱ」という概念で語られるわけですね。

長谷川　「大きな船」と言われる内部はヴォイド化していて、スロープに沿わせたオープンな場と大きなデッキが広がっています。住宅のガランドウと違うのは、外部から連続するブリッジやスロープといった移動空間がそこへ現れることです。

比嘉　建築の内部と外部をつなぎ、ひとつながりのサーキュレーションをつくる。

長谷川　つなげる空間の面白さを発見して、〈絵本館〉では三つの丘をつくってブリッジで

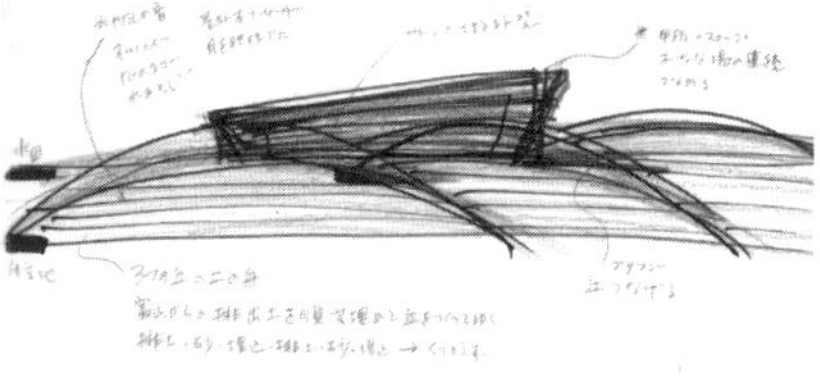

〈大島絵本館〉
左:段丘のはらっぱ　右:3つの丘のうえの船のイメージスケッチ

つなぎ、さらにそのブリッジは建物のなかへとスロープでそのまま入ってきて、ガランドウである内部をらせん状にめぐるという構成にしています。

この三つに分かれた敷地は農道で分断されていて、これを埋めてひとつにするという意見もありました。しかし、その農道をリヤカーや農機具をもった人が通る姿が、絵になると思った。それでこの農道をあえて残して、三つの敷地をブリッジでつなぐことにしたのです。このような思わぬ外部への接続は場を活気づけますよね。そういった外部への視線のようなものが、私をランドスケープデザインの方向へと向わせ、さらには都市のグランドデザインの方向へと興味を拡大していく結果になっていったような気がします。

〈山梨フルーツミュージアム〉——ジョイントは全溶接

比嘉 〈絵本館〉と並行して〈山梨フルーツミュージアム〉の仕事があります。このふたつは、〈湘南台〉や〈すみだ〉で見られた複合化した形態やブリッジが目立たなくなっています。〈山梨〉は長谷川さんの建築のなかでも特に外国での評価が高いですね。

長谷川 そうですね。〈山梨〉も〈絵本館〉も既存のビルディングタイプを一度解体して、建築のプログラムの側からのストーリーをつくり、立ち上げているのです。

〈山梨〉の敷地は山梨のぶどう畑の丘陵の一角です。地上の三つのドーム（「くだもの広場」「トロピカル温室」「くだもの工房」）は、アーキペラゴ（群島）のように配置され、それぞれ斜面に舞い降りた多様なフルーツの種子の、生命力を感じさせるような形態にも感じられます。「展示室」はRCの大きな箱で地下に埋め込まれ、「くだもの広場」と「トロピカル温室」につながっています。

比嘉 〈すみだ〉と同じ構成ともいえるでしょうか。〈山梨〉の場合、各棟が明確に性格づけされ、それぞれ特徴的な形態になっていますが、それらが集まることで複雑な効果を狙ったものなのでしょうか。

長谷川 複雑さというより変形することをここでは考えていて、それが詩的なイメージを生み出すのではないかと思っていました。アトリウムでありインドアガーデンでもある「くだもの広場」は、天井全体に可動ルーバーが配備されたガラスドームで、種が成長した大きな木のイメージでもあります。「トロピカル温室」は種子のイメージで、地下に埋め込まれた「展示室」はフルーツの遺伝子の世界であり、「くだもの工房」は種の生命力をシンボライズしています。

このように分棟形式の全体を物語的に構成することを試みながら、群としてそれぞれの形態を決めていきました。三つのドームはそれぞれ異なる規模と素材をもち、地形に沿いながら、大地と親密に、あるいは反発するように接しています。

比嘉 各ドームはそれぞれ形態としては明快でシンプルですが、技術的にはかなり高度なことを試みていますね。

長谷川 「くだもの広場」は大地に降り立ったゆるいカーブの円盤状のガラスシェルターで、高さ一一メートル、直径五五メートルのスチールドームです。大きな幹と枝のような形状をH形鋼で放射状に構成し、そのうえに同心円上に鋼管が配されています。天井のブラインドは太陽光をセンサーで感知して、一時間に一度調整が行われます。同時に煙突効果によって自然換気するため、エアコンのいらない広場になっているのです。

「トロピカル温室」は1／4楕円の組み合わせでできている変形鉄骨ドームで、ガラスで覆われています。約二〇〇ミリメートル径の鋼管で構成された単層格子構造で、そのジョイントはすべて溶接接合でできています。三次元モデルの解析を行い、ブレース材なしで

〈山梨フルーツミュージアム〉3つのドームが丘陵に沿って配置されている

十分な剛性があることが証明され、シンプルな竹かごを思わせるものになりました。「くだもの工房」のドームは、変形楕円によるシースルーの立体的なパーゴラのなかにラーメン構造の矩形ビルディングが入る建築となっています。最上階のドームのテラスからは富士山が見えます。鋼管のドームは下半分を斜材で剛性の補強をしています。

当時はいわゆるハイテックスタイルの全盛期で、ロンドンのオーヴ・アラップのオフィスで打ち合わせをした際には、最初はボール・ジョイントのような複雑なディテールを提案されました。しかし私はもっとシンプルに、竹の籠のようにしたいと考えていたので、ジョイントピースは使わない方法でいきたいという意向を伝えました。でも彼らはそれは不可能だと言うのですね。それで、日本の造船技術を使えば全溶接が可能なんじゃないかといったことなどを説明して、その場で横浜の造船会社に連絡し、電話やFAXでやりとりをしました。そして、そうこうしているうちにそれを聞きつけたセシル・バルモントさんがやりましょうと言ってくれたわけです。

その後、ノーマン・フォスターさんの大英博物館のドーム（二〇〇〇）のフレームや伊東豊雄さんの〈せんだいメディアテーク〉（二〇〇〇）の構造など、大きなフレームが全溶接でつくられていますが、私たちのときには前代未聞といった感じでしたね。

当時はちょうど私たちが手に入れることができるコンピュータの性能が著しく向上したときでもあって、三つの形態の作図はコンピュータの三次元データでスタディを進め、施工性を考慮しながら、シンプルな定義によってつくることができる回転体としてそれぞれ決定しました。そして三次元データから二次元に変換して図面を作成したのです。コンピュータ上で三次元と二次元を行き来しながらの作業でした。複雑なものもつくることが可能になってきたことを感じながらの仕事でしたね。

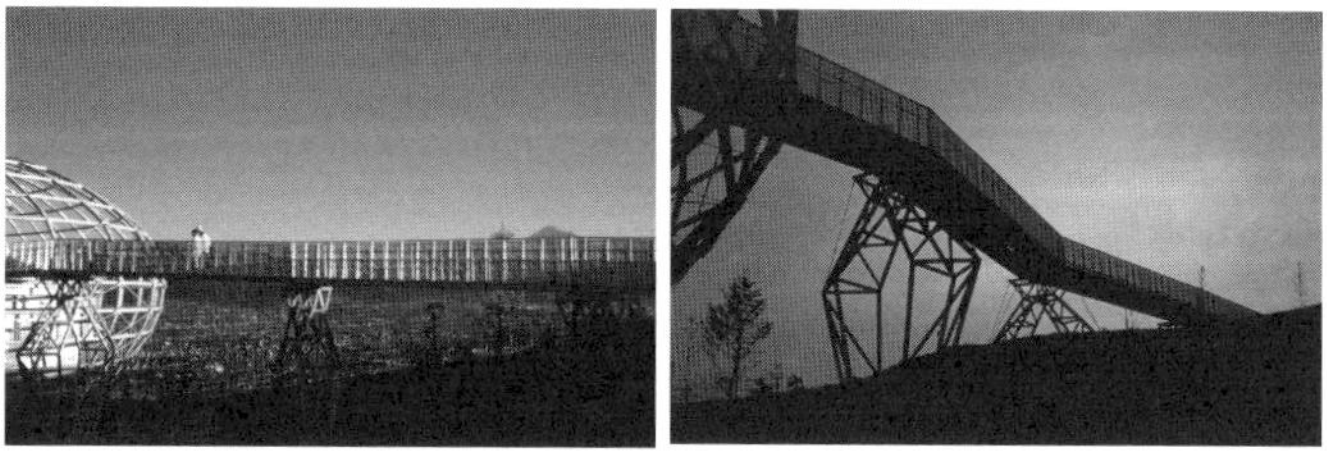

〈山梨フルーツミュージアム〉
くだもの工房と丘陵をつなぐ
ブリッジ

〈すみだ生涯学習センター〉〈大島絵本館〉〈山梨フルーツミュージアム〉での市民との交流

〈湘南台〉のあと、〈すみだ〉〈絵本館〉〈山梨〉と続けて公共建築に携わることになった。その頃、それぞれの地域の行政が持っている市民との交流の考え方はまちまちであった。〈湘南台〉の子ども館の展示を見て気に入り、私がプログラムをつくったことを知って、建築の設計ではなくプログラムづくりを頼まれたのが〈絵本館〉だった。富山県の大島町は、どんな〈絵本館〉をつくるべきか、どうやって運営すべきか、具体的で自分たちのまちに合った運営のプログラムを求めていたので、プログラムづくり、スタッフ養成、建築が一体となった「場」を実現することができた。この小さな〈絵本館〉が公共建築賞をいただくことができたのは、運営にあたるスタッフや町の人たちがこの建築をよく理解して、上手に使ってくれているからだと思っている。

〈すみだ〉では、行政の市民参加への警戒感がなかなかほぐれず、まちづくりに関心を持つ市民との個人的な交流を起点にすみだの街を知り、市民の声を聞きだすようにしていた。下町の風情のある街並みを活かす、伝統的な工芸を手がける工房や職人たちのネットワークをつくるといった活動を絡めながら設計を進めていった。〈すみだ〉は、従来の年齢や性別で分断されていた公民館的なサービスを複合した「生涯学習センター」の第一号だった。世代を超えた生涯学習がテーマなので、複合性をテーマにプログラムを考え、設計を考えていた。公民館の和室や囲碁将棋の場の他に、中高生や子どもたちが使えるように録音設備のついた音楽スタジオやコンピュータで作曲できる場所、ビデオ編集室展示室なんかをつくる。すると子どもたちは大喜びで集まってくるが、それまで公民館を独占的に使ってきた高年齢層の人びとたちは怒る。そうやって世代間の

〈山梨フルーツミュージアム〉
くだもの工房

争いが収まるまで長い時間が必要だった。後で知ったが、各地で同じような問題が起きていたそうである。

〈山梨〉は県の仕事だったが、市町村自治体と比べると当時の「県」は市民とそうとうの距離があり、「市民参加」が入り込む余地はなかった。だから、いろんな要素が複合できる、快適でコミュニケーションが活発になるような場を立ち上げることを大事にしていた。鉄骨のドームはどうしても大げさで立派な架構になりやすいが、それでは人びとを圧倒してしまう。「竹かご」のように、軽やかで人びとに圧迫感を与えない快適さを生み出すドームのつくり方が必要だった。

（二〇一八年）

・・・対談

新しいガランドウへ向けて

再び住宅と集合住宅

比嘉武彦×長谷川逸子

『特集長谷川逸子　ガランドウと原っぱのディテール』第四章「つなぐ建築」より部分、「ディテール」二〇〇三年七月別冊

比嘉武彦　最近になっていくつか住宅を設計されています。一連の公共建築を終えたあとの住宅設計では、何か変化があるのでしょうか。

長谷川　〈新潟〉以降の仕事を通して、公共空間とプライベートな空間の境界がとてもゆらいでいると思います。そして、だからこそ住宅でもガランドウがうまく機能すると思います。住宅の外部あるいは公共空間へガランドウをどうつなげていくかが住宅のテーマのひとつになってきています。

比嘉　具体的にはどのような方法をとられているのですか。

長谷川　〈小豆島の住宅〉のクライアントは私と同世代で、すでに生活のイメージができているご夫婦です。瀬戸内海が一望できる見晴らしのよい敷地を買って、朝起きると海が見え、海を見ながらお風呂に入り、食事をしたい。また映画好きで、みんなで集まって映画鑑賞会を開きたいと強く思うクライアントです。私はクライアントと打ち合わせをするときには、いつも、その人の生き方やことば使いからその人にどんな生活が似合うか想像します。現代社会ではメディアを通してそれこそ世界中の映像が目に飛び込んでくる。もしかしたら、この夫婦にとっては目の前にある生な自然よりも、抽象化され想像の入り込む余地のある自然のほうがリアリティが感じられるのではないかと思いました。だから海の見える側に長いヴォリュームを横たえ、前面をテラスにしてそこにメッシュのスクリーン

〈小豆島の住宅〉

を張って、いったん外の風景を抽象化して取り込んでいます。

比嘉 〈松山・桑原の住宅〉で試みたパンチングメタルを、さらに発展させたものですね。

長谷川 この住宅の場合はもう少し双方向的ですね。外から見たときは、なかの生活がパフォーマンスのようにメッシュのスクリーンに写し出されます。メッシュは防虫ネットの役割も果たすし、微妙な風や音も通します。

比嘉 住宅の領域を切り分けながら、視覚や聴覚、触覚的なものまで調整する浸透膜のようなものですね。東京の笹塚に建った〈YSハウス〉でも住宅の境界のつくり方を試みているのでしょうか。

長谷川 〈YSハウス〉はペントハウスで、東京の空中で生活する浮遊空間の提案です。〈小豆島〉で試みたメッシュの境界に対して、ブルーのゆらぎガラスブロックを用いています。生活ということでいえば、家のなかで寝ることも外に買い物にいくことも、どちらも生活の一部です。だから、住宅と都市との境界は、薄い皮膜のようなものでよい。その皮膜を通して外側からも内側からも生活を浸透させていく。そんなイメージをもってガラスブロックを使ったのです。

比嘉 東京の渋谷に建った〈SNハウス〉は賃貸住宅ですね。

長谷川 この住宅は単身者もしくはふたりで住むためのものなので、L型のプランを選んで、どんな住み方にも対応できるよう内部はひと続きのガランドウです。L型のプランは壁がなくても生活に死角ができてあいまいに領域を分けることができます。〈SNハウス〉は最大限部屋を確保したいということから、四分の一層ずつスキップさせながら、らせん状に重層して斜線制限をクリアしています。各住戸は独立性を保ちつつ二辺に開放されています。

左:〈YSハウス〉ペントハウスのガラスブロック壁　右:〈桑原の住宅〉

比嘉　この、住戸が立体的に組み合わされた形式はどこか不確定的な場をイメージさせます。そこにいるけれどもそこにいないかのような場のあり方、そうした場が住宅にふさわしいということでしょうか。

長谷川　宙吊り感覚はL型の角がキャンティレバーであることにも関わっていると思います。都心に住む単身者は世帯数の三割を超えるといいますから、このようにらせん状に浮遊するあいまいな場こそ、地縁や血縁に依存しない都市生活者の住みかにふさわしいという気がしています。

二〇〇〇年代の住宅と集合住宅

二〇〇〇年頃から、若い新しい世代の建築家たちが活躍するにつれ、アートとしての住宅や、いわゆるプライバシーや居住性、身体的な快適さとは別の次元にあるガラスの透明な住宅を目にすることが多くなったように思う。楽に住んではいけない住宅、全部にカーテンをしないと住めそうにもない住宅、住むこと自体が修行になっているような住宅。現代日本の独特な住宅のあり方かもしれない。

しかし、そうした住宅が本当に「生きられた家」になるにはまだ何かが足りないのではないかとも感じていた。抽象度の高い虚構をつくりながら同時に具体的な生活を引き受けている、そういう「ガランドウ」でないと生きられた家にはならないのではないかと思う。一九七〇年代には、早く完成して高価な商品化住宅に対して、大工さんたちがつくる、時間はかかるけれどより安価な在来木造住宅といった対比があって、そのなか

〈SNハウス〉
正面1/4ずつスキップする構成

に小住宅が成立していた。建築家が施主とじっくり話をして生活を考えてつくり、大工さんが丁寧につくりあげることができた時代であった。

いわゆるハウスメーカーの住宅はどんどんハイレベルな性能や機能を備えていって、そのなかでいい加減な生活などできないくらい立派になっていく。夫婦と子ども二人という立派な家族モデルはずいぶん変わってしまっているのに、相変わらず同じ家族モデルでしかつくられていない。そういう用意された立派さ、大企業がつくる住宅に対してリアリティを感じられない若い世代のクライアントがいる。そういう社会状況があって、そういう人たちが一種の抵抗として、バラックのような、アートのような住宅を若い建築家につくってもらうようであった。

一九九〇年代後半、新潟の実施設計が一段落した頃から、〈茨城県営滑川アパート〉、〈長野市今井ニュータウン〉と公営住宅の仕事が続いた。公営住宅は敷地が広くていい環境をつくれる一方、福祉政策という側面を持つので住戸の平面などはきっちり面積が決まっていてほとんど提案できることがない。何か提案すると拒否されるので、エントランス周りやアプローチ空間に対して提案をしてきた。〈滑川〉では約一五メートルの高低差のある丘の敷地を段々に造成せず斜面のまま建築を配置してスロープで繋げた。丘の斜面とスロープのブリッジがつくるコミュニケーションの場である。エントランスの空間を少しでも広くとって温室のように植物がいっぱい置けるようにし、外部に繋がって行くような緩衝空間とした。〈今井ニュータウン〉は、オリンピック選手村として建設し、オリンピック後は市民に分譲されることになっていた。寒さの厳しい長野では、ウインタースポーツをしたり、スノータイヤが必要だったり、各家庭でお漬物をつくったり、なにかと外部の収納空間をよく使う。だから住戸の前空間を広くとってベン

左:〈茨城県営滑川アパート〉　右:〈長野市今井ニュータウン〉

チ型の収納をつくって井戸端会議の場になるようにした。住棟形式としては二住戸をセットにした階段室型をよく採用してきた。三面採光が取れること、住棟の間に風の通り道ができること、大きな壁面をつくらないこと。そして、住棟から少し離してスロープやブリッジ、廊下を設けることで、そこにコミュニケーションの場が立ち上がる。

集合住宅を経済性重視だけでつくると貧しいものになる。公営住宅だけではなく民間マンションも貧しいものが多い。本当は集合することでもっと豊かな場所、生き生きした場所ができて、みんながヴィレッジとして生活を楽しむ、そういう集合住宅をつくりたい。〈宝塚ガーデンヴィレッジ〉では、クライアントとも随分議論して、一〇〇平方メートルを確保する、三階建以下に抑える、住棟の間に緑をいっぱい植えるといった挑戦をした。阪神淡路大地震の後で、社会が閉塞的になり、住宅も小さくて安ければいいという風潮が強くなり、六〇平米かせいぜい七〇平米の住戸がつくられている時代だった。そんななかで一〇〇平米の住戸をつくるのは大変だった。メゾネット型の住戸だと、二世代でも住めるし、個人事務所やアトリエのような使い方もできる。集合住宅だと事業所を普通は設けられないので、宝塚市にお願いに行って、弁護士事務所や音楽教室や絵画教室ができるようにする許可を得るといったこともした。外部の人がきたときに対応ができるように、待合の空間もつくった。だから入居者は会計事務所をしたり、お習字の教室にしたり、ヨガ教室を開いたり、SOHOのように使っている。一軒で住んでいるよりも多くの出会いがあり、プールや図書館もあって、ただ住む以上のことがその場でできるということが、強制されたコミュニティではなく、自主的で自由なコミュニティをつくることにつながっていく。そうやって、集合することで生活の豊かさや多様さが生まれるような住宅になったのではないかと思っている。

（二〇一八年）

〈宝塚ガーデンヴィレッジ〉
夜景

〈宝塚ガーデンヴィレッジ〉（2015年）緑に包まれた環境が形成されている

第一章

「コミュニケーションが開く建築」

第一章には、一九九三年から九四年に書かれたテキストを集めた。「コミュニケーションが開く建築」(一九九三年)は「建築文化」誌で組まれた長谷川逸子特集の巻頭論文、「出来事としての建築」(一九九三年)はそれに呼応する形で書かれた多木浩二の批評である。

この特集号にはARMと組み合わせてつくった初期のCGが数多く掲載されている。一九九〇年代に入ってCADが普及し始め、長谷川事務所では〈コナヴィレッジ〉の日影計算のためにCADを導入したのを端緒として、DRA-CADを導入していった。長谷川によると、八〇年代末に、フィラデルフィアにあるロバート・ヴェンチューリの事務所を訪ねた際に、CADでビルのファサードのヴァリエーションを大量につくっているのを見て、集合住宅にいいのではないかと思ったからだという。

社会的には仮想現実が日常生活を侵食する危険と快楽が盛んに論じられた時期でもあった。そうした社会状況にあってこそ、リアリティのある共有できる場やコミュニケーション・対話をどうつくっていくかということが大きなテーマであった。一九九五年には最初のデジタルカメラQV10がカシオから発売されたが、総画素数はわずか二十五万画素、インターネットの普及率も一〇%に満たない状態であったが、新しい情報技術とそれがもたらす社会変革への期待とともに、建築がつくる場はどうあるべきかという問いも持ち上がっていた。

一九九〇年代初頭に進んでいた〈すみだ生涯学習センター〉、〈大島絵本館〉と〈新潟〉に関するインタビューには、情報化社会をどう迎えるかという問いに対する回答という側面も持つ。建築は「活動を誘発するための装置」であり、人びとのコミュニケーションの「場をつくる」。そのために、ブリッジやスロープ、半屋外的な開かれた空間など〈新潟〉につながってい
く数々の手法が編み出されていった。

「ソフト」面でも〈すみだ〉では、館内ネットワークで各部門の活動をつなぐ、パソコンで音楽編集するスタジオをつくる、広場に地域の情報を提供するインフォメーションロボットを置くといった工夫がなされた。〈絵本館〉ではパソコンやプリンターを配置し、インストラクターが常駐して、親子で世界に一冊だけの絵本づくりを楽しむことができる。特に〈絵本館〉はソフトづくりの依頼から始まったこともあり、ゆったりとした敷地のランドスケープデザインとともに、人びとの活動とコミュニケーションの場をつくるという、ハード面とソフト面のバランスがとれたプロジェクトになっている。地域に親しまれ利用率が高いこともあり、小規模建築ながら二〇〇〇年に公共建築賞を受賞した。

・・・コミュニケーションが開く建築

メディアが開く建築シーン

消費社会を続ける日本にあっては、都市も自然も貧しさを増すばかりで、その衰退の様相を埋め合わせんとばかりにメディアを発達させ、シミュラークルなものによる環境の人工化が進行してきた。シミュレーションは夢見の空間と連続しており、我々は自ら拡張したイマジネーションとコミュニケーションしているにすぎない。そしてそれは錯覚である。美しい自然もメディアを介さないと見えてこないから、次々につくり出されるフィクションを目の前にして生きているが、そのことはいつの間にかロングデュレ（長い持続）を尊重するモデスト（慎しみ深い人）の意識と大きなずれを生じさせてしまっていることがはっきりしてきている。

その対比が明らかになっていくなかで、そのようなシミュレイテッド・シティは環境、つまり生活の質や生命の質をますます貧しくしていくことに人びとは気づきはじめた。地球規模の破壊が自覚的に捉えられるようになるとともに、自然も豊かで調和に満ちたメッセージを発するものではなくなってきてしまった。人間がつくり出していく物の根底は、地球の自然にさまざまな形で支えられている。自然は人間存在のすべてを含むものであり、そのなかで人間のつくる空間は新たなレベルの環境・生活の質でもあり、そのありようは社会と不可分だ。

「建築文化」一九九三年一月号

変化の気配を感じる、そのいとまさえとれないほど科学技術の発達による開発のタイムスパンは短くなっている。かつてはゆっくり自然をいたわりつつ調和をはかってつくり続けることができたが、開発のスピードアップが破壊を進めることになっている。一方建築は、十八世紀から始まって、世界の均質化と透明化をもくろみ、大地からの離脱のなかで軽さへ向かい続け、そして今日もその延長上にある。いま、人間の生き物としての質を問うとき、限界状態のなかに生きていることがはっきり認識できるようになってきたが、この限界を超えていくには、生命を包括する環境としての建築はどう転換し、どこに向かっていけばよいのだろうか。あるいは新しいテクノロジカルな環境に置かれた我々の想像力は建築をどのような方向に向かわせることができるのかが問われている。

魅惑的なヴァーチャル・リアリティにしろ、テクノロジーの高度化が導く一種の神秘主義に連れ込まれた状態からは、何も生まれてくることはない。ロングデュレとしての世界、つまりずっと継続していくものとして環境の質を考えるに、自然は豊かであるという認識から程遠くなるばかりだ。テクノロジーの発展は新たに人間の内に埋蔵されている感性や能力の可能性を引き出し、無意識を意識化することさえ可能な拡張を行っていくであろう。しかし、そのようなレベルに至らない今日的状況から生ずる身体的なるものとシミュレーションの世界のずれは、テクノロジーの高度化にともなってますます大きくなり、時には人間を外部との関係が切断しやすい状態に誘いこむ危険性をはらんでいるのも確かだ。その閉鎖性を打開していくには、メディアがつくる情報環境の多重化と、身体的なる生々しさドロドロしさがもつ活気をからませていく必要がある。それは建築の設計においては、ハードだけでなくソフトづくりプログラムづくりを重視することにつながると考えている。

コミュニケーションが開く建築シーン

大牟田の〈不知火病院ストレスケアセンター〉の設計は、経済活動中心の社会にあってさまざまなストレスで精神を病んでいる人たちが急増していることに、既存の精神病院では応えられず、増設したいということからはじまった。クライアントのこの時代に適合した病院の建築を建てたいという積極性に惹かれて、この設計に当たっては、三年にわたり医療と建築のあり方について研究と意見交換を繰り返した。患者にとって、メンタルセラピー装置としての建築はどうあるべきか、看護する側にとって、訪問してくる家族や支えてくれている地域の人びととの関係はどうあったらいいかと、さまざまな角度からの検討をした。大学の実態調査の分析はもちろん、全国の病院見学、患者さんをはじめ看護婦さんたちとのディスカッションを繰り返した。

そうした客観的資料にオーバーラップさせて、私は自分のこれまで生きてきた経験から、広々とした海辺の空間、潮の満ち干、波のゆらぎ、光のきらめきなど自然のリズムのなかに身体をしずめることで、人間も自然の一部であることを感じられるような空間とすることがストレスケアにつながると考えて、海辺に敷地を選ぶことを提案した。建築は経営上ローコストにならざるをえないもので、その表現はかつてこの地域に潜在していたものを掘り起こしつつ、この風景になじむものを重ねてみたいという発想がつくりあげた、不思議な住居群のように見えるものとなった。刻々と変化する海を直接眺められるように主な病室は水辺のエッジに沿って配列され、全体は不定形で滑らかな曲線が細かな直線の近似によって描かれたものだ。

内部はどこにいても、水面と光の微妙なゆらぎやざわめきに包まれてリラックスした気分になれ、とくに病室は四人室を基準とし、一人になる状態と皆で一緒にいる状態が使い

〈不知火ストレスケアセンター〉

分けられるような試みが、家具類の組立てと三つのドアやベッド脇の窓を持ち込むことで可能になっている。洗面所、通路などの徘徊空間、広いテラスによってまるで船のデッキのうえにいるような気分になり、ナースステーションも何げなく安心感が得られるように配慮してある。メンタルセラピー装置としての建築とその実験的治療は、結果的には、薬いらずの治療が行われている。身体性の解放と新たな自然さの獲得をもって介護していくという考えをそのまま実現したものとして、このプログラムと建築空間が完成後、医学界から注目を受けつづけ、現在地元の有明工専の先生によって建築の空間と精神療法の関係というテーマの調査対象にもなっている。ここでの設計手法は一例で、こうしたコミュニケーションを通して建築を建ち上げていくことは私の設計活動のスタートからつづいている。

スタート時、友人知人の住宅を設計するために積極的に住まい手とディスカッションをして進めていくうちに、この設計作法はつくられたのだと思う。住宅設計はクライアントとの共同設計であり、そのコミュニケーションこそ設計そのものであり、建築家はそのコミュニケーションのなかから抽出された諸条件を素直に立ち上げたガランドウの未完成な空間を設計し、後は住まい手自身にゆっくり仕上げてもらうべきだということでやってきた。新しい生活をスタートさせるきっかけだけを提示すればよいという考えは今日まで続いている。

公開コンペで一等を頂いた〈藤沢市湘南台文化センター〉の設計でも、この姿勢は延長しつづけてきた。私の要望と市民の人たちからの要望が重なって、実施設計を進めるにあたって相当数の集会をもった。使用する側に立つ建築に引き戻しながら、コンペ案を作品としてつくり上げたいと考えたからである。市民との集会だけにとどまらず、子ども会や

〈不知火ストレスケアセンター〉
左：入江をのぞむ病室　右：廊下

学校の関係者と話し合うことで、子ども館の展示のプログラムやワークショップの二年間のプログラムをつくることになる。さらに施工にあっても手づくりの部分に左官職人と一緒に参加するということになった。球儀のパネルやパッシブソーラー装置としての小屋根など工場でデジタルにつくられたものと、それに対し、地下を深く掘ることで出た土を塗ることから、さまざまな流れの形をつくるためにカットした瓦を並べていくことなどの反デジタルなもの、その二種類が混在してこの建物の素材となっている。このアナログな仕事は利用者が建築に親しみをもつ機能を果たしている。

また球儀という特殊な形態をもつシアターは、敷地がかつて野原だったとき行われた盆踊り、豊作祭りなどの文化活動の延長として、多くのパフォーミングアーツの出発である野外での初源的劇空間を追求することで生まれてきた。球儀のなかの最高高さは二四・五メートルで、形態が生み出す無指向性と開放性による、天空の下での初源的空間と現代技術の融合をめざしてつくられた。シースルーカーテンのプロセニアムアーチ、アリーナ形式からプロセニアム形式までさまざまなタイプに対応する舞台を用意したシアターだ。ひとつの形式に固定化してしまうことなく、さまざまな活動が生命力を持って営まれていくなかからしか、創造する文化は生まれてこないと私は考えた。特にこのシアターについてはこうした考えをまとめて伝達しながら、新しい自由な空間として企画運営を進める提案を行ってきた。市民参加のワークショップと企画作成、一方で、高度な芸術鑑賞・創造という内容を両立するために、芸術監督として太田省吾[1]さんを推薦した。しかし球形というこの特異なるシアターは、全国を巡回する演劇に即座に対応することを条件として公共ホールの均質化を進める人たちの反対意見に対するディスカッションに、相当な時間を費やされることになった。また、この〈湘南台文化センター〉でのさまざまなプログラムづ

▼1…(一九三九―二〇〇七)劇作家、演出家。転形劇場を主催、「水の駅」など無言劇という独自の表現様式を築いた

くりを通して、結果として建築の運営管理と事業のプログラムを残し、竣工後もアフターケアなどに参加するという関係を引き続きもつことになった。

その後指名コンペを得て設計した〈すみだ生涯学習センター〉にあっては、〈湘南台文化センター〉でのプログラムづくりをもっと積極的に進めることを私は望んだ。クライアントである墨田区も〈湘南台〉の仕事を評価し、引き受けてくださったことから、行政側と共同作業で、言葉としての建築づくりの作業を実施設計と並行して進め、一冊の本をつくった。この生涯学習センターとしての施設は、情報提供機能・文化交流機能・学習創作機能をもつものであるが、それらの関係づけが構想段階では具体化されていなかった。そこでソフトづくりを通してこの複数の施設の機能を活かし、その相乗効果を実現したいと考えた。区役所内のさまざまな関係者との定期的な意見交換はもちろん、CG、AV、演劇や美術の関係者で、公共の場での生涯学習のことを考えている人たちとの意見交換、区民のまちづくり集会への参加などを繰り返し、そうしたコミュニケーションのなかからうまれた企画運営についての提案を一冊の本にまとめ、実施設計図とともに納めた。

〈大島絵本館〉にあっては、町がそれまで絵本づくりを通して文化活動を行ってきたことをベースに、さらにこれからそこで行われる活動を通して、次第に文化施設として構築していくプログラムをつくるという姿勢で、ソフトづくりをしてきた。これを設計者と行政の関係者とのやり取りのなかで、市民にこの建築の活動をわかりやすく伝えていくことをひとつの目的として、実施設計と並行してまとめていき、一冊の本として納品した。

プログラムをつくることとは、運営管理のシステムやスタッフの活動から企画委員会のあり方、さらにはそこへの備品、展示、サインに至るまで提案することが含まれてくる。建築が単なる物理的なものとしてではなく、新しい出来事を引き受け、さらなるステップに

「CULTURE FACTORY SUMIDA（仮称）文化学習センター事業計画調査報告書・事業計画報告書」（1991年10月）
長谷川逸子・建築計画工房作成、運営の方針と組織、具体的な事業計画の提案

活動を進めていくきっかけをつくるための場（place）であること、そうした生活と文化が営まれる場所であることを踏まえてつくり上げたいと考えて、ソフトプログラムづくりを進めている。

フェミニンなまちづくりが開く建築シーン

こうした意見交換を通して知る多くの人びとは、自らの環境を重視する余裕を得て、日常生活と関わってくる公共施設づくりへの関心も強く、そこに参加し使用者側に立った施設に引き戻したいという意欲をもちはじめている。一方、都市や建築を設計する側にあっても、建築家の思惟をリアライズ（実現）するだけではもはや不十分であると考えている。多様で自由な個人を許容する新しいシステムを建築のなかに取り込みたいと本気で考え、模索している。公共建築の場合、あらかじめ施設の概略をまとめた企画書が行政によってつくられ、それに従うかたちで設計が始まる。この企画書はひとりひとりの使用者の顔が見えないなかで作成されることが多く、抽象的な言葉でまとめられたものになりやすい。次の設計の段階でも、用が足りさえすればよいとするものや、恒久的なモニュメントのようなものなど、今日の時代性には十分応えることのできないものがつくり続けられている。施設の公共性が本来の目的を果たすためには、都市そのもののあり方と同じで、多くの人たちを呼び集め、その多岐にわたる個人を許容しうる複合性・多様性を具体的に備えた建築を見いださなければならない。しかし、これまでの公共性をもった建築は建築家の作品として完結され、その（時として排他的な）芸術性によって、社会的な価値を保証されてきたといえるだろう。それは、日本の都市のカオティックな無原則的なあり方を押さえる力を構築するものでもあるが、その力への過信がつくる側と使用する側との間に大きな溝をつ

「PICTURE BOOK MUSEUM, OSHIMA-MACHI　絵本館大島町」（1992年10月）
長谷川逸子・建築計画工房作成、運営プログラム、運営組織の具体的な提案

くってしまっているのではないだろうか。

一方、地域に根ざして生活をしてきた人びとのエゴに基づく要求のなかに、未来に向かって生きていこうとするときのリアリティや大きな夢を描くことが見いだせなくなっている。このことは公共建築に限らず、住宅づくりのレベルにも見られる。使用者側に立って共同でつくり上げていくのだが、新しい時代性や身体性に十分応え得ない保守的で個別的すぎるコーポラティブ住宅と、建築家の理想的なビジョンを写真に収めるためにだけつくられているような生活や人間のいない作品としての住宅と、両者の食い違いのなかに同じ状況が反映されている。

日本の混迷する都市の様相は、戦後の民主主義の政治のもとに個人も企業も、私的な所有感覚だけで、公共性を考えることなく自由につくってきた結果といえよう。高度成長から安定成長へと国策が進められるなかで、港湾や道路開発そして都市設計や区画整理が進められてきたが、その計画が結果的にどうにも低レベルでつまらないものであったのは、地方自治体が上意下達のヒエラルキーに深くとらわれていて、国土の均質な開発という名目でマニュアルに添わないものはすべて排除されてしまう日本の政治状況の結果であろう。かくして地域には、私の友人のイギリスの建築家ピーター・クックさんが感じたように、「くずのような」都市風景が積み重なってしまった。そして一九八〇年代に打ち出された多極分散化構想が結局のところ地域の自主性を育てるようなものではなく、中央集中構造の洗練であり、地域の中央への従属が根深く構成されるにつれて、地域のニヒリズムはますます進行しているといえよう。

しかし一方では、個人的な仕掛け人を得た地域では、まちづくりを盛んに行っている。そうした地域では住民も批判する態度だけでなく、まちづくりを共同して進めようとする姿勢を持ち始めていることを知った。藤沢市で〈湘南台〉を介して活発な意見交換が実現できたのも、そうした状況がまちに展開してきていたからだと思う。意見交換は、社会的建築をめざし共通の夢を描くことをドラスティックに行うための手法の手がかりになりうると感じた。

同時代を生きる葛藤のうちで、建築家も市民のひとりひとりも、他者の生き方との関わりで、共有するビジョンにつながる素材をどのように組み立てていくべきかを発見することができるのである。より戦略的に捉えれば、公共建築を使用する側に引き戻すには、その建築に関わるさまざまな人びとを制作の過程のなかに巻き込み、各人が立ち上がっていく建物に主体的に意識的に関わっているという認識をもってもらう、そして愛されつつおいに使用されるという過程をつくることである。使われる・使われないは、建築のテーマとは関わりないことであって、人はいずとも建築の美しさを誇っていたいとメッセージする建築家もいるが、その姿勢はあまりにもナルシシスティックで、その場合の建築的価値とは単なるあだ花でしかないのではないか。それならば「建築家は社会性がない」と批判されてもいたしかたあるまい。

〈湘南台文化センター〉で意見交換を成立させることができたもう一つの要因として、私が建築の実践としてあげている「第2の新しい自然としての建築」というテーマが日常感覚として共有できるものであったことも考えられる。我々の都市は、西欧のスタティックな様相を保持するものとは異なり、抽象化された自然空間であり、その建築も風・水や地形など自然の流れに逆らわず柔軟な関係を保持してきた。そして建築は、人びとの豊かな半透明な情感やあるいは四季の移ろいや刻々変化する気象、宇宙の不可思議な調べを取り込む装置であり、ポエティックマシンとして作動する。私は建築に社会性を取り戻したいということより、建築を通して共通の夢をつくり上げることを原点において建築づくりをしている。

私は一貫して排他的な志向をするディベロップメントではなく、アドホックな姿勢で建築と向かい合ってきたが、それは多様なものを拒否し排除することなく、複数のことを同時に引き受け包括していけるインクルーシヴな建築を生み出したいと考えてきたということである。それは、一極集中的価値と関わる合理的な理性とは異なり、多極的価値を包括できるポップ的理性により、建築のリアリティを成立させたいという考えである。このような姿勢は多くの人びとの不可思議な意識を包括的に立ち上がらせ、集団のもつ多数性を具体化しうるものに仕立て上げるという点で、これまでの建築のパラダイムの転換を求めるものになるだろう。

デジタル+反デジタルが開く建築シーン

私がこれまで設計した建築は、東京というカオティックな都市像と向かい合い、その都市シーンと初源的都市空間として「虹の立つところに市が立つ」というイメージとの接続を試み、自然現象のごとく立ち上がる建築の展開をもくろんできた。虹が大地から上昇するような建築、上昇する揺れのようにわずかな変形を持ち込んだ建築などを、新しい都市の快楽装置として「レインボーサーパント」と名づけて設計してきた。光の粒々でつつまれる住宅空間、〈名古屋博のパビリオン〉や〈STMハウス〉のように建物の輪郭があいまいで見えない建築、外候の変化を受けて刻々と変化する流体のような建築などである。そして〈山梨フルーツミュージアム〉はフルーツの種子の飛来の姿をイメージして球体や楕円体をわずかに変形させたさまざまな形態でまとめたカオティックな建築である。

〈湘南台文化センター〉ではじめ建築的な丘を建ち上げ、「地形としての建築」をテーマに、人間の身体がどこかに根源的な記憶を残しているように、その土地に帰属し潜在（latent）するものを凝集させて、そして「新しい自然（architecture as latent nature）」として浮上させ立ち上がらせたいと考えた。建築を新たにつくることは、その成立過程で放棄し失われた地形が、秩序をもった新しい自然として生まれくる建築によって、より豊かに生成されることだと考えてきた。新たなる建築は常に壊さざるをえなかった自然を祭る塚であり、自然と交感する装置として表現するということは、生命の質を問うという根源的レベルでのデュレを尊重することでもある。実践としての「第2の自然としての建築」というテーマを掲げ、建築を時代のテクノロジーとスピリットに応えられるものとして実現したいと考えてきた。そうした考えに加えて、ここ数年のニューサイエンスの飛躍的な進歩は建築の表現に無関係ではありえなかった。

　分子生物学によるあらゆる生物が遺伝子物質をもつことの発見から、人間と自然、さらに科学技術も共通の基盤をもちうる可能性がヒューマンエレクトロニクス時代を開いてきたこと。さらにファジーロジックや1／ｆゆらぎ[2]などが明らかになってくるなかで、統一的なものや定常のものより、非定常なるものこそ自然の本体であり、実体であり、私たちの五感が捉える等身大の感覚であるということが、はっきり示されてきた。そうした新しい認識が加わるなかで建築を考えつづけ、さらにカオス都市ＴＯＫＹＯと向かい合うことから、カオスのなかにも別個な周期性（periodicity）があることを捉え、建築の新しい自由として表現したいと考え始めている。そのことを問い進めていくことのなかで、手の習慣や身体で覚えた生なスケールで描くことや、モデルをつくるというアナログ的な所作と並行して、ＣＡＤやＣＧで建築設計を進めることに挑戦し始めた。コンピュータで、いった

▼2…一九九〇年代に訪れたコンピュータ時代には、機械時代とは異なる、微細なテクノロジーを支えるファジー理論や「1／ｆゆらぎ」が注目を浴び、身体性に寄り添うデジタルテクノロジーの到来が期待されていた。ウィリアム・ギブソン『ニューロマンサー』の邦訳は一九八六年であった

〈STMハウス〉
虹をモチーフにした商業ビル

ん数字に置き換えて認識するということには、事物を分子レベルの数式に還元し客観化することで、地球上や宇宙で起きるあらゆる現象と同じレベルで思考し、再構成していく感覚がある。この所作は自分の思考したものを習慣化したラインとして描くよりも、リアリティをもった検証となることがある。

既成の枠に入りきれない自由な小集団として、コンピュータの導入は、アトリエが共同作業していくときの新しい展開となる方向を得たいと思っての挑戦である。これはひとつの共同の夢を描き、社会的なる建築を実現していくためのテクノロジカル・システムとなりうるのではないかということも考えている。コンピュータで設計する様子をあるスタッフはジャムセッションだというが、デジタル化を通して、音楽として、また詩として、ポエティックマシンとしての建築を組み立てているともいえる。一方そうしたデジタル化と並行して反デジタルなコミュニケーションによる建築づくりを行うのは、建築に身体性と同時に社会性を取り戻し、建築を活気づけるためには、人びとの生活にまつわりつくさまざまなうさんくささやドロドロしさを持ち込みながら、改めて文化や生活について考え、新しい生活と環境の質を共同でつくり上げていくことが必要だと考えているからだ。このことは建築を共有の夢としてつくりあげることをめざしたいからだと言い換えられる。

近代がもたらした専門化あるいは生産中心主義、さらには創造力の低下など現代にあって山積みする問題に、これまで通り生身の身体や手作業によって挑戦するよりは、むしろ現代科学がもたらしたツールとしてのコンピュータを、我々の身体のサイバネティックな拡張として捉えていこうとすることが時代感覚と向かい合うことではないだろうかと考え、ひとつのトライとしてプログラムづくりの編集からデータ整理、プレゼンテーション用CGづくりから始まり、次第に基本設計図までコンピュータを使うようになっている。コンピュータを通して設計することには、思考をいったん分解してベーシックなところから組み立て直す姿勢がある。同時に消費社会とその均質なる様相を打ち壊し、次のレベルに向かうには、人間の古典的な頭脳と、コンピュータというデジタルな外部装置とのSF的接続を図り、自らイマジネーションを拡張していかなければならないのではないかと考えるからであろう。こうした新しい環境のなかに置かれた私たちの想像力を建築に注ぐことによって、改めて時代の環境の質にどのような変化をもたらしうるかが問われだしているのだといえる。

・・・

出来事としての建築　長谷川逸子の対話的プログラム

多木浩二

「建築文化」一九九三年一月号

息づくカオス

長谷川逸子の建築が構想され、現実になっていくのを見ているときにもっとも興味をもつのは、建築という形式をとって現前させられ、了解可能になる社会の一様相である。あるいは社会的な関係を組織する思考としての建築があらわれるというべきだろうか。少なくとも私が、とくにこの数年間、彼女の仕事に関心をもってきたのは、彼女が個人住宅にはじまる長い経験のなかで、建築についての思想をいつの間にか大きく飛躍させてきた過程のもつ意義に対してであって、建築的ヴォキャブラリーの新奇な開発に魅せられたためではない。

たしかに彼女の建築は、大抵は〈湘南台〉で見られたような、多少ともけばけばしい外観をもつことが多いし、そこに長谷川スタイルを見て好む人も嫌う人もいて不思議ではない。それは趣味に係わる問題で、まったく本質的ではない。彼女の建築の形態がどれほど生きがいいからといって、すべての建築にとってモデルになるものとも、普遍的な意義をもつとも思えない。だからといって彼女の建築を個人的な範囲の制作と見倣していい筈はない。もちろん形態にはあきらかに個人的な偏りもあろうし、他のさまざまな現代の建築家からの影響もあろう。ときにはその形態が突飛であったり、知覚に新鮮なポップ的な経験をもたらすことがあるとしても、それをたんに刺激的な意匠とその効果と見倣してはならない。彼女の建築は人の気持ちを和ませるというよりかきたてる。

だが私には、その騒々しいとも思えるスタイルは、彼女がいつも現実に潜むカオスを見いだしていることを暗示する指標のように見える。現実とは大抵、なんらかの制度的な抑圧によって流動的な創造力を隠蔽しているものである。したがって現実の皮膜を破って取り出されるカオスとは、その社会の可能な潜勢態を意味している。彼女にとって現実とは、建築を構想する上で障害となるようなものを意味しているのではない。反対に現実とは多様な可能性に開かれた過程になる。建築とは、それが実現される以前には突破口がなく停滞したように見える現実にカオスつまりその社会が変容する可能性を見いだし、同時にカオスをさらにあたらしい秩序に編成する役割をもつものだと考えるのが長谷川逸子なのである。だからそのスタイルをたんに末梢的な装飾的スタイルとして見過ごしてしまうのは正しくはない。スタイルは、かりにそれが機能と直接つながっていないように見えるときにも、彼女のより深い建築的思考と切り離すことはできない。そうでなければ彼女の建築が持続的に活気ある印象をもたらすことはありえない。たとえ趣味は異なるとしても、彼女からそのスタイルをはぎとって考察しようと考えてはならない。

方法的認識の変化

しかし私自身、初期の長谷川逸子の作品を理解する上で、必ずしも最初から社会的な視点に立って評価し判断していたとは思えない。初期には個人の住宅が多かったため、その施主とのコミュニケーションがいかに濃密であったとしても、そこに社会にひろげうる文脈を想定しなくてもよかったし、想定しようとしても非常に困難であった。また、彼女が巣立ってきた環境にとらわれて解釈していたのである。彼女はもっとも強いフォルマリスム的なスクールから登場してきた。それ自体は優れた成果を残したスクールであったが、彼女の建築を直接的に理解する上ではかえって妨げとなった。彼女自身にもまだ建築を認識する枠組みが曖昧であったかもしれない。その当時、私にも建築をそんなフォルマリスム的かつ意味論的な脈絡の上で思考する慣習があった。

こうした事情から彼女の作品に向き合っても、疑いもなく形から考えはじめてしまう傾向があったのであろう。だが彼女は建築を形式にもとづく意味論の世界に閉じようとは思わなかった。彼女はキッチュと呼ばれようとポップと呼ばれようとどうでもよかったのである。たしかに外形や空間の構成、素材や構法には、初期においてすでにかなり特異な傾向が窺われたから、的確には言えないまでも彼女の建築が発生する文脈がフォルマリスムでないことは、早くからほぼ見当がついてはいた。形式だけから考えることは、彼女の作品を説明する上では妥当でないことに薄々は気づいていた。

私が彼女の建築の方法の社会的なひろがりに気がついたのは、多分、七〇年代末から八〇年代半ばに、主として松山に(それに焼津も)いくつかの建築をつくっていた頃からであったように思う。長谷川逸子はすでにどうすれば建築の概念を形式によって探究することができるかについて思い悩んではいなかったのである。多くの人びとにとっては彼女のやりかたはほとんど本能的であって、理性的な方法の意識を認めることができないものであったかもしれない。だがそれから年月がたち経験が重層してくるにつれて、次第に彼女の建築の思考が形をとるようになってきた。多分いまもっとも社会についての認識を建築に計画化しようと努力している建築家は長谷川逸子なのである。建築の方法についての認識が変化したのである。

ひとつの建築には、意識されたものも無意識なものも含め、建築家の思考が全体としてそっくり入っている。もちろんそこに社会的要因を空間という軸の上で整理し、どのような視点から選択し、統合するかという過程が含まれている。これは言語活動と同じタイプの思考の活動である。ヴィヴィッドな長谷川逸子の建築は、そのままひとつの思考をなしていると考えてみよう。

対話的プログラム

いうまでもないが建築家とは現実の社会を発明するものではない。建築家はそれほど傲慢であってはならないし、ありえない。もともと建築家がなにを理想としようが、それには無関係にメディアや資本に組織されて動いていく現代の社会は、いつの間にか巨大な力をそなえるようになった。その力に巻き込まれて無数の欲望や関係の集合状態が進行するゲームのように流動するようになった場が社会である。そうした動きには大きいものも小さいものもあろう。ある場合には社会や都市全体を変化させる。これまでの寒村が、偶然の開発の進展によって、一夜にして巨大な力のまっただなかに置かれることもある。ある場合には私的な生活空間のように他にはあまり影響なく局所的に変化を発生させるものかもしれない。建築家は、本来多言語的でしかありえないこの力を察知し、まだ完全には姿をみせていないこの力を的確に捉え、その力を、現実に建築を望んだ社会の戦略として眼に見えるように布置する。その布置をプログラムとよぼう。プログラムはある場合には都市全体にかかわり、ある場合にはひとつの建築、ひとつの空間にかかわる。

プログラムに関して重要なポイントがふたつある。ひとつは、その思考が社会というものを固定した空間とは見做さず、すでに述べたような流動する力のあらわれるカオス的な場と捉え、同時にそれにひとつの明確な組織をあたえていることである。建築はこの組織化として構想されるのである。その構成はまぎれもなく思考として組織されている。もうひとつのポイントは建築はつくることが自己目的化するものではなく、それを使用することまで、その思考に含まれていなければならないことである。

後者は、建築の思考が、常に対話的な関係のなかで維持され発展させられることを示している。いうまでもなく、ここで対話的というのは、住民参加で計画を進める方式を意味するのではない。建築テキストに固有の構造として、多言語的な要素が、バフチン流の用語で言えば、対話的に関係しあう次元を発見することである。そう考えると個人の住宅をつくるときに、長谷川逸子があれほど濃密にコミュニケーションを施主とのあいだにもっていたことの意義がはっきりしてくる。その対話はほとんど無意識なものを浮上させるテキストを編むことであった。このように長谷川逸子に見る建築の思考とは、建築を機能から計画することではなく、そもそも建築はその使用を想定した対話的プログラムにおいてはじめて可能なものだという前提の上に成り立っているのである。

建築を使用する人びとにとって現実は具体的な出来事の世界であり、空間の知覚もそのなかでの実践と相関してはじめてでてくるものであった。出来事は私生活であることもあるし、病人が治療を受けることもあった。その病人が子供や精神に障害をきたしている人間であれば出来事の性格はまた変わってくるだろう。ある地方が文化的な意図を実現しようとすることもあった。どんな可能性がそこに潜んでいるのかを、プログラムとして描かねばならない。建築は完全には見えてこない出来事をできるだけよく組織するものでなければならなかった。いくつかの住宅や病院をつくっていくうちに、こうした建築の思想が萌芽状態にしろあらわれてきた。そして多分、〈湘南台〉での地域との係わりは、こうした建築の能力を認識する上で決定的であったろう。そこで経験したことは文字どおり対話的なプログラムの形成であった。
彼女にとっては建築をつくることは、こうした対立する多言語状態の要素を関係づけながら、しかも未知に向かって開いておくプログラムを通じてある個人なり集団なりが現実を生きることと深い関係をもつことであった。相互作用に欠けていてはならない。このような意味でのプログラムが理解されるようになるには、個人住宅ではなかなか困難であった。しかし次第に手掛ける建築が社会化し、公共性をもつようになるにつれて、そのことが明確になってきた。建築の思考とは、あるいは建築という形をとってあらわれる集団的な人間の構想力というものは、たんに形やそれがもたらす意味論の世界に止まるものでないことが分かってきた。意味論的な地平に人びとを引き止めていたのは、近代を経験したあとで味わった挫折感からであろうか。ともかくわれわれは社会という矛盾にとんだものをまともに対象にすることを恐れてきたのである。長谷川逸子の建築の思考とはこうしたタブーから逃れて、あたらしい建築を出来事として可能にすることにほかならないのである。

（たきこうじ／評論家）

・・・インタビュー

下町的共同体と複合機能の建築化を意図して

すみだ生涯学習センター

「GA JAPAN 12」一九九五年一月

利用者側に立ったプログラムの見直し

〈すみだ生涯学習センター〉のコンペに招待されたのは、九〇年春、〈湘南台文化センター〉の二期工事の監理中でした。コンペ要項には「（仮称）文化学習センター」とあって、初めは〈湘南台文化センター〉と似通ったタイプの建築であると思ったのですが、要項を読み込むと、文化交流、情報提供、高度生涯学習、教育相談、文化の伝承と創作、と実に盛り沢山の役割を担うセンター計画で、型通りに構成すれば、縦割り行政とバラバラの内容を寄せ集めた雑居ビルのような公共建築になりかねない内容だと受け取りました。この複数の機能を組み合わせて、単にきれいに整理して一つのスタティックなビルディング・タイプとして納める発想には明らかに限界がありました。

しかし、複合の仕方に新しいイメージを導入して、この多様なものをまったく新しいレベルで連結し相互に作用させた場を生み出せるならば、実に内容豊かな活動の場になる可能性があると思いました。変化する社会と向き合う都市生活者が参加できるような、新しい機能の創造をめざすことができるのではないか、と思ったのです。そのためには、結局は建築家のモノローグ的な観念論になりがちなプログラム操作のなかに、利用者という他者の視点を含む複眼的な思考を取り入れ、それに対して開かれた建築の方法論と姿勢が必要だと直観しました。

〈すみだ生涯学習センター〉パンチングメタルの幔幕

今日の東京にはコンピュータがつくり出す映像が溢れていますが、それらは現実の生活を次第にアンリアルなものにしていく一方のように見えます。カオスに対応するシステムやメカニズムを持たないまま淀みが拡散するのみで、次のステップに進めないでいるのではないでしょうか。建築家の思考方法も一見カラフルだけれども実際的には具体的な外部との交流を欠いた、唯我独尊的なパラドックスに追い込まれているような気がします。その様子は商業エリアのみならず日常生活をも虚構化して、東京中を蝕みつつあります。

そんななかで東向島辺りはリアルな生活感や江戸からの伝統がゆったりと存在している不思議なエリアです。伝統工芸の職人、家内工業や各種商店など人びとが家を中心に生活をしている実体が、町中を埋め尽くしています。情報という抽象的なものと、創造活動や生活といった具体的なものが柔軟に対応でき、共存できるエリアではないかという私の考えが、この建築をつくり上げたいという思いと結びついていったのです。

コンペ時も短期間の作業でしたが、こうした考えを持ち込み、案をつくりあげました。しかし情報センター、視聴覚センターが文化活動や生涯学習のために用意されてはいるものの、学校教育の支援も兼ねているというところがよく読み取れませんでした。既存の教室が余っているのに、なぜここに教科書収蔵庫が必要なのか。登校拒否児への対応が病院のカウンセリングのような閉じた空間で行われてよいのだろうか、等々。とにかく周辺を民家に取り囲まれた敷地にあって、ヴォリュームを抑えたいという思いと、盛り込まれ過ぎた内容にいささか疑問を持ちながらのコンペ案提出でした。

そこでコンペ当選後、実際に設計をスタートさせるにあたっては企画書を再考し、全体を生涯学習センターという大きなテーマで関係づけて稼働させる観点から、建築と運営、双方のプログラムの見直しを行うことを申し入れました。特にこの変化する社会のなかで

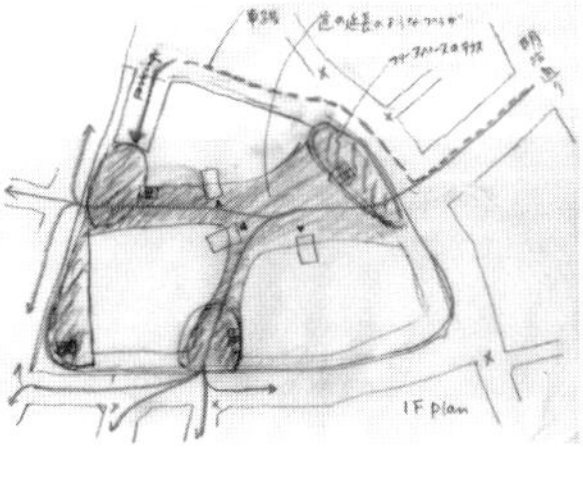

〈すみだ生涯学習センター〉
左：路地がそのまま入ってくる中庭　右：下町に建つ

独自の視点を持った企画によって、次の時代を見据えた新しい機能を創造することが必要だと考えました。そのためには、何よりも墨田の地域性をベースにものを考えて、住民と親密につながっていくなかで新しいものに変換していく能力のあるプロデューサーが必要だ、という主旨を伝えました。

区の担当者はさっそく日本を代表するシンクタンク数社にプログラムの提案を依頼したのですが、こうしたタイプの複合施設のモデルがなかったためか、つくり手側の発想ばかりが優先した、本当に利用者側に立ったあり方が見えないような部分提案ばかりで、採用に値するものはないということになったのです。それでも私は何とかソフトとハードづくりを並行させたいと考え、コンピュータ・グラフィックスの制作者、ソフトの開発者、AV制作者、ホール演出家、プロデューサー、墨田で演劇活動をやっている人びと、地元の出版関係者、墨田に関わる都市計画家、精神分析医に至るまで多彩な人たちに声を掛けてアトリエに集まってもらい、ワーキンググループをスタートさせました。彼らは内容を複合させれば新しい活動に結びつくという面白さを感じたそうです。そして、何回か行われたミーティングの内容を区の担当者に報告していくうちに、総合的なソフト・プログラミングを私たちのアトリエでまとめてほしいという正式な要請を受けました。

具体的に個々の空間をどのように機能させるかという議論から始め、次第に主題はセンター全体を「すみだファクトリー」として、ここで行う活動をまちの文化活動、産業活動と交流させる方法を探ることにまで広がりました。そして館全体を情報センターとするコンセプトを基に、全館の施設にコンピュータとAVの端末を配置してネットワークを組み、全館を自由自在にスムーズに利用できる手法をつくり上げるという試案を作成しました。その試案を巡って区役所内六部署の係長クラスの人たちと事業計画検討委員会を組織して

〈すみだ生涯学習センター〉
内観

検討を重ね、ワーキンググループの人たちにもときどき出席してもらったり、メディア工房のためのデモンストレーションを試みたりして、まとめ作業を進めていきました。

その一方で、私は墨田のまちの人びととの交流も始めました。3Mキャンペーンと称して、「マスターの認定制度」「小さなミュージアム運動」「モデルショップ」の展開を通して積極的に生きた産業と文化を育てていこうという動きがあり、そうしたことに関わっている職人さんたちとの交流を手始めに、墨田のまちの将来像づくりを専門家と一緒に研究したり、まちづくり情報誌を発行している区民グループの集まりに出掛けていってソフト・プログラミングについて意見交換をしたりもしました。区民参加の運営企画については、検討委員会を発足させて議論してきました。また市民オペラや区民主体の演劇づくりをしている人たちとも関わりを持ち、アトリエのスタッフと共にいろいろなことに積極的に参加していきました。このような活動を通して、実に多彩な活動をしている人びとが具体的に見え始め、独自のコミュニティの重なりによって文化が生成されるまちの姿が見えてきました。

また、学習内容や施設内容などについてはもちろんですが、生涯学習の場は学校教育と違って、運営を区民に任せるべきだという議論が繰り返されました。学びたい人たちが自分たちで学びたいことを企画し運営する。こうした生涯学習センターの自主運営の方法を学ぶためにドイツのオデッセイを訪問したり、墨田に招待したりして、実に活発に交流が行われました。しかし区民のこうした熱意に行政側が十分に応えたといえるまでには至らず、その姿勢の違いには埋めがたいものもありましたが、事実上、区民主体の運営を行う区民ボランティアの組織もできて、運営がスタートしました。設計施工期間の約四年間にわたって続けたソフトづくりは、こうした対話によって成立した生きたプログラムとなっ

〈すみだ生涯学習センター〉
中庭から空中ブリッジを見上げる

て、実際に機能し始めたところです。これが具体的な人びとの活動と時代の流れを受けて、どのような形で成長していくか、このことは建築以上に大切な問題だと思います。

パンチングメタルのサーカステント

敷地がある東向島は墨田区のやや北側に位置し、区画整理された南部とは異なって戦前からの家屋が密集し、車が入れないような入り組んだ路地のある住宅地に取り囲まれています。この変形した敷地はかつての第二区庁舎の跡地で大きな建物が建っていたのですが、下町の密集地、しかもかつての埋め立て地で、水位も高く、地下建築物はつくれないという特異な条件に対して、要望される床面積がつくり出す大き過ぎるヴォリュームにどう対処するかという大問題を抱えていました。東と南側は幅員の小さい道路で囲まれ、西側は東武鉄道の高架に面し、北側は民家に隣接しています。このような引きのない土地条件を考慮し、周辺道路と隣接家屋との間に緑地帯と散策路を、隣接家屋との間には地下駐車場への引き込み道路と空き地というように、四方に敷地内道路を取り、計画の基本を構成しました。そしてこれら異なる機能を持つ建築の内部と外部をゆったりと包み込むようにアルミパンチングメタルの半透明の幕を張りめぐらしました。これは、この混み合った街区、喧騒的ともいえる周辺に対して、できるだけシンプルな表現をもってゆるやかな秩序を形成したいと考えたからです。このような考え方は構造のシステムにも反映しており、分棟的な配置とそれを結ぶブリッジを一体の構造として解くことによって、この幕（テント）のディテールの均質化と、それによる外観の一体化を実現しています。

〈大島絵本館〉に続いて、この建物をこの頃よく「陸の大きな船ですね」といわれることがありますが、私にはサーカステントに見えています。このテントは外壁でもあり開口部

〈すみだ生涯学習センター〉
パンチングメタルを通して
光の粒が落ちてくる

でもあるといえる中間の状態にあり、建築という具体的なものを柔らかく、抽象化して見せることになっていると思います。サーカステントのように軽やかな架構の内部は、二重三重の半透明な幕によって包み込まれており、内部の人びとの動きがスクリーンに映し出されるようにふわっと浮き上がったり、人びとの身振りを自然と自由なパフォーマンスへと誘うような効果を生み出しています。

内部空間は外部の光線の状態変化を繊細に反映します。太陽光線が強ければ光の粒子で撹乱され、薄曇りの日は霞のかかったような透明な白さのなかに視覚的カタストロフィを感じる瞬間さえあります。実際にこのテントは外部の光景の半透明な重なりとセンシティヴな光の状態の変化が、網膜的な刺激のゆらぎを生み出すことにより、新しい映像をつくり出しているともいえます。内部にこうした新しいリアリティをつくり出そうという意識と、周辺の思いがけず淀んだグレーの領域との距離から、この建物を輝かせようという方針によって白い素材を選ぶことになりました。その白さがテントを通した光と混ぜ合わさって、白い靄のような、霞のかかったような状態を生み出しています。また、こうした半透明のインテリアをさらに強調するように、特注でつくった家具にも透明感があり、かつヴィヴィッドな色彩を導入しました。

視線の交錯と自由な交流がつくるパフォーマンス

この不整形の敷地に建物を三つのヴォリュームに分けてプラザを挟むように配置し、その隙間はプラザレベルで敷地周辺の三つの路地に連結させて、これまで大きな囲いとしてあった敷地を通り抜けられるようにし、ここに新たな人の流れをつくろうと考えました。

西のヴォリュームは集会施設であるプラネタリウム、多目的ホールとリハーサル室、そ

〈すみだ生涯学習センター〉
3棟をブリッジがつなぐ

してティールームが含まれています。多目的ホールは鉄道が隣接しているにもかかわらず、浮き構造にすることでNC20[1]という遮音性能を確保しています。可動の椅子、ステージが多目的機能のために用意されているだけでなく、プラザ側が開放され外部からも観賞できるホールとなっています。美術のインスタレーションを照明や音響設備のあるホールでやることも面白いでしょう。アートとパフォーマンスのエキシビションホールとして、ユニークな使い方をしてほしいと思います。

東のヴォリュームはエキシビションホール、情報センター、視聴覚ライブラリー、メディア工房が積み重なっています。全体がカーテンウォールのガラス張りで活動を別なブロックからも見ることができます。透明感のある色彩の家具が配置された、「ガランドウ」といえるほど開放的な空間です。

北のヴォリュームは区の出張所、学習センターとしての研修室や創作室、和室など、そして最上階に教育相談室があり、特に細かく仕切られた部屋が入っているブロックです。最上階の相談室は小屋根から十分にトップライトの光が入って、その光が布の天幕を通って柔らかな光となり、部屋を包んでいます。床や家具は木製、壁はパウダー色という落ち着きと明るさを演出するものにしています。和室も下町の芸能を学ぶ場所に相応しいものにするため伝統的空間としてつくり上げています。全体に一見ガランドウのような空間で、どのような利用形態に対しても交換可能な空間であり、プログラムの変化に対して最大のフレキシビリティを持つものとして考えられています。こうした三つのブロックは空中を飛び交う九本のブリッジで連結されて横断的な関係を構成し、視線が交錯すると共に機能の拡大を引き起こしています。ブリッジをかけることはここでは大きなテーマであり、透明なブリッジによって人の動きを視覚化し、全体をスムーズに活発に運営させることがで

▼1…室内騒音を示す値。NC20〜30はホールや劇場にふさわしい静かな室内の状態を示す

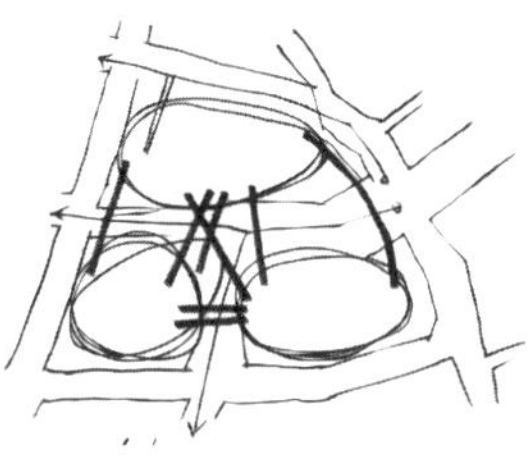
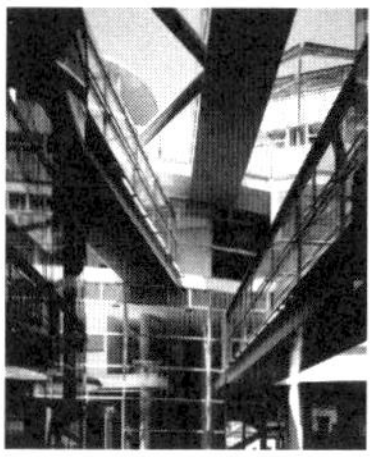

〈すみだ生涯学習センター〉
左：ブリッジのスケッチ
右：各層に重なるようにブリッジがかかる

きると考えました。それは各ブロックで完結するのではなく、相互の交流のなかで厚みのある活動をすることをめざそうとしているからです。周辺とつながっているプラザは船の甲板のように板張りですから、自由に床に座ってミーティングをしたり、さまざまなイベントが開かれたりする場所になるでしょう。そこには「すみだショーケース」と名付けたロボット風のケースが置かれ、まちの伝統工芸や職人芸が展示されています。また川辺のような風景と路地の延長のような空間とするため、水と緑が持ち込まれています。上部を見上げると、三つのブロックそれぞれの機能が独自の風景をつくり、ブリッジが空中を飛び交い、シースルーのエレベータが垂直に立ち上がり、人の動きや活動をリアルに映し出します。施設内のほとんどの場所はプラザの方向に開かれており、視覚的につながっています。

この建築のデザインのバックグランドに一貫して流れているのは、町並みなどに反映されているような、長いこと継続してそこにある日本の共同体の隠喩的光景であったのかもしれません。建築化の作業は、このような町並みの独自性や形態のボキャブラリーを軽やかに扱い、未来的な言語に翻訳・転換して明快に立ち上がらせ、自由に飛び回れるようにしてやることだったのではないかと考えています。風をはらんだテント建築がその軽さとシンプルさをもって周辺に溶け込み、異なる特性を持つものたちを柔らかく包みながら、同時に町を刺激し、活性化していくようになることと期待しています。

「場」の可能性

「GA JAPAN 11」一九九四年十一月

「場」をつくる――公共建築

住宅の設計をしていた頃は「より自由度を持つ構造」とか「インクルーシヴなるものとしての建築」などを考えていたのですが、公共建築をつくり始めた〈湘南台文化センター〉の頃から「活動する場としての建築」をどうつくるかということに思いを巡らすようになりました。いまでは、公共建築における具体的使用形態や公共性とか共生について考えていくと、建築としての「場」をつくる以外にないのでは、とさえ考えるようになりました。「場」といえばどこにでもあるようなものですが、活動を誘発させるための装置とみなすと、そこに何か新しい意識を盛り込むことができるかどうかが鍵だと考えます。〈大島絵本館〉の外部空間は、ランドスケープというより絵本活動のための空間という意識でとらえました。つまり、絵本の構造の特徴であるシークエンシャルな展開を埋め込んでいく作業を通して「場」の連続的体験空間をつくる。建築的な思考のなかでは外部も内部の機能と同様、活動の場所なのです。ですから、私にとっては単に見るランドスケープというより、回遊しながらいろんなシーンを体験していくことを可能にする場をつくれるかどうかがここでの目標でした。この「場」ということで〈湘南台文化センター〉を思い起こすと、野外の活動の場をどれだけ内部に連続させられるかを考えて囲い込んだ結果、劇場が球形の形になったのですが、球形劇場は特異なもので演劇家はこぞってこの空間に挑戦することになったようです。演劇関係者からは脚本を描きたくなる場所だといわれていますが、外部を包み込むという作業が、結果としてそれほどの強い場所性を生み出すことになりました。こうした経験から、建築として「場」をつくり上げる場合には、活動を始めるきっかけとなる積極的かつ刺激的な場所性をつくり出すことが必要だと思っています。なぜ、空間というより「場」という方が実感があるのかといえば、たぶん社会の変化に伴って変わっていく現実を許容するだけの可能性が、「場」にはあるからです。生命体を取り囲む環境と同じように、「場」には内容を固定しない特質があるように思います。

スロープがつくる「場」の連続――〈新潟市民芸術文化会館〉

コンペで入選した〈新潟市民芸術文化会館［Niigata Performing Arts Center = N-PAC］〉は基本設計を終えて、現在実施設計に入っています。来春には着工の運びとなります。完成までにはまだ四年近くかかり、私にとっては実に大きなプロジェクトとなります。その内容は、二千人のコンサートホール、九百人のシアター、三百五十人の能楽堂という性格の異なった三つのホールと、それに関わるリハーサル室や練習室などを持つものです。通常このような条件を与えられた場合、それぞれのホールに独立性を持たせて位置づけるのが常套手段だと思います。コンペの要項を読んでも、それらを独立してつくるのが良さそうでした。しかし私は、新しくつくる三つのホールに何らかの関係を持つ活動をさせるようにつくり上げたいと思いました。全部を一つのなかにおいて、別々の目的を持ったホールであってもそれぞれがクロスオーバーして、ジョイントするような企画ができれば面白いのではないかと考えたのです。そのためにホールの各ロビーは共通ロビーとして一体化させ、三つの専用ホールをその共通ロビーで取り囲み、一つに包み込んで大きな卵型の建築とする。

〈新潟市民芸術文化センター〉
ブリッジを散策する人びと

このことは、これらの施設に関わる複数のジャンルの人びとの交流を促して、いろいろな分野のジョイントを試みたり、西洋と東洋、現代と伝統、地域と世界、さらに専門家と市民などがクロスオーバーして新しい芸術をこの場から生み出していくことを目論んだからです。さらには現在ある施設まで周辺計画でつなげ、全体化したいとも考えました。

〈大島絵本館〉で導入したスロープの概念を援用して、N-PAC周辺計画にあっても、新旧の建築群をつなぐ道に発展させることにしました。新潟の敷地は古くは信濃川の河川敷であったことから、地盤が悪いので地下がつくれず、駐車場をグランド・レベルにしなければなりませんでした。当然緑地帯も減少してしまうので、音楽文化会館、県民文化会館とも同じ約六メートルのレベルに共通ロビーはありますが、そのレベルに開かれたステージ・スペースとしてのいくつかの浮島のような空中庭園をつくり、スロープでつなげることにしました。さらに敷地内にあるすべての施設をつなげることで関係づけ、このエリア全体を文化施設ゾーンとして活発な活動をスタートさせたいという大きな構想を持って周辺を計画しました。人間が空中を歩くというのはあまり経験のないことだと思うのですが、人の歩く道を空中に置いて建築化しようと考えたのです。グランド・レベルだけでなく、高いところにスロープで上がって見下ろしたりすると、建築における体験が身体的にも視覚的にも変わってきて、新しいパフォーマンス空間になるのではと思うのです。〈絵本館〉のスロープはささやかな規模だったのですが、〈新潟〉では大きな物語を描くようなスケールでシークエンスをつなげていくのです。つまり、周辺計画における「場」づくりは、この長いスケールのスロープに象徴されています。

〈大島絵本館〉
丘をつなぐアプローチのブリッジ

対話的プログラミング

ところで、さまざまな舞台芸術のクロスオーバーを建築的に可能にしたとしても、ホールの機能を十分に引き出すような活動を生み出すには大変なエネルギーが要ります。実際、設計は多方面の舞台芸術家や技術者と関わることで進めなければなりませんでした。その結果、新しい芸術活動を実現することは実に難しいプログラムであり、いろいろな人に挑戦してもらわないとこの建築は完成しないこともわかってきました。ともかくいかに困難であれ、これを乗り越えることができなければ地方の公共建築は活躍できないと思いました。結局、建築家としてそこに何か新しい力を生み出そうとすると、建築家がデザインした施設を縦横に動かすことのできる人材が必要です。

設計を進めながらこうしたことを考えているということを、何度となく市の人たちに話し、とにかくハードと並行してソフトづくりをスタートさせていくなかで、それを支える人的資源づくりを具体的にどう進めるか。理想に向い、そして有機的に機能させるには、人びとの力がまず必要です。そこで、公共ホールでのスタッフづくりを完成までの四年間を使って早々に進めたいということで、レポートを提出しました。スタッフつまり総合監督・プロデューサーのもとで縁の下の力持ち的役割をする行政側のパートナーが必要だということです。アーティストとホールの間を取り持つのも、演目を宣伝するのも、チケットを切り、上演をスムーズに盛況にしていくのもスタッフです。さらに予算から苦情の応対や記録など、すべてホールをつくりあげていく役割を持っている人たちです。こうした役割をこなすには、たくさんのジャンルのことを学ぶ必要があります。もちろんこのホールのスタッフにならんとする人たちだけでなく、県外からも人が集い、コミュニケーションすることが何よりも重要なことで、彼らが後々自分の仕事場に帰ったとき、お互いに領域を越えたネットワークができるのではないか。そこから公共ホールに対する関心がもっと広がっていくし、企画や情報の交換もできるのではないかと思いました。ともかく、公共建築が活発に使われていくには何よりも人が動くことが肝心なのです。

それで、市の努力の結果、学校ができました。[1] 五十人の募集に対して全国から二百七十二名もの応募が来ました。講師には歌舞伎からオペラ、音楽家等の専門家、運営に関わっている人からグラフィックデザイナー、歴史学者まで集まっています。一堂に集まった途端に喧々囂々となったのですが、こういうふうにいろんなジャンルの人間が集まったのは初めてだと口々に言って、積極的に取り組み始めています。日本では多目的ホールといってもそれぞれの専門家はわりと排他的で、お互いにコミュニケーションする場所を持っていなかったようですが、ここでは専門ホールがクロスオーバーするのですから、異種の専門家同士の意見交換も活発でありたいという気持ちなのです。クライアント側もホールを運営するソフトづくりはこれからなので、いま一番彼らが学んでいるように思います。この学校に市役所の人も大勢、入学志望の論文を出してきました。彼らはいわばクライアントなのですが、進んで勉強しようという姿勢を見せてくださって大変嬉しく、頼もしいかぎりだと思っています。

〈大島絵本館〉のいきさつ

大島町[2]は人口九千人ほどの町ですが、歴史は古く、古事記に記されている鳥取の里であり、垂仁天皇の皇子のためにこの越国の和那美の水門で白鳥を取ったといわれる縁の地であることを奉る杜があります。その社に連なるところに〈絵本館〉の敷地はあります。八八年に開町百年を記念して、郷土に伝わる物語を「おおしまふるさとえほん」として刊行

▼1…N-PACワークショップのこと。第一部第三章参照

▼2…二〇〇五年の市町村合併によって射水市となった

〈大島絵本館〉

したころから、絵本づくりの活動が始まり、いまも町ぐるみで大変熱心に絵本づくりに取り組んでいます。単にペーパーの本をつくるだけではなく、落ち葉などの自然の材料で絵を描き、それを映像に撮ったり、大勢で大きな絵をつくったり、CGで絵を描くというように、実に多様な活動をしてきました。「おおしま絵本会議」の開催や「絵本通信」の発行といった全国的規模での活動が盛んになったことと並行してこの絵本館の設計も始まりました。私たちはそうした活動と並行させて、どういう建築にしたらよいかをいろいろ考えたわけです。その成果を絵本の形にして「言葉としての建築」という本をつくり[3]、それをもとに意見交換を繰り返してきました。私たちも通常よりだいぶ時間をかけてこの対話的プログラムづくりを行い、建築のソフトづくりに取り組んだように思います。

丘のうえの船

敷地については最初、実は抵抗がありました。まったくの平坦地で、さらに農道によって敷地が三分割され、民家が厳しく接している状態でしたから。しかし建物が完成すれば町の文化活動の拠点にもなるところですから、それにふさわしい新しい地形をここにつくらなければいけないと思い直しました。フィクショナルな力の作用する場として活動を誘発させたいと考え、周辺の平坦な地形から浮かび上がるように三つの丘をつくり、それらをブリッジでつなぎ、そのうえに建物を置くという構成を考え、「丘のうえの船」というイメージが浮上しました。町の人たちが大勢でワークショップをしているところを見ていると、大きな広い床が必要だと感じて、大きな船のデッキがその光景に合うのではないかと思ったからです。当時はたまたまビルの建設ラッシュの頃で、周辺の建築現場で残土が出ると譲ってもらい盛土していたので、二年の設計の間に地盤も固まって、丘は立ち上が

▼3…前出「コミュニケーションが開く建築」第二節参照

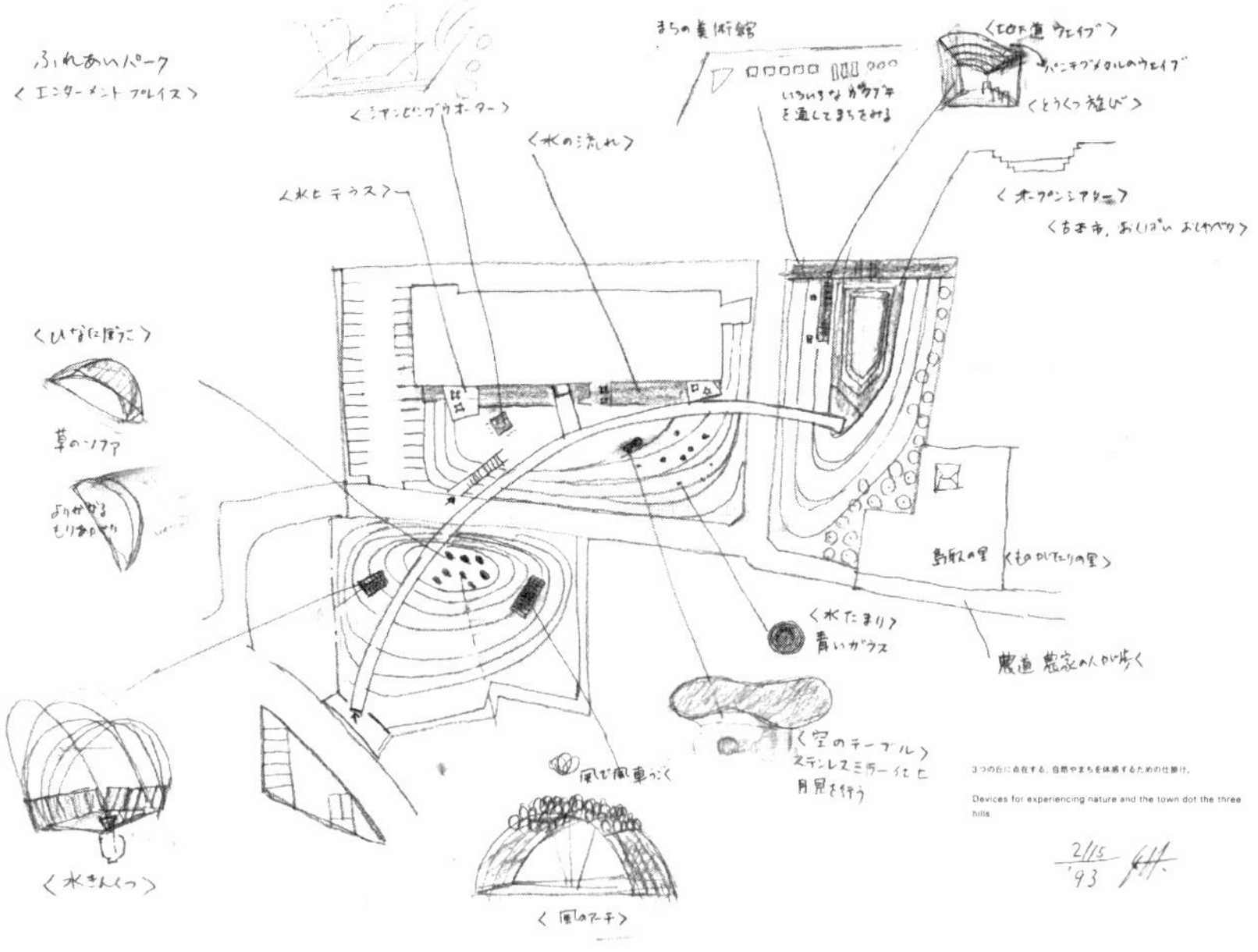

3つの丘に点在する、自然やまちを体感するための仕掛け。

Devices for experiencing nature and the town dot the three hills.

〈大島絵本館〉丘のシークエンス

りました。

不思議なことですが、このあたりは自然に恵まれてはいるのですが、それは整備のされていない原生林で、公開されている緑地は意外に少ないのです。いわゆる「パーク」は都市の方が多いのです。緑地を人工的につくりあげないと、田舎には親自然といえる空間は見い出せない。建物が完成して子どものみならず若者もお年寄りも「ピクニックする場所ができた」と喜んで集まり、月見をするとか、積極的に丘の利用を考えている姿は思いがけないものでした。活動のきっかけを与えることが場づくりの機能であって、利用者の自主性と個性が空間をつくりあげていくのではないでしょうか。ここは〈絵本館〉というより、ふれあい公園という雰囲気になるのでしょうね。

絵本のようにシークエンスをつなげる

絵本はいろいろなシークエンスがつながって一つの本となります。〈絵本館〉においても同様に、絵本をめくっていくように場を体験できればと思いました。それで外部では、さまざまな性格のスポットがブリッジに沿って展開するように計画されています。本を綴じる背のようにシーンを綴じるのがブリッジです。内部についてもスロープがその役割を果たしています。通常の建築はエレベータや階段で上下移動するので、建築のなかを非常に狭い範囲でしか動きませんが、ここではスロープが動線となるため移動時間が長く、利用者は立ち止まりつつゆっくり移動しながら空間体験を楽しんでいるようです。スロープによって人が空間と関わる姿が通常の建築と違うなと感じています。

外部を説明しますと、敷地の入り口はインフォメーションセンターとなっており、そこからブリッジを歩きだしていくと、最初にあるのがフレームに囲われた水琴窟の「イ

〈大島絵本館〉
風のアーチ

リュージョン」です。自然のつくる音色を聞く場所で、フレームが陽にあたってキラキラと輝きます。次にあるのが「ひなたぼっこ」の空間です。芝生がいろんな形に盛り上がっていて、デコボコした形の山は絵本を綴じるときの素材になるのではないかと思いました。この敷地の対角線上の風の通り道に沿ってあるのが「風のアーチ」で、風が吹くとパンチングメタルの扇が一斉にまわります。農道を渡ったところの北側の丘にある、掘り込まれた「オープンシアター」は、本のマーケットやパフォーマンスのための場所です。下りていくと地下道があり、敷地周辺から出ている遺跡を展示する場所として考えました。その突き当たりには「ミュージアム・ウォール」と呼んでいる、水田の風景を見るための額縁があります。

内部空間は外壁に沿って周回するスロープと、建物の対角線上に通るスロープにさまざまな空間が配置されて、場の連続的体験を壁の透明化処理によってつくっています。シンプルなシェルターとしての構造を持つこの建物は、開放的な半外部的な室をカーテンウォールで包んでいます。エントランスホールに入ると左側にカフェがあり、そこから始まるスロープはギャラリーとして使われています。建物の北側には水田の風景が美しいので、景色を切り取って見られるように横に細長い開口部を連続させました。ギャラリーは二階のラウンジに通じていて、そこから対角線状に転回するとワークショップやCGルーム、ミーティングルームなどが二階に浮かぶように配置されています。下に降りると、大きな楕円形のライブラリーや作家の原画展を行う特別の展示空間、パースのきいた段床状のパフォーマンス・ホール、そして二百人程が入るシアターがあります。地階はほとんど保管庫にあてています。保管庫を充実させたのは、これからつくられるものをすべて収蔵し、またここでの活動の歴史を残していかなければという気持ちが強くあったからです。

〈大島絵本館〉
左：スロープよりエントランスを見る　右：スロープより図書室を見下ろす

富山や山陰の建物は、天候のためもあって閉鎖的なものが多いように感じますが、公共建築は、なかで活動する様子が外からも見えるくらいに開放的であってもよいのではないでしょうか。

絵本には古くからその地域に伝わる物語はもちろん、場所性を越えた前衛的な話も多くあって、それらをきっかけに外国と原画の交流をするなどして、この〈絵本館〉から広範なネットワークが広がりつつあるようです。子どもの描く絵に魅かれて専門家もやって来る様子を見ていると、絵本を通して非常に幅広い芸術に出会えるように思います。そういう意味では、この絵本館づくりはコミュニケーションを広げるまちづくりでもあり、これからここを核にして文化活動の輪が広がっていくのでは、と期待しています。

第二章

「場のなかに立ち上がる建築」

第二章には一九九五年から九六年のテキストに、二〇〇〇年に行われた吉良森子との対談を添えた。一九九〇年代には、長谷川は丹下健三の推薦でハーバード大学客員教授（一九九二-九三年）となり、王立英国建築家協会名誉会員（一九九七年）にもなった。欧米での評価が高まり、次々と国際コンペへの招待が寄せられ、各国の大学や建築系学校にも招聘されてクラスを持ち、各地で講演も精力的にこなしていた時期である。

〈山梨フルーツミュージアム〉は構造設計をオーヴ・アラップが担当した初めての作品である。長谷川の講演で〈フルーツミュージアム〉のCGを見たアラップ事務所からコラボレーションの申し出があったという。結果として溶接接合によるシームレスな鉄骨変形ドームが生まれることになった。

八〇年代には、テクノロジーに重点を置くアプローチで、〈ポンピドーセンター〉（R・ロジャース&R・ピアノ、一九七七）が火付け役となった「ハイテックスタイル」が世界的に台頭していた。ボールジョイントと線材を組み合わせた高精度工業製品の集積として壮麗な印象を与えるハイテックスタイル建築に対し、〈山梨〉で実現された鉄骨ドームは「竹かご」のようにシンプルで優しく、設計のデジタル化の潮流にも適しており、鉄骨建築デザインの新しい流れを生むひとつの契機をつくったといえるだろう。

一方、〈山梨〉は長谷川にとって初めての都道府県自治体との仕事でもあった。当時は都道府県自治体の公共建築では、設計過程におけるワークショップのような市民参加は不可能であったため、コミュニケーショナルな性格を建築そのものに与えることが主題となったという。

〈氷見市海浜植物園〉は、稀有な海浜植物の植生を有する氷見市の植物園である。ここでも、植物や自然生態系の循環が主題となり、そのまま建築の形となっている。そのほか同時期に、〈氷見市立仏生寺小学校〉〈氷見市立海峰小学校〉と、氷見市での仕事が続いた。

長谷川のヨーロッパ・アメリカでの個展は一九八七から八八年にかけての北欧での巡回展にはじまり、マサチューセッツ工科大学、コロンビア大学、ハーバード大学、バートレット建築学校などで開催されていたが、一九九七-九八年にかけて、フランス建築協会（IFA）とオランダ建築研究所（NAi）の招聘によってパリ、ベルリン、オスロ、ロッテルダムを巡回した展覧会が最大規模である。吉良森子との対談は、展覧会の記録としてNAiが編集出版した『*Island Hopping: Crossover Architecture*』（二〇〇〇年）のために行われたもので、九〇年代後半の長谷川作品を網羅しているため、第二章末尾に配した。

・・・ 対談

場のなかに立ち上がる建築

比嘉武彦×長谷川逸子

原題「「場」の中に立ち上がる建築」「新建築」一九九五年八月号

比嘉武彦　今回は公共建築のハードとソフトをめぐるこれまでの対談の締めくくりということで、長谷川さん自身の考え方を対話形式で引き出してみようということになりました。特にソフトという言葉で、長谷川さんが何を語りたいのかを明らかにできればと考えています。私たちの事務所が建築のソフトについてかかわり始めたのは、はじめての公共建築である〈藤沢市湘南台文化センター〉の設計からだと考えていますが、そのあたりの経緯からお願いします。

長谷川　私は、住まい手との意見交換を重視して、小さな住宅を設計していた頃から「建築をつくるのは共同作業だ」と感じていました。クライアントと共に空間を立ち上げていくというプロセスそのもののなかに建築を見つけ、それを結果としての作品よりも重視して住宅建築の設計を続けてきたわけです。こうした設計手法は、独創性を表現することよりも、つくられる過程、現場にリアリティを感じたいとする意識が強く、結果としての建築はいつも未完の作品風で「ぼそっとアート」といわれたりもしていました。でも私自身としては、そのなかで生活する人とのコミュニケーションを綿密に詰めていけばいくほどに、どのように使っていくのかを具体的に考えれば考えるほどに多様なありさまを引き受けざるを得ず、結局はガランドウの空間に行き着くわけですが、結果的にはそれが住居でのふるまいの自由さを広げていくようなものになったと思っています。

比嘉「ガランドウ」は決してミニマルなシンボリズムから生まれる「アート」なのではなく、もっともっとポジティブなヴォイドだったというわけですね。

長谷川〈藤沢市湘南台文化センター〉というはじめての公共建築をつくったときも、結果的にはこうした私の住宅設計の手法を継続させて進めてきたといえるでしょう。公開コンペでスタートしたわけですが、具体的な利用形態はきっちりと決まっているわけではなく、この施設を使う人たちの姿は不透明なままでした。そこで、利用する町の人たちや専門の芸術家たちと集まって対話を重ね、何とか建築のあるべき姿を思い描いていったのですが、そのなかから「対話的プログラム」とでもいうべき手法が、おぼろげながら見い出されてきました。

比嘉 それが長谷川さんのいうソフトのはじまりですね。

長谷川〈湘南台文化センター〉の建ったところは長い間はらっぱで、多くの人たちは農業に従事し、そこで祭や盆踊りをしていました。そのような活動をストップさせないように、そのはらっぱを空気で包み込むような空間ができないだろうか。特に、劇場にあっては、演者の時空と観客の日常的な時空の両方を包み込んで、相対的差異を乗り越えて一体化するような、積極的に対話する場がつくれないものかと悩んだ結果、はらっぱのうえの天空を内包したような球儀の空間が生まれました。

〈湘南台〉の劇場は、その球儀という特徴をもってハードが認められると同時にソフトが立ち上がったといえる建築だったと考えています。圧倒的なヴォリューム。アリーナ風急勾配の客席。装置丸出しのメカニカルな空間はフライタワーもなく、布のプロセニアム幕をもって前衛のパフォーマンスシアターとしての利用形態が認知された多目的ホールでした。建設中、そのなかで働く職人たちのパフォーマンスは、宇宙ピクニックをしているよ

〈湘南台文化センター〉
中庭のせせらぎ

うに見えました。私は人間が中心にいることで生き生きしているその空間を、無性格な「市民ホール」ではなく「シアター」と名づけてほしいと、クライアントである市に懇願し、「シビックシアター」と名を変えて実現したわけです。

比嘉 住宅の「ガランドウ」に対するパブリックスペースの理念が見い出された……。

長谷川 住宅の「ガランドウ」と劇場の「はらっぱ」はほぼ同じレベルにあるものといえます。劇場という形式のなかに固定されてしまうことなく、さまざまな活動が生命力をもって営まれる場を考えたとき、無指向性と開放性をもつ球形の劇場のイメージができあがりました。啓蒙的で権威的な劇場から遠く離れ、多くのパフォーミングアーツの出発点である野外の芸能空間や、現代のテント劇場に見られる仮設空間に近いものと考えられます。

実際は、コンペに入ったあとに町の人たちから、公共ホールは全国に巡回する催し物が即座に入ることを条件とすべきだという理由で、一般的な多目的ホール型への変更要求が強く出され、利用者との対話を何度も繰り返しました。でき合いのものをもってくるのではなく、ここから新しいパフォーミングアーツを生み出し、全国に発表するようなものにすることこそ公共ホールだということを訴え続けたわけです。それをコアとしてこそ市民レベルのワークショップ機能も生きるのだと。

比嘉 そしてとうとう、それを実現するためのソフトと人材をもち込まざるを得なくなってしまった。その頃は、ほとんどの時間とエネルギーを話し合いに投入していました。

長谷川 とにかくたくさんの議論を繰り返した末の球儀のシアターでした。その後はこの新しい空間を利用させてほしいというアーティストの人たちもたくさん現れました。特に若い演出家から、あの空間に挑戦してみたいという話をよく聞きます。私たちは、「場」をつくることを仕事としているわけですが、本当に立ち上げるのはそこで活動する芸術家や

〈湘南台文化センター〉
シビックシアターのロビー

市民であるのだと痛感しました。「建築＝場」というとき、私は建物自体の固定した形式をイメージしてはいません。可能性をたくさん残している「未来」の形を思い描いています。「場」という言葉は、変化に対応できる余裕をもっている場所や空間という意味でも使っています。建築というハードがオブジェで、形をもって終わりになってしまうのではなく、まさに人がかかわりをもつことによって立ち上がってくる空間として機能することを考えています。

比嘉 ガランドウやはらっぱはこのような自由な「場」として構想されているのですね。

長谷川 住宅のベースをガランドウとしてつくったことと同じように、公共建築の理念ははらっぱではないかと考えています。いろいろな活動を引き受けられる自由な場。盆踊りもやれば芸術もある。積極的なヴォイドの空間、建築は形態を伴い、結果としていつも空間が立ち上がり、空間は意味を発生します。しかし、私は空間以前に、思考した人びとの「パフォーミングプレイス」としての場をつくり上げたいのです。建物で活躍する人たちのすべてを引っ提げ、活動のきっかけとなるようなステージとしての場所性を立ち上げたいと考えているのです。

比嘉 長谷川さんの使っている「共生」という言葉はこの線上で考えられているわけですよね。でもこの言葉はとても誤解を生みやすいと思います。エコロジカルで予定調和的でコンサバティブに聞こえませんか。

長谷川 そうじゃなくて、もっともっと動的な関係をイメージしているんだけど。異質な意見やものとのぶつかり合いのなかから、より豊かで多面的な関係をつくり上げようとか、積極的でダイナミックな場としてイメージしています。

比嘉 本当のことをいえばストラッグルというほうが近い（笑）。

長谷川　野外のなかに開かれた「宴」のようなものといってほしいですね。もっと詩的に。そこでは風が吹いて、木々がざわめいて、花びらが舞って、いろいろな人びとが出会い、異質なものが新しい「関係のかたち」、すなわち新たなる文化を生み出していくのです。

比嘉　坂口安吾みたいですね。

長谷川　新潟だからね（笑）。でも新潟のプロジェクトでは、このような考え方をよりダイレクトに表そうとしたものとしてとらえることができます。

比嘉　最初は形態の問題で大騒ぎされたりしましたが、あれを考えていたときにはパブリックスペースとしての河原という場の問題、砂丘列から発生する新潟の地形、浮島のような中心部、信濃川をめぐる新潟の歴史、古地図に浮かぶ無数の浮き洲など、そしてはらっぱと西洋の広場の関係などを考えていました。原案は、草競馬もやるカンポ広場[1]とほぼ同じ大きさの緑のはらっぱを大地からもち上げたようなものでしたね。

長谷川　〈新潟市民芸術文化会館（Niigata City Performing Arts Center）〉、略してN-PACと名づけられているこの建築は、コンサートホール、シアター、能楽堂の三つのホールと大小のリハーサル室、ギャラリーなどを内包し、その周りをロビーで取り巻く緩やかな卵型の平面形をしています。

コンペ時に考えたことは、幔幕のような柔らかな素材で三つのホールをできるだけ大きく緩やかに取り囲みたいということでした。オープンでテクノロジカルな「宴」を張って、それぞれに個性の異なる三つのホールを活発に開かれたものとしていきたいということです。専門ホールの単体を並列させる配置ではなく、すべてをひとつのおおらかな空間のなかに取り込み、その緩やかな関係との融合によって多様なものを引き受け、さまざまな要求と活動に対応できる建築＝場としたいと考えました。

▼1…イタリア・シエナにある中世ヨーロッパで最大級の広さをもつ広場。「パリオ」というシエナ各地が競いあう競馬が年に二回催される

〈新潟市民芸術文化会館〉
幔幕で包まれた3つのホール

比嘉 それがソフトにも結びついていく。
長谷川 複数のジャンルの人びとの参加を生かしていろいろな分野のクロスする新しい企画をつくり、自主事業として新しい芸術を生み出していく場所となり得ることを可能にしたい、と考えての提案でした。西洋と東洋、伝統と現代、芸術家と市民のクロスオーバーが生み出す新しい芸術がここN-PACから発信されるようになればと考えています。
比嘉 〈新潟〉は〈湘南台〉と違ってはじめから専用のホールであったがために難しい面も数多くあります。
長谷川 コンペの後、市民からまずアリーナ式の二千人収容のコンサートホールに疑問の声が上がりました。つくらないほうがよいという意見こそは少人数でしたが、コンペで定められた内容が、ほぼクラシック専門のホールであるということ、アリーナという形式であることについての疑問でした。ロック、ジャズ、ポピュラー音楽を隔てなく聞く若者も多いという現状で、一部の人たちに支持されているクラシック音楽の専用ホールという特化した施設でよいのだろうかという指摘も出ました。
町の若い世代の集まりのなかで議論をしたりして、建築づくりに参加したい気分と、さらには建築づくりを公開しながらやっていくことが期待されていることも知りました。設計と共に始めた運営スタッフづくりのワークショップは、そうした期待に応えたいと考えたひとつの試みであるわけです。
比嘉 ワークショップについて少し説明して下さい。
長谷川 N-PACワークショップは、〈新潟市民芸術文化会館〉の建設に伴って新潟市主催で開いている企画運営スタッフの養成講座です。三年間で約六十回の講義を開催する予定で、現在一年目が終了したところです。世のなかにはアートマネージメントという名で、プロデューサーやディレクターを養成する講座は存在していますが、スタッフを養成する講座はありません。実際には芸術と市民の間の現場に立つスタッフこそが重要であるのにもかかわらずです。いまあっちこっちで専用ホールがたくさんできていますが、例によってハード優先で中身が遅れています。しかも、その中身も何を「もってくるか」の話に終始している場合が多いのですが、よい出し物は本当はスタッフの力、センスによるところが大きい。そんな状況のなかで新潟では、今野裕一さんと話し合って、パブリックホールづくりは人づくりでもあるということで苦労の末、N-PACワークショップ開催にこぎ着けたわけです。

比嘉 各ホール、特にシアターの設計の過程で、さまざまなジャンルの現場の人たちとの交流がありました。

長谷川 当初コンペの要項には、オペラも可能なようにドイツ流のプロセニアムアーチ[2]をもつこととあり、比較的スタティックな貸しホール的なものが求められました。けれども多目的は無目的という言葉があるように、「一般的」な貸しホールをつくってしまうと何にでも使えるようでいて、実は何に対しても不十分なものになってしまうわけです。これに対して私たちがめざしたのは演劇もオペラも歌舞伎もバレエも、それぞれ少しずつ妥協していくというやり方ではなく、異質なものを重ねていくことでした。みんなが満足できるポイントを粘り強く探し続け、各ジャンルが妥協することなくそれぞれの特質をきっちりと表現できるようにすることです。それがひとつの劇場になっているところがミソ。だからそれは多目的劇場ではなくて、もっと別な呼び方をしてほしい。

比嘉 マルチシアターとか。

長谷川 コンサートホールはクラシック音楽のための特殊な音場として成立しているホール

▼2…正方形に近いプロセニアム開口を持つオペラハウスに対して、新潟ではプロセニアム開口の幅、高さを変えられる（可変のティザー・パネル、ウィングを設けている）

ですから、シアターのようにはマルチになれませんが、これまで以上に人を集め、より多くの市民に楽しんでもらえるような企画が可能なように配慮しています。演劇的楽しみを加えたホールオペラ、ダンスパフォーマンスなどをはじめ、美術への利用まで考えなければなりません。こうしたソフトプログラムを組み立てなければ、満足のいく舞台装置も空間も立ち上がらないものです。私たちは音楽、演劇、オペラ、歌舞伎などのいろいろな分野の舞台監督、ディレクター、照明、音響の方々に一堂に事務所に何度か集まってもらい、よく議論してホールのあり方を考え続けてきました。その過程で、こうした現場で働く人たちから学ぶ面白さを町の多くの若い人たちに伝えたいということも、スタッフづくりのためのワークショップが生まれたきっかけになっているのです。

比嘉 最後にこれからの公共建築のあり方について、聞かせてください。

長谷川 公共建築における最大の問題は、何を建てるのかということです。コンペ以前の初期構想こそは実は最大のソフトです。普通私たちの仕事はコンペの要項を前提としてスタートしますが、そのソフトを進めるなかで疑問や批判が湧き出し、悩み、使用者や専門家を交え二年間というハード設計の半分を、ソフトのチェックとプログラムづくりに使いました。その度に、この初期構想は誰が担えばよいのか、なぜこの構想はオープンな環境のなかにつくられないのか、建築をつくる状況への困難さを感じます。昨今の政治状況を見ると、首長や議会などの「代表制」そのものがすでに機能しなくなっているのではないかと思わせますが、公共建築においてはそのことを痛切に感じます。必要の根拠をたどっていけばどこにも行き着くことはなく、特定の利益団体の枠組みを越えて市民の意見を収集するテクノロジーはいまだ不十分です。公共建築がほんとうに生き生きしたものになるためには、乗り越えていかなければならないことが山のようにありますが、建築の可能性の中心はこのような「関係のかたち」をドラスティックに具体的につくり上げていくことにあるのではないでしょうか。

・・・コミュニケーションの装置としての建築

山梨フルーツミュージアム

「新建築」一九九六年一月号

フルーツと人類とのかかわりのなかで、豊かな生活文化が創造され定着していったことは、飛んできた種子が風土への定着をすることと対応してとらえることもできる。フルーツの伝播、フルーツを巡る生活文化のあり方には、地域と世界の見事な共存、動物という異なる存在との共生、自然の多様性など現代生活への最良の提案が読めるように思われる。〈山梨フルーツミュージアム〉の敷地はぶどう畑の丘陵のなかにある。くだものを通して季節、時のめぐりといった循環感覚が名実ともに生きる場である。繰り返される淡々とした、しかし確実な自然の流れが植栽、開花、結実という季節のなかで手に取るようにわかる。植物や果実が生命の再生を通して時間的な永続性のなかに生きているように、人びとはこの場でくだものと出会い、植物、光、空気、土、水、季節感といった自然そのものに包まれ、かけがえのない地球に共生するものとして人間の感覚を取り戻すことができる。全感覚を巻き込んでの生活表現としてのルネッサンスこそ、四季多彩な変化を見せる風景と瑞々しいフルーツに恵まれたこの場にふさわしいと考え、建築に付帯する色彩、インフォメーション、レストランメニュー、ワークショップ、イベント企画などソフト企画を提案しながらディテールを決めてきた。ストレスケアの場として自然との新たな出会いを提供する場、自然との共生への憧れを具現化する場としていくことをめざしたいと取り組んだ。

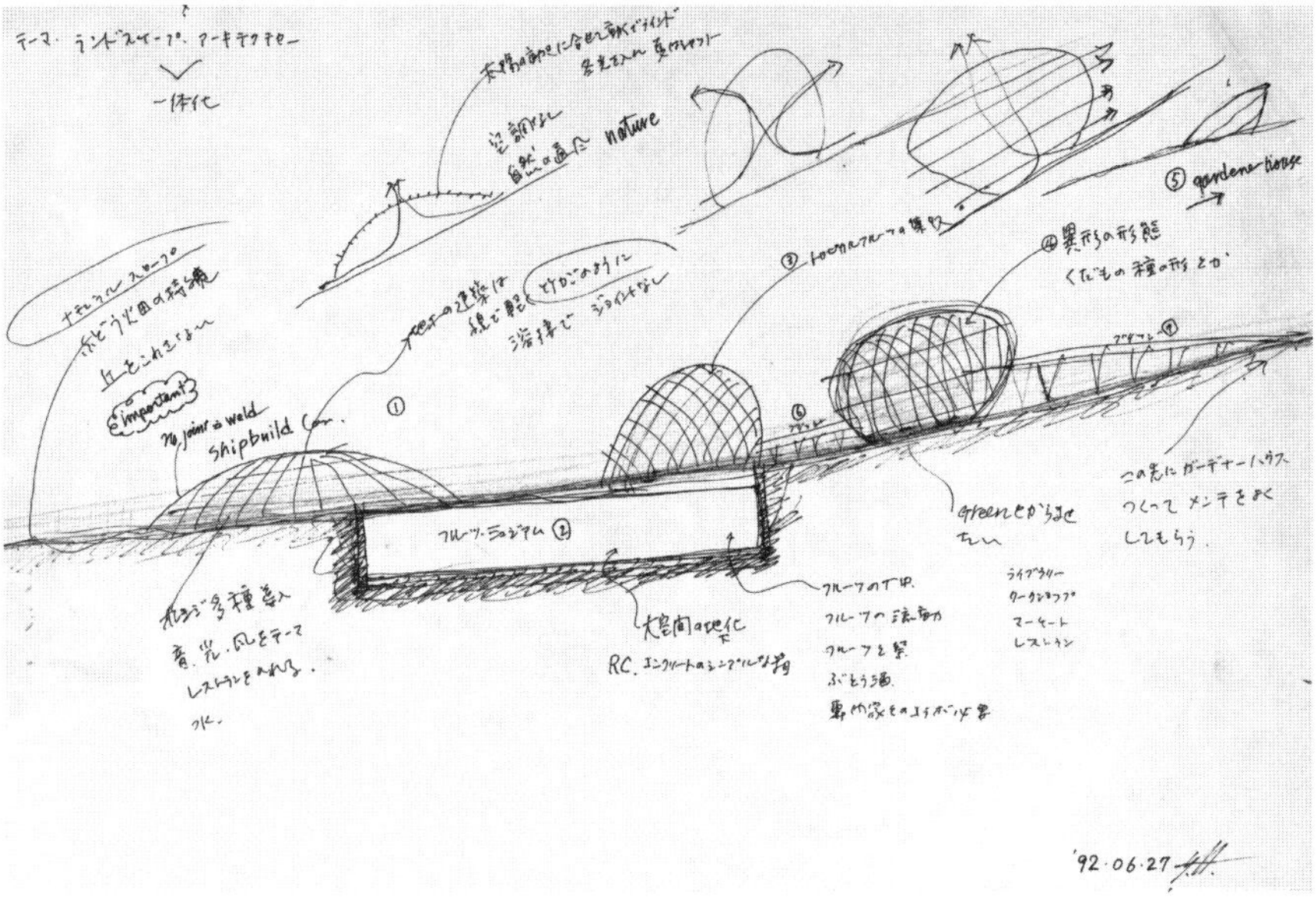

〈山梨フルーツミュージアム〉丘陵に並ぶ3つのドームと地下展示空間

フルーツの人類文化史とのかかわりは常に美的価値をともない、時に宗教上の意味をもってきた。そしてフルーツを巡る博物館をここで考えるとき、今日われわれが臨んでいる地球規模のエコロジーとは、社会的、また物理的な環境と共に、感性、知性、欲望といった身体にまつわる領域を同時に含んでいることを想い起こさせられる。

こうした施設内容にふさわしく、この建築はそれ自身がフルーツを巡る思想を表現しようとしている。環境のエコロジーをつくり出す機械的装置であると同時に、身体や社会のエコロジーを表現するコミュニケーション装置としての建築をめざしたいと考えた。全体のイメージは、それぞれの機能に対応して空間に特性をもったドーム群や、グランドに沈むコックピットのような物理的かつ詩的装置群が傾斜面に連立する、新しい時代の集落というべきものである。このいまだ現れたことのない光景が、個人の奥深く幻想のなかに沈んでいく光景になっていくことを、建築の目標としたいと考えて取り組んできた。

〈フルーツミュージアム〉の分節される各部は、種をふやしていくフルーツの生命力の多様な存在様式を表現する一群としてとらえることができる。「くだもの広場」はまかれた種の成長した最終(生態系にあっては最初でもある)形態として大きな木のイメージ、「くだもの百科」のトロピカル温室は生まれ故郷の熱帯の太陽に憧れ、芽を出そうとうえに伸び上がる種子のイメージ、地下展示室はフルーツの遺伝子の世界、「くだもの工房」はフルーツの人類文化のなかで種を増やしていく、生命力に本来秘められた異形性のシンボリズムを与えている。こうして施設全体を物語的要素で構成するよう考えている。

連立する三つのドーム形の鉄骨立体架構はそれぞれ異なる規模、素材をもち、歪みを感じる自然な形態であって、大地との接し方は親密あるいは反発するように違いをもつものである。こうした手法により、全体としての外観を、たったいま舞い降りてきたばかりの

〈山梨フルーツミュージアム〉
左:トロピカル温室
右:くだもの工房

ように、あるいはいままさに飛び立とうとしているかのように動的に見せている。こうしてとらえたフルーツミュージアムは、一面果樹の傾斜面から飛び立ち舞い降りるフルーツにひそむ自由な生命力と訪問者が一体となるSF的エコロジーのアトラクションといえよう。

緩やかな傾斜面に連立するドーム群に訪問者がより動的にかかわることが、これまでに述べてきたような建築表現において不可欠である。アプローチは斜面の勾配方向という公園全体を貫く強い軸と、これに約四五度をなす富士山への軸を意識したものとしている。インフォメーションセンターから始まるアプローチの通路は、途中いく度かのデッキを経ながら折れ曲がり、ドーム群をつないでいる。アプローチ通路は直線で構成し、ほかの園路が曲線であることと対比させている。

メインエントランスは「くだもの広場」に設けているが、外部からすべての施設に個別にアプローチ可能である。「くだもの広場」と「くだもの百科」は地下で連続している。「くだもの工房」の最上階のフルーツパーラーには、後方の段上の果樹園からブリッジによるアプローチを設け、傾斜面の特性を生かした利用形態を広げている。果樹園のなかには小温室、ショップが展開する。

自然環境と人の生命の循環

氷見市海浜植物園

原題「氷見市海浜植物園」
「新建築」一九九六年七月号

富山県が平成三年度からスタートさせた、中央植物園と県内のそれぞれの地域の自然を活かした専門植物園づくりを行うという「富山県植物公園基本構想」に基づいて、この〈氷見市海浜植物園〉は計画された。氷見海岸は能登半島国定公園のなかにあって対面に立山連峰が一望できる素晴らしい風景が展開している。海岸に松林が続き、砂浜海岸と岩石海岸の両方があって希少植物の多い海辺である。

氷見の虻ガ島は小さな無人島だが、南方系の植物と北方系の植物の両方が九十種も繁茂し、花々の放つ芳香が島中にただよっている。植物の様相は内陸部でも豊かで十二町潟に自生する水棲植物は多種類で、その主役は天然記念物のオニバスでありイタセンバラである。こうした自然に恵まれた環境の調査や成育に力を入れている行政。研究、観察が盛んな小中学校や研究者。そうした多数の地元の人びとの参加と協力を得ることによって、野生の海岸植物を扱う植物園は立ち上がった。

この環状の建築形式は、人が生きることと植物との循環を物語るために選ばれた。植物が周りの無機物から養分を取り込んで、それをふたたび植物を食べる動物によって無機界にもどる物質循環。人間も食物連鎖のサークルに参加して、地球の表面を美しく覆っている植物に感謝する気持ちをここに描きたいと考えた。自然環境と人間の生命のありようは切り離せない同じ空間のなかにあることも感じてほしい。

その植物の物語を伝えるメインホール。かつて富山県の気候は現在の沖縄のように暖かくてマングローブが広がっていたという歴史に基づくマングローブ温室。熱帯・亜熱帯海岸植物の温室。さらにつる花類を展示するガラスチューブ。楕円の中庭は日本の岩石海岸と砂浜海岸の野外展示場。海岸線一キロメートル近くのフィールドは白砂青松をよみがえらせ、そして散策路とお花畑を復元した氷見の海岸植物の展示場。そうした後背地一帯を取り込んだ植物園である。そしてさらに特設展示ホールは昆虫展示を行っている。花粉を運び植物の生殖を助け、植物も昆虫に食物や生活の場を提供し、お互いに共生することを伝えている。二階部分はライブラリーとワークショップの大空間で、三階は厨房。空中に突き出した四階のスカイラウンジは富山湾と美しい氷見海岸が一望できる。

海は命の源であり、地球上のすべての生物は海を起源として、海を介して生態系のすべてがひとつにつながっている。海と陸のエッジである海岸は、潮風が強く変化に富み、生存に厳しくこわれやすい特殊な環境である。昨今港湾の開発の進むなかでこの陸のエッジは傷み、美しさを失いつつある。ここで改めて悪条件でも耐えて生き延びてきた海岸植物の生命の強さと不思議さを知り、地球の環境全般に対する認識や考察を行う、共生の「知」の場となることを願って、この海岸植物園の設計は進められた。

〈氷見市海浜植物園〉
左：模型　右：レストラン

コミュニケーションを通して建築を立ち上げる

吉良森子×長谷川逸子

原題「Creating Architecture through Communication」*Island Hopping: Crossover Architecture*（オランダ、二〇〇一年）収録、和文未発表

吉良森子 公共のコミュニティ施設のプロジェクトが多いそうですが、いろいろな地方のコミュニティ施設に携わることによって設計の方法が変わってきた点はありますか。

長谷川 コミュニティ施設は市民が自主的に活動する空間ですから、利用者とのコミュニケーションを通して建築を立ち上げていくことは私にとって重要なことです。しかしそれは初期の住宅設計の手法の延長でもあり、特に設計の仕方が変わったということはありません。

これまでの私のやり方は、日本の公共建築の設計に疑問を投げかけたといえるかもしれません。急速な工業化によって発展を導こうという日本的状況のなかでは、つくる側の論理が優先します。それに対して私は、使う側の論理を重視する建築を提案してきました。

吉良 具体的にはどのように設計を進めるのですか。

長谷川 仕事のほとんどがコンペで得たものということもあって、私はまず市民に計画内容をよく説明する義務があるのではないかと考え、模型とドローイングを展示し、要望と批評を集めます。同時に公開レクチャーを開き、意見交換を行う。さらにハードからソフトプログラムの見直しへと進め、設計へのフィードバックを行い、何度も公開しながら設計を完成させる。一方では、企画運営の在り方やボランティアづくりなどのワークショップを行います。

吉良 模型を公開するとか、講演会を開いて意見交換をすることなどは、オランダ的に考えるとかなりスタンダードに行われなければならないことですが、日本の場合だとそれは通常のプロセスではないわけですか。

長谷川 公共建築は通常は利用者の参加は形式的で、実際にはトップダウンでつくられることが多い。

経済活動中心の社会ではつくる側の理論を優先せざるを得なかった。専門家はそのグループにしか通じない言葉で話し、建築界も閉じた世界をつくってきた。社会変化の激しいこの国では、人びとの活動や興味は複雑化し、近未来の文化芸術活動や生涯学習はどうあるべきかを誰も描けないのです。

私の場合、多様な変化を予測して大きなヴォイドを用意し、フレキシブルなプランニングを行います。コンペが多いことから、私の考える理想的活動内容をソフトプログラムとして積極的に提案します。私の考えたシナリオを実現させるためにも、利用者と意見交換をする必要があるのです。

吉良 建築が市民とか利用者の共同作業ででき上がってくるとすると、逆に建築家の立場も弱くなりますから、避けたいと思う建築家は多いでしょうね。

長谷川 それは建築家の思い込みですよ。建築家の作品づくりのレベルならばドローイングにとどめて、アンビルドアーキテクチャーでいい。多様化した生活の情報を得るには開放的状態をつくり広く意見を集合させ、さらに新しいシステムをつくる能力が必要です。皆が必要な場所をつくりながら、建築家の提案を発展させていくことが大切です。複数の利用者の意見があればあるほど、プランは複雑化ではなく、シンプル化へ向けてよい方向が開けます。

吉良 トップダウンのコミュニケーションが成り立たなくなっていったときには、それに代わる新しいやり方として、いろいろな人の意見が集まります。それをバラバラにではなくて、何かをつくり上げていくためにはボトムの人たちも変えていかなきゃいけない部分がありますね。お話を伺っていると、長谷川さんが講演会をしたりワークショップをしたりということを通して、逆に地元の人たちもコミュニケーションの仕方を学んでいくというようなところもあるでしょうね。

長谷川 そうですね。私はそれぞれの地域に合った新しい方法をさがしながら提案しています。特に異分野の交流、世代間の交流、男女の交流を活発にするようなコミュニケーションづくりこそ建築設計の本質的役割であり、新しい生活を構築することでもあります。

吉良 そうすると、こういった建築のプロジェクトが新しいコミュニケーションを形成していくうえでのおもしろい契機になりますね。

長谷川 その通りです。完成後振り返ると行政と市民の関係づくりとそのためのコミュニケーション空間を残すことになります。コミュニケーションを通して建築を立ち上げるという考えは、生活とか文化というものを横断したところに建築があることの表明です。意見交換を通して自分たちの生きる世界を言葉にし、思考する場を持つことです。語り合ったことは記録し保存しておく。

吉良 そういうことをちゃんと残されているわけですか。

長谷川 記録は文書とビデオで。例えば〈湘南台〉では、これまで二十四時間オープンで何ら事件が起きていないのに、突然、市会議員からフェンスで囲ってしまおうというような提案が出てくる。でも広場も屋上庭園も、市民が自主管理していることを希望し、楽しんできた経過を、記録によって理解してもらったことがあります。コミュニケーションセンターの館長はだいたい行政の人がやるので、三年位で変わるんですよ。運営が大変だと思うとルールを変える。しかし、スタート時の理想的な考えは大事なもので、それをきちんと記録しておくことが重要です。

文化のクロスオーバーと人のコラボレーション

長谷川 〈新潟〉の場合、行政と市民はまるで初めて会話する感じでスタートしました。市民同士も日常会わない別の分野の人をほとんど知らなかった。専門家も演劇をやっている人と音楽をやっている人はまったく関わりがなく、コンテンポラリーの人と伝統的な分野の人との交流もなかった。観客も同じことです。新潟にはクラシック音楽が好きな人たちが大勢います。一方で伝統芸能を沢山残しています。しかしその二つのグループの人たちが交流することはない。

吉良 面白いですね。日本料理というのは、天ぷら屋さんに行けば天ぷらだけ、寿司屋さんに行けば寿司だけというように、ピュアに細分化していく力というのはすごくあるのに、中華料理みたいにまとめていくというのは不得意というか、違う分野の人同士のコミュニケーションの仕方を学んでこなかったというところがあるような気がします。

長谷川 極めていくと同時に、別な分野とのつながりもつくっていくことで、広く文化となりうるのではないでしょうか。伝統的なものを特定の人だけで狭めるのは問題です。〈新潟〉の建築のテーマとして「コラボレーション」と「クロスオーバー」を掲げたのはここに異分野の人たちの集うコミュニケーション空間を立ち上げたかったからです。実際、竣工後のプログラムにクロスオーバーの企画がとてもヒットしています。例えば武満徹の現代音楽を伝統的劇場の能楽堂で聴くというようなプログラムです。

吉良 とても合いそうですね。

長谷川 能楽堂のバックに竹林があって、自然光や夕刻からの暗やみへの変化という日本的な情緒のなかでの音楽会でした。コンサートホールで行われたカニングハムとジョン・ケージによる「オーシャン」[1]は、衣裳が川久保玲、そしてアマチュアのオーケストラ（新潟大学）も参加して行われたオープニング企画でしたが、コラボレーションの企画がこれほど刺激的で、新しさを感じさせられていることに驚きました。

吉良 日本の歌舞伎はオペラと同じで歌、舞、衣裳が統合した芸術です。統合芸術は多くの人が関われることから、こうした公共ホールの出し物に適しています。

吉良 ヨーロッパの歴史でも、文化が先に進んでいくためには、ある意味で異文化みたいなものがクロスすることが不可欠だというのはありますね。

長谷川 その建築がそういったさまざまな文化がクロスしていくような空間になっていくためには、その建築ができる前の段階で準備を着々としないといけないということですね。

劇場、能楽堂の三つを公園のなかに分散させるのではなく、ひとつの大きな楕円の室内にまとめたものを提案しました。その空間を生かせるような運営の人材づくりとコラボレーション企画づくりのレッスンを目的に、ワークショップを三年で百回近くプロデュースしましたが、実際の運営に反映されています。

吉良 新潟よりもさらに小さな大島町［現富山県射水市］などでもつくっていらっしゃいます。地方の小さいまちに行けばいくほどある種の伝統、歴史的な特徴とか風土の特徴とかが残ってはいるのですが、同時にそういうところに行くと、大きなスーパーが駅前にどんとあって、宅急便が走っていて、駅前の商店街はさびれている。はたして日本の小さな地方都市というのはこれから本当に救われるのかどうか、すごく不安になることが多いですね。

〈新潟市民芸術文化会館〉「オーシャン」リハーサル風景

▼1…カニングハムとケージの最後のコラボレーション作品となった

長谷川　そうです。大小を問わず地方都市のさびれ方はひどいです。シャッターを下ろした商店街、閉じている公共の娯楽施設などバブル時の残骸があちらこちらにあります。地方の財政危機も中央集権の日本政治が引き起こしたものです。国土の均質化と共に地域文化、独自の生活も失ってしまいました。いま、全国均質化の中心としてコンビニがあります。コンビニ特有の防腐剤入りテイストの食品を口にしていると、伝統的な本物の食事が美味しくなくなってしまいます。衣食住を文化としてきたこの国はいま危機を抱えています。

吉良　生活者にとってどういう生活をしたいかというのは、空間と同じように食べ物についてもあるということですね。

長谷川　そういえます。いま工事中の袋井市〔〈袋井月見の里学遊館〉〕でもいえることです。袋井市は、東京大阪間の新幹線や東名高速道路もパスして時代からおきざりにされていたといってもいいところですが、マンションやビルはなくてもコンビニはあります。新しい商店や住宅も大量生産品であるため、東京の郊外と同じで、もはやしっとりした伝統的な風景はないのです。遠州三山という大社寺があるためか、食事は日本食中心で伝統的ものづくりや伝統芸が残ってはいます。それで丸凧づくりや竹細工などのものづくり、文字（書道）、食、芸能などの地域の特徴を調べて、ワークショップのデモンストレーションを二年がかりで行っています。

吉良　地方のそれぞれのコミュニティの違いみたいなものをもう一回吸い上げるプロセスとして、長谷川さんのやっておられるようなプロジェクトというのは重要な契機になり得るわけですね。

長谷川　建築を立ち上げることを通して原風景を考えたり、衣食住の歴史、芸術・芸能の歴史の再認識になる。行政側の生涯学習の内容だけで進めてもだめです。地域の人たちが自

〈袋井月見の里学遊館〉
左：ものづくり工房

主的に学習し、積極的に地域の歴史に関わることが必要になります。

吉良 それぞれの地方の伝統とか文化を吸い上げるために、建築をつくると同時に人のネットワークも構築していかなければならない、ということですね。

長谷川 人が見えてくることで活動は生き生きとしてくる。〈大島絵本館〉はローコスト建築ですが、ネットワークづくりとスタッフの積極的な活動がとても評価されています。

吉良 絵本の図書館ですか。

長谷川 図書館もありますが、詩に絵や切り抜き絵を合わせたり、CGを使ったりして、製本機で本をつくるワークショップが主な活動です。共同で大きな本をつくるパフォーマンスを行ったり、ワークショップも行っています。それ以外に内外の作家の原画の展示空間、オペレッタを絵本で発表したり、絵本の国際会議を行うホールなどもあります。運営スタッフは全国から選ばれました。好きでやっていることと、ボランティア精神があることからキュレーターたちはとても評価されています。出張して絵本づくりに出かける車も用意しています。

吉良 そこら辺の関係はどうでしょうね。活動の場をつくらなければならないという意味では、そういうソフトの構築と建築というのはすごく関係がありますが、極端にいうと、活動さえうまくいっていれば、建物は悪くてもうまくいくんだろうというロジックもないわけじゃないでしょう。

長谷川 これまではハードのみで評価され、市民からは中身がない箱物建築と非難されてきましたが、それでも公共建築にあってはソフトさえ良ければいいとはならない国ですね。有名な建築家のつくった美術館に対して、非常に空間が強すぎて絵が沈んでしまっている、という手厳しい批判をこの頃聞かされました。ワークショップ空間が芸術的過ぎたり、高

〈大島絵本館〉
ホール

級素材で飾り付けられているのも創作意欲をなくしてしまう。建築家としては難しい問題ですね。

吉良 難しいですね。内藤礼さんの展覧会の写真があって、空調もよく効いていそうな完璧な博物館か美術館でやっていましたが、全然よくないんですよ。むしろ倉庫にあったほうがこの写真はよく見えるだろうなと思ったことがあります。

はらっぱ・からんどう

長谷川 私はよく「はらっぱ」の空間と言っていますが、「はらっぱ」というのはオープンスペースで光と緑で満ちあふれ、カジュアルなファッションでリラックスし、ピクニックをしたり、祭をしたり、自由に企画できる空間のことです。「はらっぱ」は劇場にもコンサートホールにもそしてマーケットにもなるようなポジティブな場です。公共建築は基本的にこうした「はらっぱ」のような空間性を持つべきだと考えています。日本の公共空間の原点はウォーターフロントや野にあって、そこで芸能や祭りを行ってきた歴史がありま す。

吉良 長谷川さんは図書館とか美術館をほとんどやられていませんが、逆に美術館みたいなところが、コミュニティセンターみたいなノウハウを入れていかなかったら、大変だと思いますね。お金ばかりかかって誰も来ないというのでは、これから生き残れないですよ。特に運営が厳しくなるでしょうから。

長谷川 美術館こそ総合学習の場にすべきだと思います。しかし機能を複合させるということは日本の行政の場合、大変難しいのです。美術展示と学習の場、市民ギャラリーと滞在の場など、複数の行政のセクションが関わる場合には、縦割り行政では難しい。それでも

〈大島絵本館〉
左：パフォーマンスホール
右：ワークショップ室

少しずつ利用者側に立った複合建築が建ち始めています。そういう施設の運営にはフレキシビリティのあるNPOなどの市民組織を導入しなければならない。行政はハード優先主義なので、人事も数年で変わり、活動の持続を考えていない。

日本の社会のなかで理想的な公共建築をつくることは大変な努力を必要とします。ハードの設計は優れていますが、運営の人づくり、活動のソフトづくりをプロデュースする専門家が必要です。

吉良 絶対そう思いますね。建てようと思っている人たちは、自分たちがやろうとしているアイディアと建築をどうつなげていったらいいかというのは、イメージがまったくわからないでしょう。そこらの橋渡しをしながら、さらにその人たちがやりたいこととやっていかなきゃいけないことをよくわからせてあげる人がいないと、それを建築家がやり続けるというのはつらいものがありますね。

長谷川 そうですね。

吉良 だから建築もわかって、ソフトのこともわかって、コミュニティのこともわかってという、そういう職業をつくらないと……。

長谷川 オランダではそういう人がいるんですか。

吉良 いますね。それが不思議なことにビジネスコンサルタントから入っているんですよ。最近オランダでよく言われているのは、オフィス建築をつくったり、オフィスのインテリアをつくっていくということはマネージメントの問題で、それを考えることによって会社の組織自体もマニピュレートできる。組織自体を再考しなければならないということで、コンサルタントの人たちがそういうことをやっていくことによって、建築のプロジェクトにもつなげていく。それがうまくいったものだから、その人たちが今度は美術館とかのプ

〈塩竈ふれあいセンター〉
スロープがめぐる内部

ロデュースにも入っていて、もちろん美術関係の専門家も入れながらチームをつくってやっています。

長谷川 日本もコンサルタント会社が沢山あるのですが、コラボレーションが下手なんだと思う。

吉良 建築にとって不幸ですね、そういう職業を育てないと。さらにそれが「建築」なんだという認識が、一般の人にはほとんどないでしょう。日本では建築というものに非常に関心をもっている人でも、それがどういうふうにみんなの活動の場になるか、というような話になると、使い勝手がいいとか悪いというレベルでしか建築について話せないんですよ。建築に関わっている人たちが、建築というのはコミュニケーションとかマネージメントとかそういうものに非常に関係があるものだということを伝えてこなかったことに対する危機感をすごく感じます。これはオランダの人でもそうですね。

長谷川 特にプランはそこでの生活や活動の在り方を表わすものですね。コミュニティセンターなどの生涯学習センター系の建築に、中廊下でクロスした教室が並ぶようなまったく余裕のない形式のプランをよく見ますが、生涯学習センターの場は市民が学ぶきっかけがつかめるような開かれた形式が必要です。〈絵本館〉も〈塩竈ふれあいセンター〉も大きなヴォイド空間のなかにスロープが巡り、さまざまな活動の場がつながっていくというような、いわば立体的な広場になっています。この床がつづくプランの形式は、出会いのチャンスが多く、クロスオーバーを生む空間になっている。

吉良 いま私がオランダ政府の建築局でやっている仕事の多くは、プログラム以前のところから入っていきます。「フィージビリティスタディ」[1]と名がついていることが多いんですが、まず最初にプログラムをはっきりさせて、それが建築になるかならないかのところで

▼1…feasibility study。ある計画の実現性（内外の資源や能力採算性など）のスタディ

提案し、同時にそこにある程度の設計のタネを仕込んでおいて、次の段階で形を進めるような、そういうプロジェクトがいくつかあります。非常に勉強になるというか、面白いですね。

長谷川　スタート時から参加できるというのは理想的ですね。プログラムは建築のあり方を決めますから……。

吉良　建築以前の提案が重要ということですね。

長谷川　〈袋井月見の里学遊館〉もまったく同じでした。行政が行ったコンペの内容はただ単に教室を並べる内容でしたが、それに対してオープンな空間で、内と外の活動の場を持つプランを提案しました。各々の外部空間は林で囲まれ、夏は日よけと噴霧発生器で温度を下げ、冬は木が枯れることによって日だまりをつくる、というようなパッシブな空間になっています。

アイランド・ホッピング

長谷川　公共建築の設計中、行政と協力してこうしたワークショップをやりながらまちの人たちと関わってきましたが、それぞれのまちに合う方法を考えて違うやり方をしてきました。藤沢市の〈湘南台文化センター〉は、古くから農業をやっていた地域でしたが、新興住宅地として開発されつつあり、混在状態のまちでした。この敷地は長いこと空き地で祭や盆踊りをやる屋外空間として機能していました。またかつては防風林の機能をもった小さな丘でもあった。

　その原風景の再現を考え「地形としての建築」ともいえるものを提案しました。建築延床面積の七〇％をライトコートを四方にとりながら地下化し、グランドレベルは「はらっ

〈袋井月見の里学遊館〉
中庭は緑豊かな空間となっている

ぱ」的機能を持続させた丘になっています。この公開コンペで表明したテーマは、「第2の自然としての建築」でした。

吉良 本当にセカンドネイチャーになっているのですね。

長谷川 せせらぎの流れる広場とそれを取り囲む屋上の緑の丘がセットになった「はらっぱ」では、子どもたちが水遊びをしたり、ピクニックをしたり、屋外劇場のように自由に発表の場に使い、そして屋上を高齢者が朝夕三十分から四十分かけてゆっくりと散歩をしている。原風景の再現はかつて自然に満ちあふれ、人びとが豊かに生活していた様相と接続したいという思いがあったからです。

〈新潟〉の場合、信濃川沿いの埋め立て地である敷地の歴史を振り返ってみるといくつもの浮島が浮かぶ風景が展開し、その内部は水路のはりめぐらされた美しいものでした。八ヘクタールのランドスケープに、この水と緑の浮島をテーマとしたデザインを導入しました。地下水位の高い敷地で、敷地のほとんどをパーキングにしなければならないことから、野外パフォーマンススペースとなるような緑の浮島をいくつもつくって、緑の島々の集合体をつくりました。人びとはここで水と緑のまちであった原風景を再発見します。また周辺の緑化と信濃川からまちへと続くブリッジの導入によって、新しい交通としての建築の実現にもなっています。

実際完成すると、とても多くの人が利用しています。屋上庭園からまち全体がみえますし、リラックスする場となっているようです。いつも開かれているロビー空間は情報センターであり、ロビーコンサートなどが行われていています。

吉良 フィジカルな交通のコミュニケーションからヴァーチャルなコミュニケーションまで含めたうえで、建築が地域の固有性を新しいかたちで表現している……。

〈新潟市民芸術文化会館〉

長谷川 ＮＡｉの展覧会では、「アイランド・ホッピング」というテーマで日本の各地に建てた公共建築を多島海のイメージを重ねて展示しました。日本各地をまるでホッピングして仕事をしているような感じを表現しました。また同時に、日本の文化の基底には地域の風土と結びついた群島状の多様性というものがあり、日本文化に潜むこの複数性をとらえながら建築を考えていきたいというメッセージが込められています。

いま公共建築をつくる意義があるとすれば、建築を立ち上げしていくプロセスを通して、それぞれの地域の差異を再認識し、新しいコラボレーションのネットワークへと広がっていくことではないでしょうか。

第三章

「建築が担う社会的プログラムの空虚」

第三章「建築が担う社会的プログラムの空虚」には一九九二年から九八年の集合住宅、特に公営住宅と高齢者のための居住施設をめぐるテキストを集めている。長谷川は学生時代に菊竹事務所でのアルバイトで〈浅川テラスハウス〉（「新建築」一九六四年七月号参照、浅川製作所の社宅）の基本図面を描いた経験もあり、卒業設計でもアルヴァ・アアルトの研究を通じて集合住宅をテーマにするなど、民家・住宅のみならず、集合住宅／人が集まって住む形式に深い関心を寄せてきた。その関心のありようが、私と公を対立的に捉えない公共空間の考え方の根底にある。

一九九〇年代は、バブルの崩壊、不良債権問題、阪神・淡路大震災、地下鉄サリン事件と暗い出来事が続き、日本社会にとっては「失われた十年」ともいわれている。地方自治体の財政も悪化し、多くの公共事業が縮小または延期になった。「建築が担う社会的プログラムの空虚」（一九九八年）には、そうした社会的背景のなかで、集合住宅の意義を問い、集まって住む楽しさをつくりだすための試行が語られている。〈太田市営石原住宅計画〉の頓挫にはじまって、当時進行中であった〈茨城県営滑川団地〉、〈宝塚ガーデンヴィレッジ〉（発表時名は宝塚松楓閣アパート。民間集合住宅）のコンセプトを語る。一部語句を修正した。

「棲まわれた団地　人びとの生活の展開がつくりだす風景」（一九九四年）は、〈託麻団地〉の作品解説である。〈託麻団地〉は、一九八八年に始まった「くまもとアートポリス」の一環で、坂本一成、松永安光、長谷川逸子の共同プロジェクトとして企画された。原文には題名がなかったため、新たに題名をつけ、一部語句を修正している。坂本・松永両氏との座談会「関係性をデザインする」（一九九四年）も併せて収録した。

「住宅建築をつくり続けたい」（一九九五年）は「ＳＤ」誌による長谷川逸子特集（一九八五年十一月号）に掲載されたものである。

「住居群をネットワーク・リングでつなぐ」（一九九九年）は、〈長野市今井ニュータウン〉の作品解説である。〈今井ニュータウン〉は長野オリンピック選手村として建設され、オリンピック後に分譲された。一部語句を修正している。

続けて、公営住宅・高齢者住宅の作品解説を年代順に配置した。ロサンゼルス現代美術館の展示のために高齢者集合住宅プロジェクトをつくった経験を語る「高齢化社会の新しい姿」（一九九二年）、「住宅特集」誌による「特集　高齢社会時代の住宅」のためのインタビュー「いろいろな人が共に生きられる場をつくるために」（一九九四年、一部語句を修正）、そして〈黒部特別養護老人ホーム〉の作品紹介を含む高齢者住宅小論「年齢と関係なく住み心地のいいユニバーサルデザインの定着を」（二〇〇〇年）である。

・・・建築が担う社会的プログラムの空虚

集合住宅論

「新建築」一九九八年六月号

プロポーザルコンペに入賞した公営住宅の設計が延期になって

一九九六年十一月群馬県太田市で計画された公営住宅石原団地の建て替え計画のためのプロポーザルコンペで建築家五人のなかから設計者として選ばれ、その年度内に基本設計を完成させて納品した。ところが、一九九七年に入ると国の財政構造改革[1]という公共事業の締めつけが始まり、実施設計は延期となっていまだに保留されたままである。市側の説明をまとめると、公営住宅を建て替え新築にすればそれなりに外国からの永住者をはじめ入居者は集まるが、いまは、そうした入居待ちの人から特に強い要望が出ている状況になく、事業優先順位として高くないことがコンペ実施後に判明し、取りやめることにした。そして、まちづくりとして市街地の再開発などによる景観形成プロジェクトを優先すべきだ、という方向を打ち出したというのである。

私たちは太田市の出来事を契機に、公営住宅についていろいろと考えることになった。国の資金の支援を得て建設される公営住宅は国の政策の変遷と共にある。一九五一年公営法「公営住宅法」の設立時には、住宅に困窮する低額所得家族に対して低廉な家賃で賃貸する社会政策的側面の強いソーシャルハウスづくりとしてスタートしたのであって、同居は親族に限られ、シングルグループや浮浪者が住むことは許されないものとなっていた。特

▼1…財政構造改革の推進に関する特別措置法、一九九七年十一月制定

に弱者の生活の安定という社会福祉の増進を目的としてきたため、国が税金を使って公営住宅の土地取得費と建設費、さらに家賃の一部を補助している。だから一般的には住めればよいという感覚の小住宅ローコストハウスからスタートした。しかし社会状況に合わせて変更を重ねてきて、特にバブル経済の時期は民間の賃貸集合住宅の住環境の貧しさに対して公共の住宅が環境整備のよさ、各住居の広さ、住み心地よさなどを先導する役割を担うべき方向がつけ加わり、福祉ハウスとしてのソーシャルハウスという機能を残しながらも時代のライフスタイルの提案などを加えて、さらに快適で環境共生型の新しい住まい方を示すなどパブリックハウスともいえる方向を打ち出した。たとえば一戸当たりの標準床面積は拡大傾向に転じて、一種ならある年に八二・五平方メートル以上という設定になり、これが毎年三平方メートルずつ増えていった。

しかし現在は国全体の景気の冷え込みと財政事情の悪さから、標準床面積以上という基準もなくなり、この頃は小さくてもよいのでコストダウンを図るように方針転換されている。国の経済政策で公共事業の発注件数を減らしていたかと思うと、急きょ景気回復のため公共事業の前倒しを宣言したりで一貫性のない政策運営がなされており、このような国の経済政策に公共建築や公営住宅も巻き込まれ、そこには経済以外のポリシーがまったく見受けられない。住宅環境も公共空間づくりももっと長期ビジョンをもち、ゆっくりとプロセスも公開して進めていく必要があるのに、そうしたつくり方もできにくいくらい目まぐるしい動きだ。

こうした社会にあって建築家たちはその機能を果たしづらくなっており、建築は社会的プログラムの空虚さに浸食され、飲み込まれて業者的に仕事をこなすか、建築から逃れて自己中心的な芸術性をもって作品をつくるしかなく、本来の建築家の立場が築けない。建築家たちがどのようにデザインしても持続し得ない消費的な水準にとどまってしまい、建築家そのものの存在意義を引き下げているのではないだろうか。かつて住宅設計を通して建築の商品化に立ち向かわんとする建築家たちに期待していた一九八〇年代のように、このような状況をポジティブなものととらえてデザインに反映させていくことを考えなければならないのかもしれないが、今日の状況はもはや消費の海を泳ぎきっても、彼岸にはそのシステムの破綻しか見えないことがはっきりしてしまっているのではないか。

　アメリカのヘゲモニー強化と大中国の近代化というふたつの力学が働く近未来の世界のありさまとそのシステムを考えれば、クールハース流の快適なマンハッタニズム[2]はとっくに有効性を失ってしまっているのではないか。最近の日本の建築家でセンシティブな人たちは、単なる透明な建築を越えてますます建築を何でもないものに還元し、建築であるより美しい芸術にしてしまおうとしているように見える。それはおそらく建築が担う社会的プログラムが空虚であり、そこからの距離感の無意識的なる表現ではないかと私は見ている。建築を何らかの社会的なプログラムの容れものであるとして、しかもその容れものの良し悪しがプログラムのあり方に影響を及ぼすことができるとするならば、少なくとも建築家はもっと社会的プログラムそのものを変えていけるようなきっかけ、建築というインクルーシブなあり方を提示していかなければならないと考える。いまの状況は、提示しそびれているうちに建築家という存在を自滅させていく道を自ら突き進んでいるようなものだ。業者でも芸術家でもない建築家としての仕事をしたい。今後、都市にどのように住むべきか、建築に何が可能かということにきっちり応えなければならないときにきているのではないだろうか。

▼2…レム・クールハース『錯乱のニューヨーク』（筑摩書房、一九九九年）。原題*Delirious New York: A Retrospective Manifesto for Manhattan*, 1978.

集合住宅の総合的市場を視野に入れた施策がいま必要である

太田市の問題をさらに突っ込んで聞いていくと、公営住宅が現在もつ問題が浮上してくる。たとえば、地方によっては安価な公営賃貸住宅が民間賃貸住宅の運営を脅かしてしまう状況が展開している。民間の賃貸事業は借地権という権利に縛られていたり、土地への執着からも事業を積極的に展開できずにきた。都心にも古い木賃アパートが多くあるが、長期居住者が住まい続けているのに悪質な環境のまま野放しにされているものがたくさんある。一方で公共は容積率いっぱいに建設するという商業的採算にとらわれることなく、十分な外構空間をもち、床面積も次々に広くなり、コストもかけたものが供給されており、民間より低家賃である。このことで賃貸住宅のマーケットの歪みが生じており、民間サイドからすれば市場が閉ざされてしまっているといえる。市民サイドから見ても公平性を欠くことになっている。対象を低所得者としても、課税対象所得を低く申告できる自営業者の違法入居が多く問題になってきたのである。また入居者の所得もこうした社会では変動が激しく、当初の制限以下の所得がすぐに所得オーバーになるケースも多い。K県では五〇%が違反者で一〇%は高所得者であるということから、サラリーマンの中間層から反発を買うのも当然といえる。

こうやって考えると、賃貸住宅の市場はさまざまな制約のなかで想像以上に開かれていないといわざるを得ない。日本の民間住宅の環境の貧しさを是正していくという方針を基に、ここ最近続けられてきた公営住宅の高級化や面積の拡大は、市場の開放はもちろんマーケットの歪みや福祉の公正さ、供給の公平性といった公営住宅の供給条件をないがしろにしており、民間住宅供給や既存住宅も含めた総合的住宅市場を視野に入れた施策とはいえない。

またその頃から公営住宅は民間マンションより建設費が高く、財政を圧迫し出してきた。賃貸住宅全体の空き室率は全国平均で一割程度といわれ、供給過剰になると、民間の業者は公営の家賃が安価なため経営が圧迫されかねないという苦情が出るところまできている。実際こうした公営住宅を必要とする高齢者の多くは、建て替えによる賃貸料の大幅な値上げにより安い民間アパートに引っ越したり、老人ホームに入居するということが起こっている。民間の質の悪い木造アパートで生活を続けている高齢者も、変わらず木造アパートでの恵まれない状態が続いている。

太田市がコンペ時に重要テーマとしてきた、長寿社会における高齢者等弱者対策のための住居とそれに伴う福祉施設の供給は、近年の公営住宅法の見直しによって可能になった民間の集合住宅の一部を、借り上げによって提供するなどの方針を検討していると聞く。このことによりコストを低減し、自治体として自己管理の軽減をも図ることで住民の不公平性もカバーしていくという。これらを都市再開発計画のなかに含んでいくということが私たちに示された。私たちは一九八五年頃ケーススタディハウス計画の一環で、ＭｏＣＡ［ロサンゼルス現代美術館］主催のアメリカ・ロサンゼルスの公営住宅の開発コンペに参加し、車椅子生活をする高齢者住宅の提供をしたことがあった。そこでは公共の敷地で選ばれた民間企業が開発を行い、建物の一階部分は車椅子を必要とする高齢者や身体障害者が生活できるようプランニングし、行政が住居手当を支給して入居させるという方法を取っていた。このことで集合住宅にはファミリーからシングルや高齢者まで多様なライフスタイルの人たちが住む新しいコミュニティを再現させようとする試みが行われていると知り、感心したことがあった。

いま、国が検討している定期借地権[3]が十分に活用されると、アメリカのような民間と公

▼3…土地利用を促進する目的で設定され、一九九二年に施行された借地借家法で規定されている

共のジョイント開発が可能になるのではないだろうか。また民間の経営者たちによって個性的なプランをもった集合住宅が活発に企画され、それらが多様なライフスタイルに応えることとなり、都市住居を大きく変えるであろう。そして本来の公営住宅のあり方も大きな視野での見直しと展開が図れるのではないだろうか。特に家庭崩壊などの変動が起こり、モビリティが高まるなかで、移動型生活のような流動性に応えられる可能性も開けるのではないかと期待している。

また多様なライフスタイルを求めていろいろなタイプの賃貸生活を楽しみ、自由に住み替え可能な新しい都市生活を生み出すことになる。クライアントによって積極的で個性的な計画がもち込まれ、管理も十分にされた都市住宅の出現が待たれる。支援を必要とする高齢者はソーシャルハウスとしての高齢者住宅に迎えられ、住宅環境は大きく飛躍することになるであろう。

コミュニケーションチャンスをつくる装置としてのスロープをつくる

集合のシステムは全体の環境だけでなく、各住戸の生活空間そのもののあり方からも成立している。集合住宅においては集まって住む面白さや楽しさと同時に、各住戸はおのおの独自の生活空間をもつことが全体の環境をつくっていくことにもなる。集合のシステムとして、私たちは解体した共同体意識を無理なく再構築するパブリックマインドを生み出す装置を導入し、自然なコミュニティの形成を促すことを提案してきた。人間は孤立して生きていける動物ではなく、共同の活動を通じて自らの生活を自立させ自らでつくっていくものだ。外部とのかかわりのない日常生活における希薄さが、人とのつき合い方も生き方もわからなくさせ、都市を荒廃させてきた。本来、人が自由にそして豊かに生活するためにはさまざまな生活を展開するなかで、ときには生活の不自由さという障害について考え、よりよい生活を発見していく生き方が必要である。自由さの拡大から豊かな生活が生まれてくると考えるとき、コミュニケーションのチャンスをつくる装置の必要さを、さらにその敷地の周辺に対しても開かれた集合のシステムがあることの必要さを感じて、提案を続けてきた。

〈茨城県営滑川アパート〉のコミュニケーション装置は、地形の斜面を生かすことで生まれた。緑の斜面に小路のような立体化したスロープを配して緩やかな連続性をつくり、各戸へのアプローチはスロープを経由させることで住民同士の何気ない軽やかな出会いを演出し、コミュニケーションを誘発させるものとなっている。〈長野市今井ニュータウン〈オリンピック選手村〉〉でも、北棟と南棟を連結させるためのブリッジ空間を東西に設けて、全体の共有部分をコミュニケーション・ネックレスと称し、そのネックレスに集会室やルーフガーデン、エントランスポーチなどの集まったりくつろいだりする空間を接続させ機能させた。民間の〈宝塚松楓閣アパート〉プロジェクトの第一案は〈熊本市営託麻団地〉と同様の形式をもつものだった。全体を庭園団地として外部の緑化された空間を生活の場に取り込み、共同で管理することのなかで共同体意識といったものを立ち上げようとする提案であった。〈宝塚〉の実施案では車路と分離させた歩行者のアプローチの小路にさまざまな小さな庭園シーンを、水、緑、光、彫刻などで展開させて中腹のイングリッシュガーデンまで自然の地形に沿って導き、さらに急斜面へと延びつなぐコミュニケーション・レーンが導入されている。そして十年前に建設した同じクライアントの大型賃貸アパートの〈コナヴィレッジ〉で生活活動を拡大させようと導入し、効果を発揮してきた共有空間をここにも導入した。プールやパーティルーム、ワークショップルーム、ランニ

〈長野市今井ニュータウン〉
南棟と北棟をつなぐブリッジ

ングコース、ホテル並みのサービスをするための運営スペースなどのソフトプログラムが同時に導入されている。

戦後の社会環境の変化の激しさは人びとのライフスタイルも次々と変化させ、多様化させてきた。家族のあり方も揺らぎ、都市にはシングルの人も多い。定まらない家族像がその同居者の関係も多様化させ、これまでの住宅のスタンダードを古びたものとし虚構化してしまった。しかし子どもを育てる視点に立てば必ずしも家族は崩壊しておらず、シングルグループの形式こそが都市住居にふさわしいと決め込んでしまうことはできないほど、揺らいだプロセスのなかにある。都市の集合住宅は狭い敷地に南面を絶対条件とし、部屋数を多くすることを消費者が要求しているとばかりに思い込んでつくられ、類型化して現実とかけ離れたものになっている。公営住宅は対象が家族や親族の同居者があるものとしており、n-LDKというプランニングがますます狭さを強調している。

私たちは、〈熊本市営託麻団地〉では伝統的引き戸でワンルーム化が図れるプランを、〈コナヴィレッジ〉ではキッチンの上部を閉じてテーブル化できるものを用意し、地下ストックルームに個室化を図るスライディングドアとクローゼットの装置を用意し、同居者の変化に対応してセットするシステムを導入した。多様なモデルを提示しながらも、梁の露出しない逆梁や壁柱構造を導入してもっともシンプルなヴォイドを立ち上げて、それぞれの家族に見合うプランを軽量間仕切りでつくり上げ、生活の変化のプロセスにも対応しやすい内部空間を用意してきた。さらに外部スペースを広く取り、家具や遊具を置き、ガーデンをつくり、外に生活を広げる提案を導入してきた。

現在の日本の建築はメンテナンスフリーが第一にでき、労をかけずに維持することが優先されることや、打放しコンクリートや金属メッシュなどデザイナーの非常に個人的な好

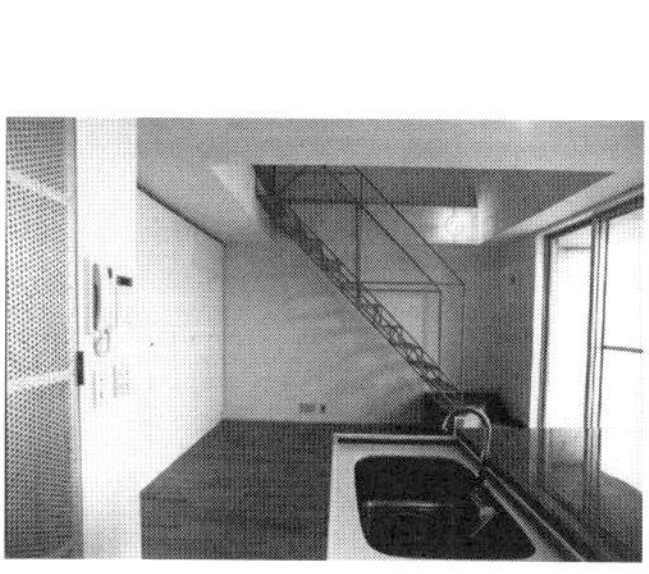
〈コナヴィレッジ〉

みの素材の採用が素材の貧困化を招き、ほかのどの国に比べても軽薄で落ち着きのない都市環境をつくり続けてきたといえる。これは日本の現代が陥っている特殊な状況であり、近代以前の日本には美しく優しい素材、ディテールがあり、その装飾もきわめて上質なものであった。ここへ回帰するというより、むしろ現在になってとぎれていたこの日本の流れをさらに推し進めることにより、人びとがいま感じている快適さへの要求に応え、優しい空間を立ち上げたいと考えている。情報化、スピード化により時間的距離が短縮され、インターナショナル化している現在の状況のなかで、ローカリティをもった普遍性が今後ますます注目されてくるであろう。かつて庭園であったという恵まれた敷地条件をもつ〈宝塚松楓閣アパート〉プロジェクトでは、特に空間の質をテーマにしている。多様なるものを十分昇華させ、この国のローカリティと風土環境を大切にしたデザインを心がけたいと考えてやってきた。

〈滑川アパート〉――コミュニケーション装置

茨城県日立市に建つ県営住宅である。敷地は東側に海をのぞむ南斜面で全体の高低差が一五メートルという良好な環境を備え、この敷地は日立市の典型的敷地条件ともいえる。この斜面をひな壇状に造成することなく、自然の勾配なりに建物を配することにより、ランドスケープのもつ力をそのまま建築に還元したいと考えた。これは形態上の問題だけでなく、傾斜地で展開されるアクティビティの多様さ・楽しさも含めて取り込むことを意図していた。

建物は工期ごとに三棟に分節し、ヴォリュームとしては大きく二本の流れで構成している。この二本のヴォリュームの間に緑の丘を「ガーデン1」として配し、すべての住戸はこのガーデン1からアプローチすることによりコミュニケーションを誘発する。

集合住宅の形式として、片・中廊下型および階段室型が一般的であるが、縦動線だけで連結される階段室型は、平面的に連結される廊下型に比べ出会いの機会が少なく、コミュニケーショナルとはいえない。一方、廊下型は住戸の一面が共用部に面することになり、プライバシーの面で階段室型に劣る。そこでこの〈滑川アパート〉は四層の建物の三階部分にランプ（空中共用歩廊）を取り二ヶ所で接地させることにより、第二の地盤として機能させる。一、三階の住戸はこの地盤から、また二、四階の住戸は専用階段でアプローチすることにより、階段室型と廊下型の長所をそれぞれ取り入れた、新しい形式を提案している。できるだけたくさんの住戸を横通路で並列型に連結することにより、建築が特定の住戸とのコミュニケーションを強制することなく、どの住戸とも横並びでいる関係を重視する形式で、現代の集合住宅の関係性としてもっともふさわしいものと考えている。

ランプは建物から二メートルの離隔を取り、有効一・六メートルの幅をもたせたため、廊下としての機能だけでなく、子どもを抱いたお父さんが夕涼みの散歩をしたり、海の見える部分では夫婦が語り合い、子どもたちが走り回るという期待通りの状況が起こっている。さらにこのランプは三、四階に住む中高齢者にも好評で、階段を利用するより地上からランプを経由し住戸にアプローチする人も多い。またたとえば南棟と北棟のランプではおよそ六メートルの高低差があり、このことが立体的なコミュニケーションを生み出している。各住戸間には風の抜ける道を取り、住戸に三面の採光面を与えるだけでなく、ガーデンに心地よい風を招き入れる。ランプを歩くと、この風の道によりカットされた景色が次々と住棟の間に現れる。

すでにこのアパートは二棟が入居して一年を迎えるが、住民同士が出会う機会も多くコ

〈滑川アパート〉

〈滑川アパート〉斜面の中庭にかかるスロープ状のブリッジからも各住戸にアクセスできる

ミュニケーショナルな様相を呈している。公営住宅はそこに住む住民の場所だけでなく、社会的な資本として近隣住民にも開放して良好な環境を提供するべきであり、このガーデンは開かれて通り抜けもでき、近隣の子どもたちの格好の遊び場となっている。

住戸は玄関兼ゲストルームとしてのグラスルームをもち、植物やティーテーブルを置き、簡単な接客ができる半屋外的スペースとしている。グラスルームに連続して大きなテラスをもち、これが住戸間の風の道にかかりフローティング・ガーデンの様相を呈す。中間期にはテラスにテーブルを出し、快適な屋外生活を楽しめる。玄関の次にリビング、その奥に個室を配し、階層的にパブリックからプライベートへ到る配置とした。

〈太田市営石原団地〉プロジェクト——環境共生装置

群馬県太田市に計画される公営住宅の建て替え計画である。ソーシャルハウスとして今後ますます深刻化していく高齢化に対応し、また多様な世帯構成によるさまざまな生活様式を包括できる、フレキシビリティのある住戸が求められていた。

敷地は道路を挟んでふたつに分割されており（サイトA、B）、それぞれに大きな円弧を描く三本の住棟を配置し、その中央にさまざまな年齢層の人びとが集まり、コミュニケートできる場として、まとまった広場をもたせることとした。かつての空き地がそうであったように、住民の活動の場として、盆踊りを行ったり、ピクニック気分でお弁当を食べたり、初源的な「はらっぱ」として場が形成されることを期待している。広場には住戸のバルコニーがはり出し、リズミカルな風景をつくり出す。この広場は視線が長く通る快適な場所として機能し、さらに住棟がカーブを描いているため、歩くにつれ、視界が変化する多様さも併せもっている。また外部に対してオープンであり、風・光・人が自由に出入りし、

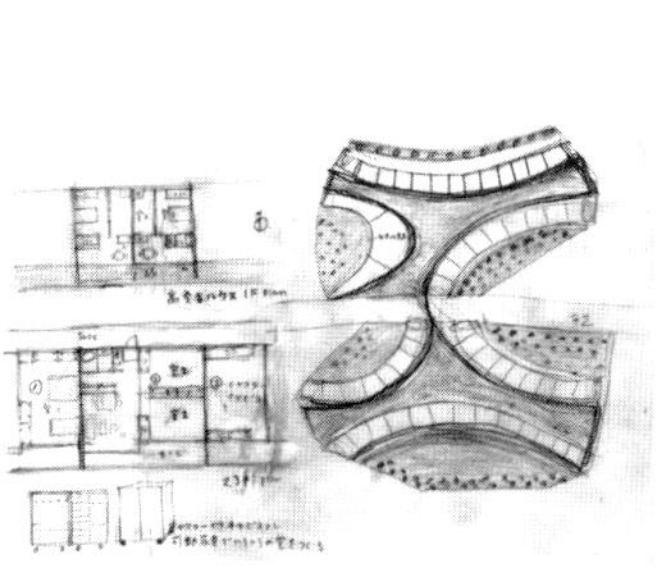

〈太田市営石原団地〉
スケッチ

地域全体に貢献し、環境共生装置のモデルとなるべく計画した。

集合住宅のあり方として、特定戸数の住宅をグルーピングしてコミュニティを強制する形式ではなく、線状に配置することで、拘束の弱い自由な関係性をもたせることとした。階段室型は縦系列でグルーピングされやすい形式だが、三階建てということで地上レベルでの横の連結が強いため、プライバシーを優先しこれを選択した。住棟一階が高齢者用、二、三階が一般用で、一階の一部にケアサービスの受けられるケア付き高齢者用住宅を設けている。一階にはピロティを設け駐車場側と広場側を結ぶ通路とし、さらに自転車置き場としても利用する。

住戸は間口を大きく取り、風や光が十分に取り込めるものとした。およそ九メートル×九メートルの一住戸を縦方向にシンプルに四分割し、一本を水回りとし、残りの三本を風の抜ける筒としてそれぞれに異なる床仕上げを施す。床の仕上げは人びとの立居振る舞いに大きく影響する、住宅ではもっとも重要な設えである。椅子生活用のフローリング、直に座る畳、どちらにも対応する中間的なコルクタイルを配し、それぞれの場をつくる。

平面は和室二間続きの場とキッチン・ダイニングの場、そしてその間に南に向かって開く外部的で開放的な場を設けた。これらの場は家族の人数・構成、そしてその時間経過による変化に柔軟に対応できるよう建具で仕切り、従来のn-LDKがもつ生活に対するある種の規制を取り払うことを目的とした。変化する住生活に対応するためには、将来の生活スタイルを想定しつくり込むより、ガランドウとして緩やかにフレキシブルな状態をつくることが大切であると考える。バルコニーは屋外生活が十分楽しめるよう一・八メートルの奥行をもたせ、室内と連続するように三つのエリアに分けた。社会変化の激しいこの国で、これに柔軟に対応していける良質な公営住宅のストックとなり、またこの身体に快適な生活環境が近隣の住環境の指標となり、影響を与えていくことを期待した。

〈宝塚松楓閣アパート〉プロジェクト——生命維持装置

阪急電車宝塚線の売布神社駅で下車し、山手に向かって行くと貯水池の向こうに広がる大きな斜面にかつての松楓閣（明治の作庭、池泉回遊式の名庭と旅館）の跡地がある。それがこの〈宝塚松楓閣アパート〉の敷地である。はじめて訪れたときには松楓閣はすでに取り壊されており、庭の主景だったという松もなく、有名な池の周りには雑草が生い茂り、何か痛々しい風景が広がっていた。二・三八ヘクタールの斜面の敷地は、民間の集合住宅開発地としては珍しい第一種低層住居専用地域である。法的条件を十分に活用することで広く残せる外部を、どのように生かして、ここに集合の形式を選定していくかが大きなテーマであるとまず考えた。そしてその結果、生活活動を外まで延長し、環境を包括した快適で優雅なライフスタイルをここに立ち上げることをテーマにスタートした。

本来、都市住宅は都市的劇場空間を楽しみながら、芸術的でありさらに都市の自然に包まれて心地よい生活をすることも可能なはずであると考える。住宅は子育て期には生命維持装置であり、子どもたちと共に過ごす家族の安全な場でなければならないし、新しいシングルグループにあっても、ゆったりと落ち着く生活と社交の場であるだろう。四季折々のセレモニーをもち込み、生活全体を横断する住文化をつくり上げていく場でもなければならない。さらに働くことを喜びとする人たちにはストレスケアの場であり、高齢者には多趣味を生かして人とのふれあいを豊かにもつことが可能な場にする必要がある。長寿でありたいという多くの人の願いは、環境としての敷地選びから、建築素材やディテールのあり方までかかわり、すべてが快適性へと還元される。バブル時の都市分譲住宅というイ

〈宝塚ガーデンヴィレッジ〉
緑豊かな環境

メージを脱ぎ捨てて、これまでになかった視点、つまり生命維持という原点に立って多方面からアプローチして提案を繰り返してきた。

第一案としては、ガーデン住宅をめざして地形の斜面のその中心部分を開き、多様なシーンがもち込まれたガーデンを立ち上げ、その大きなガーデンに向けてスリガラスのライトコートを内にかかえ込んでいる、プライバシーの強い階段室型のボックスが斜面の両側に連結するという形式をつくった。その二列のなかに埋め込まれた多数のホワイトボックスがつくる夕景・夜景を演出して、緩やかなコミュニティの風景を形成させるイメージももっていた。各プランはファミリールームを挟んで寝室群とアトリエやパーティルームにも利用できる大きな部屋をもつコの字型のプランである。大きなボックスを構造としそのボックス内はフレキシブルなヴォイド空間であり、これを連結接続していく。大きなふれあいの外部空間に開かれた、小さな外部空間を抱え込む構成となっていた。実際この強い形式は大きなガーデンを残すということから生まれたものであったが、このガーデンの下に予定されていた地下大駐車場のハイコストが原因となり、駐車場をグラウンドレベルに出して利便性の高い分散型タイプを検討することになった。徹底してローコスト化を研究し、南面平行型の実施計画案が選定された。

実施案は、車路と歩行路を分離させ、駐車場は敷地斜面を利用して住戸接近分散形とし、運営カウンター、集会ホール、プールなどがあるエントランスホールを前面道路側に出し、住棟間の遊歩路にはさまざまな小さなガーデンとピロティ空間が繰り返し現れる。光と風、緑と水のつくり出すシーンが次々に展開するレーンを歩くと中腹のグラスハウス、かつてこの庭園にあったような池とイングリッシュガーデンが広がる空間へと導き、さらに奥の急斜面と延びつないでいく。これを「コミュニケーション・レーン」として貫通させた。

〈宝塚ガーデンヴィレッジ〉
アプローチにはミニガーデンが各所に設けられている

また実施案では特に、周辺の伝統的な神社仏閣など、特別な風土のなかにあることを意識した。この計画では、環境としてのきめ細かさと優しい素材やガーデニングを導入して、住空間全体にわたる文化性を横断的にとらえ直し、住文化というインクルーシブなものをここに積み上げたいと考えてきた。

・・・ 棲まわれた団地
人びとの生活の展開がつくりだす風景

熊本市営託麻団地五、十一、十二棟

原題「熊本市営託麻団地五、十一、十二棟」「新建築」一九九四年十月号

都市の人口集中に対する住居提供の手段としての集合住宅の設計にあって、その建築の設計と全体のグランドデザインは切り離されて発注され、その限られた箱のなかで集合して住まうことを問うてきた。その結果、集合住宅は快適に住まうためのものというよりも、むしろ都市で働くための仮の空間というイメージをつくり上げた。しかし、もしその住宅地の共有部分が大きな庭園のようで、高齢者が憩い、子どもたちが遊ぶような環境が整備されていて、各住戸ももう少し広く自在な新しい住まい方が可能だったら、本来の集合の意味が見い出せたのではないだろうか。そうであったら、多分、大都市周辺の緑地をこれほどまでに壊してしまうような一戸建て住宅の開発を進める必要はなかったであろうし、身近な自然を残すこともできたのではないかと考える。

ここ〈熊本市営託麻団地〉にあって、私はランドスケープも含めた全体としての環境づくりを大きなテーマと掲げ、公共建築としての公営住宅のあり方、住まい方をも問いながら、将来に向けて展開可能な内容を提案していきたいという初期コンセプトを持続させ、三期分の監理を終えた。

建築は、人びとの生活の展開がつくり出す風景と樹木が成長したり、外壁に時間の経過が刻まれたりしていくことによって、次第に周辺の環境に馴染むものに推移していく。そ

のとき住民が、計画された団地をどう受け止めて生活してきたか、環境の整備をどのように行ってきたか、住環境を自らつくるくらいのマナーをもって生きてきたかが、棲まわれた団地のもつ風景をつくる。住環境は決して建築計画された初期の風景が持続することなく、人間を含めた生物的生態の混交によってつくられる。

建築がもつ人為性についても、棲まわれた団地において形成される様相を重層化の意志を積極的に誘発していくことが集合住宅の魅力であり、大きなテーマであると考えてきた。しかし日本の場合、狭い住宅に物が次々に増えてしまうということから、バルコニーなど外部空間は物置のごとく使用されるので、外観の変貌はすさまじい。

外に向けて見せる表情は使われる素材によっても異なるが、こうしたディテールや共有空間のあり方まで総合したところで住む側のマナーもつくられていくのだということを知るにつけ、集合住宅を、都市に快適に棲まう住環境として位置づけるためには、内と外のディテールの積み重ねの部分にも大いにかかわっているのではないだろうかと考える。

住棟計画に当たって、二戸で一組となる住宅の反復のシステムとその分節の差異化の試みをテラスと外観に仕掛け、内からも外からも変化のある空間性をもたせた。大きすぎてマッシブな住棟を排し、一定の均質さや規則性の強さを浮かび上がらせることなく混在させ、全体として、人為的構築物としての団地に、それを越えてある不規則性や偶発性を取り込み、馴染んでいくような魅力ある建築としたいと考えてきた。

私たちが計画した五、十一、十二棟の敷地は二〜三メートルほどの高低差をもつ傾斜地であったが、その敷地の斜面をも取り込み、緩やかに上下させながら住戸を反復させた。環境づくりのため、建築面積を抑え、ヴォリュームも抑えるという方針を立てたことから、アプローチは、中央緑道と周辺道路に抜ける緑に囲まれた小道から階段室に入る方法を

〈熊本市営託麻団地〉
左：11、12棟の間　右：全体

採っている。ヴォリュームを抑えたことで、周辺にも馴染みのよい状態をつくることができるだけでなく、敷地の特性をも残せると考えた。

当然、住棟の高さも周辺の住宅地域の高さを考慮し、突出したものになることを避けるよう設計した。集合の形式を階段室型とし、この階段室を風の道としてのスリットと扱い、風の色を施し、周辺住宅地と団地の通風を配慮した。この階段室をジョイント部と考え、その部分で左右の住棟の配置を微妙にずらしながら連結し、全体として水平方向にわずかずつ回転した異なるタイプの住戸が隣接する。同様に垂直方向でもバルコニーの組合せにより差異と反復のシステムをもつ建築としてつくり上げた。

関係性をデザインする
熊本市営託麻団地の設計をめぐって

坂本一成×松永安光×長谷川逸子

「新建築」一九九四年十月号。一九九四年八月五日、新建築社にて

時間、空間の連続性を求めて

松永安光　最初、八束はじめさんから、「あまりいい話ではないけれど……」という電話をいただきました（笑）。くまもとアートポリス[1]には、市営団地は、この〈託麻団地〉のほかに〈新地団地[2]〉があるのですが、そちらは八束さんを中心にマスタープランを手がけていて、それに合わせて個々の建築家がデザインをしていくという形式で進んでいたんです。〈託麻団地〉はそれとはまったく違った自由な発想でやってもらいたいという話でした。

長谷川　配置プランから自由につくれるというのは魅力でした。八束さんも全体のサイトプランからやってもらいたいということを強調していらした。三者を混在させたこの団地計画が、団地のありようを決定づけていると思います。

坂本一成　この計画は、一九六〇年代に建設された、約四ヘクタールの団地の低層住宅部二百八十八戸を約一・五倍の三百七十戸ほどに建て替えるものだったのですが、そのほか既存棟として残す部分もあり、規模も比較的大きかったので、複数の建築家でやるのがよいのではないかと思われたようです。人選については、〈新地団地〉とは違うやり方をしそうな人を選んだというようなことを聞いております。

松永　それからもうひとつ、建て替えだったので一挙にやらないで三年度三期でやるということでしたね。

▼1…くまもとアートポリス（略称ＫＡＰ）は一九九八年、細川護熙知事時代にはじまった、建築と都市環境に関する文化プロジェクト。現在も継続されている。初代コミッショナーは磯崎新が務め、以後、高橋靗一、伊東豊雄らが務めている

▼2…新地団地プロジェクトは早川邦彦、緒方理一郎、富永譲、西岡弘、上田憲二郎らが設計を担当した

長谷川　コミッショナー側には一期をひとりの建築家が担当するという考えもあったようですが、私たちは三期とも三人で進めていくことにしました。

坂本　一期ごとに分けてしまうのが簡単で、効率もよい。ただ、せっかく三人でやるからには、三人だからこそ提案できるものがあるのではないかと考えたのです。三者がお互いに共振し合いながらつくれる町があるのではないかと。

長谷川　敷地を三人で見に行ったときに、三人が受けたインスピレーションが期せずして一致したんです。

松永　建物はかなり老朽化していましたけれど、植栽などが大切にされていて、とても親しみのもてる雰囲気でした。何とかしてこの雰囲気を継続したいと強く思いました。

坂本　確か長谷川さんだったんじゃないかな。「このままのほうがいいんじゃないの」といったのは（笑）。いま松永さんがおっしゃったように、既存の団地はとても落ち着いた雰囲気で、ひとつのコミュニティを形成しながら周りの街並みとも連続感をもっていた。こうしたことから、この空間の連続感を大切にして、なおかつ住民の生活自体も時間的に継続できないかと思ったわけです。

長谷川　建物も植栽も小さくてヒューマンスケールで居心地のよさそうな団地でした。周囲の住宅は団地より後に開発された割合モダンなもので、これと対比して見ると団地のほうは、何か懐かしい感じを受けました。いま、改めて考えてみると、この最初のインスピレーションは、設計上かなり大きなファクターになったと思います。どうしたらそこにあった集住性のようなものを継続できるか考えました。更地を見て設計するのとではずいぶん違っていたでしょうね。同じようなことを、それまで住宅を設計するときによく経験していたんです。施主が長年大事に住まわれている様子を見て、その居心地よい建物を壊して、一体どんなものをつくれるのだろうかと。

坂本 長谷川さんが説明してくださったような感慨は三人共もっていて……時間的なもの、あるいは空間的なものを連続させたい、自然なかたちでいままでと連続できないかということを三人で話し合いました。それが、われわれの共通した方向性となりました。

多様な全体構成

松永 配置計画では、中央緑道というのが縦断していますけれど、これがかなりの座標を決定している。これはもともと市道だったのですが、時間的、空間的な連続性を得るためにも是非残したかった。この市道を車両進入禁止の緑道にして、これを中心に住棟を配置していくことにしました。

坂本 建物の高さは、三層から六層ぐらいまでと考えて、日影や眺望をチェックした結果、大方四~五層ということになりました。各棟の配置は、既存の二棟は残す計画だったので、その二棟に平行、あるいは直交するようなかたちがたとえば考えられますね。あるいは、全体の領域を囲みこむようなかたちも考えられる。ところが先ほども申し上げたように、周囲と連続性を保ちたいということから、取り囲むようなかたちで団地が周囲から孤立するようなことは避けたい。かといって、かつての公団がやったような画一的なものも避けたい……。中央緑道に沿って自然発生的な配置ができれば申し分なかったのです。三期に分けるということは決まっていましたから、まずおおざっぱに三つずつの群を配置して、次に一期ごとに各棟のヴォリューム等を検討しながら詳細をつめていきました。そして各住棟および住棟回りの設計担当を決めるために、たとえば一期ごとに各棟のヴォリュームを赤、黄、青と色分けをしていくと、三色の組合せが全部で三十六通りできるんです。そ

〈熊本市営託麻団地〉
中央緑道

の三十六通りの組合せを用意して、「松永さん、この組合せだったら赤いところをやりたいか、黄色いところをやりたいか、青いところか？」と、そして「長谷川さんどこやります？」「私も赤いところやりたいわ」これは、松永さんと長谷川さんのやりたいところが一致してしまうからだめです。そういうふうに三十六枚をやっていって、全員がずれる組合せを見つける。その結果、いまの担当した場所が決まったわけです。ここまでが完全な協同作業です。それから具体的に各自の平面を重ね合わせながら、日影や眺望の問題などをチェックしていく。「松永さんもうちょっとこちらへずれて、長谷川さんももう少しこちらへずれてくれると助かる」というふうに調整して、基本的には中央緑道に沿うようなかたちで、なおかつあまり敷地の外周を取り囲むようなかたちでなく、しかも画一的な方向ではないかたちをつくっていったのです。結果的に、長谷川さんは主に団地の外側に面する部分を、私は中央緑道に沿った部分を、そして松永さんはほぼその中間をやることになりました。それぞれその場所に対応した建物計画になっていて、たとえば、長谷川さんは棟を細かく分節して、団地の外部に配慮したつくり方になっている。松永さんもやはり細かく分節している。私の建物は反対におおざっぱなんですが。骨格を形成するという点ではそれなりに機能しているのではないでしょうか。そのへんの役割分担はうまくいったような気がします。

長谷川　私は、周辺部に面した建物であるということを相当意識してやっています。周囲の一戸建てに対してヴォリュームを小さく見せるために二戸一組で反復させたり、なおかつ連続感を出さなければいけないということで、おだやかにカーブさせたり……、苦労しましたけれど（笑）。あと、敷地全体がほどよい勾配をもっていたのですが、それを上手に残して設計していこうということが共通事項となりました。連続方向にレベル差をつけてい

〈熊本市営託麻団地〉
長谷川棟バルコニー

ますが、簡単なようでこれがなかなかたいへんでした。

松永 四ヘクタールの敷地の配置を一〇センチメートル、二〇センチメートルというレベル差で計画していくのですから……。これはCADによるところが大きいですね。長谷川さんのところは最初からあったのですが、私や坂本さんはこの機会に導入して、データを共有し、日影や日照、眺望などを細かくすべてチェックしていきました。あれをもし手作業でやっていたら、いまでも設計は終わっていなかったのではないでしょうか（笑）。

坂本 傾斜を残すに当たって、これも三者とも違う方法で対応した。たとえば長谷川さんは、接地面積を抑えることでランドスケープをなるべく残すようにお考えになったと思います。松永さんは、起伏の多い地形にフラクタルに対応することで、もとの地形を残そうとお考えになった。私はピロティにして自然の勾配をなるべく残そうと考えました。

建築とランドスケープ

松永 公共住宅の場合、建築コストは非常に限られているので、通常なかなか外構までお金をかけられないのですが、人の住む場所である以上、建物だけではなくそれを取り巻く環境まで配慮した設計をしなければならない。長谷川さんがおっしゃった言葉だと思いますが、建築とランドスケープはフィフティ・フィフティではなかろうかと。既存の団地の建物はみすぼらしかったけれども、庭はとてもよい環境をつくっていた。われわれもこれを踏襲していこうじゃないかということになりました。

長谷川 やはり、ランドスケープ計画でも中央緑道が大きな役割を果たしていますね。この道は車両進入禁止といっても、防災上消防車が入れるほどの幅は必要でしたので、とてもゆったりとしています。自由に子どもたちが駆け回れるし、高齢者がゆっくりと散歩もできる……いわば庭園のような感じですね。中央緑道が中心軸となっていて、そこから外に向かって開かれていますから周囲との連続性も確保されている。この空間は、全体の環境をつくるうえで大きな要素でしたね。

松永 そうですね。団地の人たちの主要な動線でもあるし、くつろぎの場でもあるし、子どもたちの遊び場でもあるということで、かなりリアルに機能している。かといって、それがシンボリックな広場になっているというわけでもない。それともうひとつ、既存団地の南側の外れに水が流れていたんですが、桜の並木があって非常によい雰囲気をつくっていました。あの辺りは結構水が豊かなところで、水が流れているような風景が住民の意識のなかにあるようでした。そういうものを継続できないかと考えた。これはかなり早い時期から中央緑道に絡めて考えていたと思います。さらに、水を導入することによって体感温度を下げるというようなことも試みたわけです。

長谷川 実際、これはなかなか有効に機能しているようですね。

坂本 ええ。うまくいった。

長谷川 敷地全体を庭園空間のようにしようと思っていましたので、四季折々の植栽、小川や池などで変化に富んだランドスケープづくりを心がけました。個々に見ると、たとえば松永さんはアプローチ回りに竹を植えて後方の竹林と連続させたり、坂本さんはドライに一色のツツジを敷き詰めたり。私はいろいろな種類の草木を混植させたり……、三者三様の場面展開を演出しながら、それらが混在して全体として変化に富んだ空間ができたのではないでしょうか。さらに、涼風を誘う散水設備や噴水があったり……、この水は雨水と井戸水を利用し、循環方式になっているので省エネも考慮されてます。また〈新地団地〉と同様、ここでもゴミの真空処理システムを採用してます。こういった外構の設備計画に

〈熊本市営託麻団地〉
長谷川棟の植栽

関しては、郷設計研究所の彦坂満洲男氏にお願いして、非常に緻密な設計をしていただきました。

坂本 いまの話だとお金がかかってそうに聞こえるかもしれませんが、実際はそうではないんです。公営住宅というのは、予算はしっかりと決まっていますので、その枠のなかで建物と外構をどうにかやりくりしてやっているわけです。

松永 たとえば、一年中花が咲くアメリカンワイルドフラワーといういわば雑草がきれいに植えられていますが、実はこれなんかも芝生よりずっと安い。そういった細かい工夫はよくされていると思います。逆に建物に関しては、すごいキャンティレバーが張り出していたりといったような、見栄えはするけどお金のかかるようなデザインは、いっさいしていません。

坂本 「公園的」という言葉が適切かどうかわかりませんけれど、周囲に対してそういう場所にしたいという気持ちがありました。役所からも「開放的なものにしてほしい」という要望がありました。たとえば集会場は団地の中心施設ではあるのですが、同時に外部の人も使えるようにできないだろうかと考えて、外部からもアプローチしやすい場所にしています。「公園的」な場所にするには、配置だけではなく、いま話に出てきている中央緑道や水の問題なども関係していると思いますね。実際この団地で、外の人がごく自然になかに入ってこられて、「どこへ行くのかな」と思って見ていると、中央緑道を通って、そのまま団地の外に出ていくというのを見かけたりしますし、夕方になるとチャイムが鳴って散水栓から水が出る仕組みになっているんですが、子どもたちがパーッと住戸から出てきて遊ぶなんていう光景も見られますね。こういった意図はかなり機能しているようですね。

長谷川 確かに、都市という視野で見るとこの団地は、やはり「公園的」だと思いますね。

住戸プランのフレキシビリティ

松永 あともうひとつ。アートポリスのほかの住宅との違いは、住戸プランにあると思いますね。住戸プランが建物全体の設計の出発点になっているんです。公営住宅には、狭いところにたくさん部屋をいれなければいけないという条件があるのですが、これは私がいままで戸建て住宅でやってきた考え方とは反するんです。狭い空間をできるだけ広く使えるような自由度のある住戸にしたいということで、和室を中心にしたプランにしました。

坂本 三人ともそういう方向でしたね。

松永 そうなんです。三人とも申し合わせたわけではないが、同じことになりましたね。一見、後進的というか西山夘三先生の「食寝分離論」にまったく相反するプランで(笑)。特にあそこの入居者はお年寄りも多いので、そういう方たちのライフスタイルと合致して、結果的にはうまく機能しているように聞いております。

長谷川 なかなか住戸の設計は難しかったですね。私も与えられた条件でスケッチしていると、自然にワンルームふうになってしまって……。スタッフから、後退なのではないかといわれたりして(笑)。何といっても奥行よりは開口を取ることを選ぶことで、各室を南面させることができ、快適な環境を住戸に確保できたことがとてもよかったです。2DKタイプは、真ん中に三畳くらいの和室を挟んで三つの和室を連続させて、建具の取外しで広さを変えることができる。広い引き込んだテラスをもつ3DKの一室はプライバシーの高い部屋とし、階段室の風の道へ風を抜いています。あと、ささやかなことですが、後ろ向きの壁についたキッチンは嫌だったので、なんとか対面式にならないかと狭いなかで工夫しました。

坂本 住戸プランは、人が住むところですから、重要な部分です。これは三人共、強く意識

〈熊本市営託麻団地〉
長谷川棟内観

していたと思います。ただ、その進め方というのがそれぞれ違って、私の場合は、団地全体の開放性、あるいは連続性をどうにか住戸内までもち込みたいと考えました。住棟計画にも関係あるのですが、住棟のなかを縦断するように共用通路をまず取る。この通路は緑道から連続していてかなりパブリックなスペースなのですが、そこに全住戸を接続させたい、ということが基本的な考えとしてありました。特に一階は老人向け住戸が多いものですから、緑道から連続した通路に面するようなかたちで配置しました。

長谷川 坂本さんのはやはり中央緑道に面していたので、そういったつくり方ができたのでしょう。私の場合、アプローチは緑道の小道からとなっています。やはり建物の配置によって住戸プランも違うものになってくる。でも、このようにいろいろなタイプの建物が配置されるということは、それなりに意味のあることではないかと思いますね。

坂本 先ほども申し上げたように、せっかく三人でやるわけですから、わざわざ同じ考えでやるよりは、それなりに特色を出したほうが変化があるのではなかろうか、と考えたわけですね。

自然発生的な町づくり

松永 市へのプレゼンテーションに対する最初の反応はあまりよくなかったですね。やはりアートポリスというと、もっとクライマックスのあるものを期待していたようです。それに対して、われわれの案は非常に穏やかで、淡々としたイメージだった。「何とかならないですか」という話もありました。でも、でき上がってみれば、皆さん理解していただいたと思いますけれど。

長谷川 どうでしょう？

松永 いや、それは市の人や住民はとても喜んでいたけれど、建築界でその辺を皆さんにどうご理解いただけるかということは……。

坂本 わかりにくいという部分はあるかもしれませんね。たとえば、ある建築家がこの団地を見に行って、どこが見せ場だろうと思いながらずっと歩いていって、気がついてみると団地の外に出ていた、という話があります（笑）。私たちは、コンピュータを使ったりして随時コミュニケーションは取っていましたが、デザイン協定はしないでいきましょうということでやっていますから、特に一期ができた時点では、デザインの違う三棟が分散して建っているので、ひと目では、どう理解してよいかわからないのでしょう。博覧会場みたいだといわれたこともありますし……。私たちは、ひとつの強いイメージによってというよりは、むしろいろいろなものが集合することによってできる空間を意図していて、連続性、あるいは開放性も絡めて、自然発生的な町にしたいと思っていましたから。その辺がなかなか理解されにくいようですね。

長谷川 博覧会場というのは少しオーバーな表現かもしれませんが、そういうものになるだろうと考えていたという人から一期工事ができたとき、「現実の町に三人がそれぞれつくればこういうふうになるでしょう」というような言葉を聞いて、ああなるほどと思いました。これは普通の町の建築のつくり方の延長なのだと……。

坂本 確かに、現実の都市というのは、ひとつひとつの建物でできているわけですから、そういうふうに理解されるのは当然かもしれませんね。ただ、それでは普通の町に新しい建物ができただけで、そこで新しい空間が生まれるわけではない。私たちは、二期、三期と重ねていくことで新しい空間を創出しようとした。

松永 町づくりの手法というのは、結構限られていると思うんですよ。フォルマリスティックな手法、あるいはモニュメンタルな方法、それからヨーロッパのどこかの街を真似するようなテーマパーク的な方法、あとは無性格にグリッドプランなんかでやる方法、そんなものしかないわけです、特に日本では。それに対して、今回われわれが試みたのは、テーマもフォーマットもない自然発生的な町づくりだった。本当だったら、一期、二期、三期とぶつ切りにするのが一番簡単なやり方でしょうけど、三人が三期にわたって連続して計画することで、いわば現実の町が形成されていくプロセスをシミュレートしているわけです。それぞれの建物が、緩やかな構造のなかにごく自然発生的にうまくおさまっている。そんな町づくりを短期間でやろうと試みた。だから、何も目新しいところがなくて、見なれた風景だという人は多いようですけれども、それこそ、まさにわれわれが意図したことなのです。

坂本 そうですね。ただ、現実の町は長い時間をかけないとできないが、ここでは数年でつくり上げているわけで、やはり普通の町とは違う空間なんですよ。その辺のところを少し丁寧に見ていただければよいのですが……。

松永 八束さんは、最初に申し上げたように、〈託麻団地〉では〈新地団地〉とは違うやり方をしたいというふうにおっしゃっていましたから、その違うやり方というのが、結果的にこういうかたちになったのではないでしょうか。

坂本 やはり、〈新地団地〉はオブジェクティブな対象としての建築という考え方のなかにあると思われるし、われわれのほうは環境としての建築、あるいは関係としての建築という違いがある。磯崎［新］さん、八束さんもそういう予感があったのかもしれない。

長谷川 どうしても、建築家が協同で仕事を依頼された場合、単純にオブジェクティブになりやすいということはありますね。難しくてもソロではなく三人のジョイントによりジャズセッションのような建築をつくりたいという期待がありました。いま、結果的に見れば、三人で共通するイメージがあって、そのなかで各人の提案も行うことで全体ができたと思っています。

松永 坂本さんがよくおっしゃってましたけれど、関係性を設計すること……、すなわち、建物を単体でオブジェとして設計するのではなくて、団地のなかの相互の関係性というのが主なテーマであったと思います。それは、物理的に見えるものではなくて、そこで実際に生活を展開することによって、その関係性を感じることができる。見えない部分にテーマがあったように思います。ですから、雑誌でビジュアルにそれを表現するのは難しいかもしれない。

坂本 なるべく等価に全体をつくっているのですが、生活をするときに、常に等価の状態であるのではなくて、何かある部分があって、それと別のものがそれを取り巻いている。そういう関係で自分を位置づけているんじゃないかと思うんです。そういうことでできている町になっていると僕は思うんですが。〈コモンシティ星田〉（一九九二）では、自分たちだけでこれに近いことをやったわけですが、今回三人でやった、三つの異なる個性によってつくり上げたということで、より複雑なものができたのではないかと思います。

長谷川 予測ができないというところもありながら、なんとなく希望をもちながらやってきたわけですね（笑）。

松永 今後、ますます大規模化していくであろうハウジングにおいて、複数の建築家が協同で設計を手がけることが多くなってくるのではないでしょうか。しかし、その場合のやり方が非常に難しい。私たちは、非常に困難な道を選んでしまいましたけれど、一応できましたので、新しい町づくりのひとつのかたちとして見ていただければ幸いです。

住宅建築をつくり続けたい

「SD」一九九五年十一月号

七〇、八〇年代頃、子どもが生まれアパートを出て自分の家を持とうとする友人や知人から依頼されて、郊外の分譲地に住宅を設計してきた。住宅は一生に一度しか持てないという古くからの考えもあってか、クライアントは皆生きることに真剣に取り組んでいた。そうした生活に直面しているということからくる厳しさが、設計行為のなかにいつもあった。私は設計のためのディスカッションを繰り返し、何度もモデルをつくり変える。その間のディスカッションのレポートはクライアントの生き様そのものといえる。

八〇年代になり、企業のマンションや住宅を手掛けるようになって、住むことよりも経済活動を優先する住宅産業の考え方は、私たち建築家の仕事にも少しずつ影響しだし、私の住宅設計を受ける姿勢も変わってきた。もとはといえば、都市における人口の集中化に対して用意された集合住宅も、現実には投資の対象としてつくられている。また集合住宅とそれを取り巻く環境デザインは、往々にして切り離されて発注され、環境とか自然の心地良さを設計することより、むしろ都市で働くための仮の空間というイメージで捉えられてきた。土地の高騰により狭い住居しかもてなくても、それを外の都市の機能で補うならば幅のある生活も可能であろう。一方で、人びとが郊外に一戸建を持つことを最終目的にすることにより、郊外への高度開発が進むなかで、スプロール化が身近な自然を喪失させる結果となった。代わりに現れたのは、環境まで整備され、四季折々の変化までもが人工的な空間である。もし高齢者が憩い、子どもたちが遊び、家族がピクニックしているような風景が都市の集合住宅に導入されていたならば、住宅開発を進めるなかでこれ程まで周辺の緑地を破壊してこなくとも済んだのではないか。生きていることの多様な在り方を大切にする余裕を、社会はもっともち続けるべきだった。

私たちはアートポリスの一環であった〈熊本市営託麻団地〉を皮切りに、岐阜の〈朝倉団地〉のグランドデザインの提案、長野の市営住宅のプロポーザルコンペの入賞〈長野市今井ニュータウン、一九九八〉など、九〇年代に入ってからこうした公営住宅の設計に加わりだした。しかし、これまでの建築家の姿勢を見ると、高齢者、身体障害者への福祉的機能を始め、結婚した若い夫婦が家族生活をスタートさせるための住宅の在り方など、社会的レベルに立っての住宅建築を考えてこなかったのではないか。住まい方の提案を具体的にするというよりは、建築家は自分の作品としてのオブジェをつくるために見た目のデザインに終始してきたのではないかという、私なりの批判を持っている。私はスタッフと共に、集合住宅のプロトプランはどうあったらいいかというディスカッションをしながら設計を続けている。

住宅建築をつくり続けたいのは、人びとの生活のありようと向かい合うことを通して時代の生き方をいつも考え、公共建築を始め、さまざまのことを考える原点としたいからだ。

公共住宅は安価に供給するために住宅面積こそ狭いが、民間と異なり余裕のある敷地を持ち、グランドデザインをうまく導入することで庭園住宅のような環境を提案できることに、非常に魅力を感じる。インドアとアウトドアの両方の住まい方のルールを見直しながら環境を整備し、ランドスケープ・アーキテクチュアとしての住宅建築設計に新しい可能性を期待している。

住居群をネットワーク・リングでつなぐ

長野市今井ニュータウン

「SD」一九九九年九月号

プロポーザル提案後、マスターアーキテクト[1]によってこの公営のニュータウン計画にあって唯一民間に分譲されるという特別条件がついたB工区の担当に決められた。戸建分譲中心という現地状況のなかで、戸建を購入するつもりの人が入居したいと思える住居のプランと質、メンテナンスのしやすさや管理のサービス、そして集合住宅でのライフスタイルに魅力ある付加価値を持たせるためのきめ細かな提案など、分譲物件としての配慮を行った。

地方では集合住宅に住むことによって、逆にコミュニケーションが欠落し、孤立してしまうということがある。そうした解体されやすい共同体意識を現代感覚で再構成するために、出会いのチャンスがたくさん生まれるような場をこの建築のなかに導入したいと考えた。コミュニケーションが欠落し孤立しやすい原因として、必要以上のプライバシー確保による親密さの喪失、そして重層化と垂直移動による出会いのチャンスの喪失などが挙げられる。コミュニティは出会いを通して形成されると考えるとき、利便性の垂直動線だけでなく水平方向への動きを仕掛けることを考えた。各戸をネックレスのようにリング状の廊下で水平につなぎ、そのなかに集会広間や階段まわりの広間などの溜まり場も交ぜ合わせ、全体を水平移動のチャンネルである「コミュニケーション・ネックレス」のイメージを持たせ、空間の強調を図ったデザインとした。各住戸はひとつの閉じた島のようなもの

▼1…渡辺定夫（一九三二—）。都市計画家

でありながらも、ネットワーク・リングでつなぐことで、ここにコミュニティシステムが立ち上がることを期待した。また、この集合住宅が今後迎える高齢化社会を停滞ではなく、豊かで成熟したものにするための生活装置となることも期待している。

コミュニケーション・ネックレス

水平方向への動きをつくる仕掛けを「コミュニケーション・ネックレス」と名づけた。住戸部分から二メートル離れた通路は、目隠しと雪の吹き込み防止の半透明の壁とトップライトをリズミカルに配しながら、各戸の入口にH型鋼の門を建てて広いエントランス廻りの空間をつくり、井戸端会議ができるほどのベンチや、漬物などを置くトランクボックスを設置した。特にグリーン色のトランクボックスが北側廊下の表情をつくっている。階段廻りに広場などを配して溜まり場をネットワークに組み入れ、全体を水平移動のチャンネルであるネックレスとイメージして繋ぎ、この空間の強調を図ったデザインとなっている。

グラスハウス

各戸は広いテラスと共にグラスハウス付きの形式となっている。それらのスペースは冬は日だまりのなかの遊び場や、アフタヌーンティーをいただくグリーンハウスなどの趣味の空間となり、夏はリビングの延長の縁側空間となり、四季折々のセレモニーやパーティーを行う場として計画した。個性的なライフスタイルを展開するプラスアルファの空間として用意した。寒冷地にあってテラスだけでなく、内部でも四季の生活をエンジョイできる住居としてつくった。

〈長野市今井ニュータウン〉
左:「コミュニケーション・ネックレス」 右:長谷川棟全景

この各戸のグラスハウスは、快適さのイメージを託したイエローの連柱と共にリズミカルな立面をつくり上げている。

ランドスケープ

大きな中庭は、「コミュニケーション・スペース」と名づけられているが、イメージとしては古いイギリスのマンションが持つプライベートガーデンのようなものにしたいと考えてきた。良い季節には、みなが自由にピクニックやパーティーができるような芝の広場で、季節の果実や花の香りに包まれた屋外生活の快適さの導入を図ろうという考えである。その果実は共同で収穫し、料理やジャムをつくるワークショップと結びつけたい。そうした活動のなかで、花を育て楽しむことも導入しようと、南面のプライベートガーデンの生垣と歩道の間の空間をグリッドに仕切った花畑とした。現在、多種類でいろいろな季節の花々をとりあえず植えてある。

周辺はそれぞれに面している隣接地との連続を考えつつ、高木、中木、低木を配置し、全体を緑豊かな環境として、ヒートアイランド防止を積極的に行いたいと考えてきた。

住棟配置とアプローチ計画

北面は中通りのビレッジ化に呼応させて四棟に分節し、通風機能を兼ねた風道のデザインがリズミカルなシーンをつくっている。この面は緑豊かな中通りやせせらぎに面することから、そうした環境との連続の内にありたいと植樹してきた。東西面は、コミュニティスペースの広がりの持つ快適さが通りから見え隠れする。敷地内部の光輝く空間とさわやかな風が通りまで感じられるような低木の生垣、上部にはシースルーのアルミパンチング

〈長野市今井ニュータウン〉
左：中庭　右：グラスハウス

メタルの連絡通路や共有空間がアーチのように空中を飛んでいる。南面はガラスのサンルーム・ボックスとイエローの細い円柱が並ぶ。南棟は道路形状に合わせた円弧を描くデザインで連続性を表現した。

・・・高齢化社会の新しい姿

アメリカのケーススタディハウスの歴史は一九六六年でストップしていたが、その歴史をロサンゼルス現代美術館（MoCA）で展覧するにあたって、中高層集合住宅を建設して、実物を加えてオープンするという計画が立てられた。そのためのプロポーザルの呼びかけを受けて出かけたときに、この頃建てられた集合住宅を相当数見学させていただいた。

だいたいプランはパターン化していたが、ほとんどの住宅が高齢者や身体障害者への配慮がなされているのには驚いた。公団のものにはひとり住まいも多く、寝たきり老人になってしまわないように、自活する老人が車椅子で生活できるのは当然のように設計されていた。もちろんそうした配慮だけでなく、郊外のものは野外プールや庭園などの付帯施設があり、まるでリゾートマンションのように見えた。結局、いろんなことが重なり実施設計をするチャンスは与えられなかった。

そしてMoCAの展覧会にはエイジドピープル（高齢者用）のプロジェクトを提案することになった。多少身体が弱くなり車椅子を使うようになっても快適に過ごすための住居である。エントランスがストレートに半屋外空間につながり、外気のなかで快適に過ごせるような広いテラスを持ちながら、さまざまな装置をもち込むという提案だった。空間の装置を考えながら私は、人間と技術、技術と自然は共通の同じ基盤をもち、決して異質なものではなく共生し得る、ヒューマン・エレクトロニクスともいえる時代を迎えつつあるこ

在塚礼子『老人・家族・住まい　やわらかな住宅計画』住まいの図書館出版局、一九九二年、栞

とを知らされた。健康の維持や増進のための適切な食事の情報提供や、健康状態を適確に把握するための支援システム、高齢化するなかでの生き甲斐を形成する生活機器、知的活動の支援システム、在宅治療の自動監視システムやセキュリティの確保、さまざまな介護の支援など、高齢化社会の新しい生活ニーズを実現させたいと考えると、人間スケールの科学技術を実現させなければならないことが見えてくる。このことは女性の社会進出や、都市での子どもたちの生活、さらに余暇活動の拡大と、社会だけでなく精神のエコロジーの問題なども含めて考える必要が生じてくる。

こうした新しい時代に建築は、生活や家族のあり方の変化などに手をこまねいているのが現状だ。しかし少しずつ新しい提案もつくられつつある。消費型の建築を反省し、ライフステージや新しい価値観に基づく多様なライフスタイルをつくり上げ、個人個人の責任のもと、相当の自由度を与えた空間の提案もなされつつある。同じ趣味の人たちの集まったコーポラティブハウス、在常勤務の人たちのための森の家など、いろいろなスタイルの提案のなかにそれは見い出せる。

目に見える物理的存在としてだけでは、住宅はすでに成り立たない。感覚技術の領域までテクノロジーが拡大しつつある現在、人間、自然、科学技術の融合する時代の建築が提案されていかなければならない。

・・・インタビュー

いろいろな人が共に生きられる場をつくるために
高齢社会時代の住宅

「住宅特集」一九九四年七月号

共生できる都市

私が大学の卒業設計に取りかかろうとしていたころ、東京はオリンピックを目前に建設ラッシュで、それまで〈同潤会青山アパート〉（一九二五-二七）しかなかった原宿にも高層アパート（〈コープオリンピア〉、一九六五）が建ちました。都市のなかで、人びとが垂直に集合して住むであろう未来に向けての提案と考え、卒業設計に集合住宅を選び、さっそく見にいったものです。立体的にはたして、子どもや老人まで本当に楽しく住めるのだろうか、とそのとき考えました。しかし、その新しい集合住宅には、都市で活発に活動する家族、活発に働く男性のいる家族しか見えてきません。老人も子どももイメージできなかったので、戸建てと集合住宅がすごく違うものに見えました。

西欧の国家を表現する都市ではなく、自由な市民が生きている場としての日本の都市にあっては、働き手だけの都市では魅力がないだろう、いろんな人が一緒に住むという多様性を引き受ける場が私たちにとっての都市ではないのか、と思いました。

そこで、どうすれば集合化するなかで老人や子どもも楽しく住むことができるだろうか、ということを卒業設計のテーマとして考えたのです。本を読み漁り、制度的なこと、あるいは家族のあり方をめぐる社会的な状況などに頭を巡らしているうちに、たいへん混乱してしまいました。設計が追いつかなくて、卒業を延ばさなければならないか、と慌てました。菊竹事務所にいくことが決まっていなかったら、卒業しなかったかもしれません。しかしこの課題は、いまも引きずり続けているのです。

もし東京が何百年後かに見直され、とても豊かなまちだったといわれることがあり得るならば、かつて戸建てでグラウンドレベルに住み、自由を抑圧されることなく生活し、お祭りをし、自然と親しみ共に和気あいあいと暮らしていた生き方が垂直空間にも残せたときでしょう。学生のときからそう考え、ドローイングして以来、なかなか発展しないでいます。なぜかといえば、複数のさまざまなものを取り込んで、いろいろな人が住める空間を目指そうとするには、社会的、政治的なバックボーンがないと実現不能だからです。

ケーススタディ・ハウジング

ロサンゼルス市とロサンゼルス現代美術館（MoCA）による「ニュー・ケーススタディ・ハウジング」のプロポーザルコンペに選ばれて、アメリカにいったのは一九八七年のことです。このコンペはＭｏＣＡが一九八九年に開催した「ロサンゼルス・ケーススタディ・ハウス建築展」の一環として企画されたもので、選ばれた六人の建築家に、実際にロサンゼルス市の多人種・低所得者層のためのプロトタイプ住宅をつくらせようというものでした。

そのとき、ロサンゼルスの公共の集合住宅を本当にたくさん見て、いろいろな意味で勉強になりました。印象に残ったことは、全体の何％かはひとり暮しの車椅子で生活できる人のための住戸をもたなければならない、とか、低所得者用に安く提供する住戸をもっていなければならない、という行政の指導があり、民間のディベロッパーの開発したものにも公共性をもたせていることでした。

車椅子で通りを行く人びとを見ながら、日本はこういう人たちをどこにやってしまったのだろうと思いました。日本は家族が崩壊していないために、寝たきりになっても、家族の介護で生きていけます。でも、アメリカではひとりで生きていかなければならないから、車椅子に乗って一生懸命生きている。公共が、そういった人たちが生き生きと生きるための対策に積極的に取り組んでいる。アメリカの社会は、さまざまな人種が、さまざまな考え方をもって住んでいるからこそ、皆でうまく生きていかなければならない社会をめざしている。多人種国家だからこそ必要とするヒューマニズムがあります。

メインベッドルームから

もうひとつすごいと思ったことは、公共住宅の平面計画に基本的なプロットがあること。そこでは夫婦がひとつの基準単位となる寝室が、まずメインとして設計されます。メインベッドルームには、必ず浴室とクローゼットがつけられていて、それを合わせるとローコストのときには、場合によってはリビングよりも広く面積を確保しています。

プランのスタートが、ベッドルームの空間がきちんとあるところからで、リビングルームはむしろリッチさに応じて大きくなっていくというわけです。これは日本と考え方の根底が違うようです。日本では畳の部屋があれば何人でも寝ることができるように、ベッドルームにフレキシビリティがあります。それが自在な分だけ、本当に住むための場の確保が脅かされているように思えます。たとえば日本の2DKのマンションのプランを見ても、はたしてどこに夫婦が寝るのか、住んでいる人間が見えない。日本の住宅は、寝るところはどんな小間でもよいようで、小さな部屋のその部屋数をPRして販売しているでしょう。

合理的でスペーシャスな空間をつくって、そのことによって多様で非合理的な人びとの生活を引き受ける住空間。そうしたプロトタイプを基準化し、住宅を供給することが、日本の集合住宅にも必要なのではないでしょうか。

車椅子からの視線

一九九三年の十一月、私は事務所の階段から落ちて大怪我をしました。入院するわけにいかないので、約一ヶ月半、すべてのスケジュールを車椅子でこなしたのです。それまで、公共建築の設計のために、実験的に車椅子に乗って街に出てみたことはありましたが、いざというときは車椅子を降りられた実験のときと違って、実にたいへんでした。

車椅子で街に出て、まず感じたのは、身体障害者に対して意外と親切だなということ。特に交通機関などはかなり配慮があります。反面、ホテルなど華やかな場所では冷たいものでしたが。そして、その日本人の親切さのなかには、何か特別視するような視線を感じました。その間、ルーブル美術館で講演するために車椅子でパリにも行きましたが、そのときの、自然に振る舞ってくれる様子とは違っていました。

ですから、東京にいるときは車椅子に乗っていることが恥ずかしかったのが、ヨーロッパでは、普通に過ごせました。社会的な要因のほかに国や地域によって、障害者に対する意識のレベルにはずいぶん落差があるようです。

車椅子に乗っているときも、本屋やレストランや美容院にも行きたかったのですが、それができません。公共機関だけは行けるとしても、それ以外に、障害者や高齢者が都市で生活するということは、日常生活において民間の施設を利用する機会がたくさんあるのです。民間の建物でも公共性の高いものについては行政が指導していくべきだし、都市はいろいろな人が住む場であるという意識を共有し、基本も法律化すべきではないかと思いました。

建設審議会の答申で

共有意識を育てるには、国が積極的にやっていく以外ないのでは、と思っている矢先、「高齢社会の到来および障害者の社会参加の増進に配慮した優良な建築物の在り方に関する答申」の審議のための、建設審議会がありました。審議委員として、そこにも車椅子で出かけたのです。

答申に先立って開かれた専門委員会では、障害者や高齢者の代表の方に集まってもらい意見を聞く機会がありました。そこでは、トイレのあり方など具体的なことが話されていましたが、障害者にあってもさまざまなタイプの人がいて、タイトな基準をつくってしまうより、フレキシビリティが必要だということを知りました。そのとき障害者の方から、民間にまかせていないで国がもっと積極的に介入して、指導するだけではなくて、基準をつくってほしい、という要望があったのですが、その部分が、当初の答申の文案には反映されていませんでした。

そのとき建設省としては、公共の施設や交通機関など、すでに何らかの高齢者・障害者対応がなされている施設には指導することがたやすい。しかし、民間の施設の場合、それが公共性の高いものでも、これまで自主性に任せてきたために指導は難しく、個人的な財産に向けて義務づけることは難しいということでした。

また共生都市というような思想的なるものを強調することの難しさもある、という判断でした。しかしそこに居合わせたなかで、特に女性審議委員の全員は、その難しさを越えて理想に近い内容で答申すべきだ、と考えていました。女性の出席者は、千葉大学の若桑みどりさん、NHKの村田幸子さん、上智大学の猪口邦子さん、そして私でした。

ここでの女性たちの主張は、人びとが共に生きていくための都市論や生命論は、社会的なレベルで共有して未来に向けてのまちづくりを進めるべきではないか。高齢者の問題を見直すことは、女性の生き方を見直すことでもあり、子どものあり方の問題でもある。人びとが元気に生きていくための都市を考えていくと、もっと積極的に義務化していくべきではないか、というものでした。収拾がつかなくなり、再検討をお願いしたのです。

豊かな生活のイメージはどこに

高齢者の問題では、いわゆるディテールは、もちろん大切であるし、また、テクノロジーの進歩の方向を探ることも大きな問題です。ただ、それを追い求めているうちに、いったい何をめざしているのか、大きな前提は何なのかが、論じられなくなってきてしまったのではないでしょうか。障害者の方たちも、寝室にトイレがついているべきだとも、段差がないようにとも主張されましたが、私は、それよりももっと大きな問題があるのでは、と感じていました。

高齢者、あるいは障害者という言葉も、なにか物質的すぎます。利便性だけを追求しても、それだけでは建築の空間の変革はできません。フィジカルな面の区分を前提にしていると、どんなに頑張ってデザインしても結果的によいか悪いかだけの判断しかできず、そこからは豊かな生活のイメージが出てこないのです。かつて、猫を飼っている家を設計したとき、猫の出入口をつくってくれといわれて、さてどうつくろうかと頭をひねったことがあります。猫と一緒に暮らしたいから、猫と一緒に日向ぼっこできる場所がほしい、あるいはどうしてもテラスで朝食が食べたい、と、誰しもがもっているひとりひとりの拘りにひとつひとつ応えながら、その人の生き方を押し出していくことに、人間の住まいをつくったという実感がありました。いろいろな生き方があり、そのそれぞれに対してまた、さまざまな答えがあるということを前提にする社会になるときに、私たちもそのなかで、自分の生き方を描けるようになると思います。

一方で現代のように情報化してくると、世のなかのあらゆることはたいへんな勢いで均質化していきます。いわばオープンエンドなグリッドが引かれているようなものです。でも、そのグリッドが、よいスケールとリッチな空間をもっている基準となるようなものならば、もっと自在にそこに人びとが生きられるのです。それがベースになっていくはずです。

年齢と関係なく住み心地のいいユニバーサルデザインの定着を

原題「提言　建築家が考える高齢者の住まい」「ばんぶう」二〇〇〇年八月号

アメリカの集合住宅では多様な生活スタイルが共生

ずいぶん早くからアメリカでは、著名な建築家たちにより、理想的住宅ケーススタディハウスづくりが試みられてきた。その回顧展がロサンゼルス現代美術館で開かれるに当たり、現代集合住宅も加えた国際コンペが一九九五年に行われた。そのコンペに私が参加したときのことである。コンペには車椅子で自立生活ができる高齢者用住宅を、二〇分の一サイズの模型にして提出した。車椅子利用者でも、油圧で楽に上下できるキッチンセットや洗面台をはじめ、低いベッド、イージーチェアなど、家具のデザインも行った。そのほか、美しい布仕上げの手摺や写真を飾るピクチャーウォールなど、生活を楽しむ要素も空間に配置した。

ロサンゼルスでは大抵、集合住宅は選ばれた民間企業が公共の敷地に建設する。その場合、建物の一階部分は車椅子を必要とする高齢者や身障者が生活できる住宅にしなくてはならず、そこの住民へは行政から住居手当が支給されていた。こうした政策により、集合住宅はファミリー、シングル、そして高齢者と、多様なライフスタイルの人たちが共生する集合体となり、新しいコミュニティ出現の可能性を持ち合せていることに感心したものである。

これと対照的な状況となったのが、私が国内で手がけた集合住宅[1]である。基本設計が完

▼1…前出「建築が担う社会的プログラムの空虚」参照

了したところで財政構造改革の影響を受け、建設延期になっている。高齢社会をテーマにした集合住宅で、福祉の相談所をもつコミュニティセンターやリハビリセンターをもち込み、グランドレベルの居住部を高齢者ハウスとした。広い敷地に菜園をつくり、自給自足も導入する計画であった。完成すれば先進的な高齢者住宅モデルとなったはずであるが、未だ実現されないところに、日本の高齢住宅政策の貧困を感じずにいられない。

今日、家族の形態は多様化する一方である。社会は激変し、交通手段の発達やモバイル化で生活圏も広がった。人びとは非定住化し、地域に縛りつけられることも少なくなった。こうした生活者の流動性は住まいのあり方に大きく影響している。生活や社会の変化に合わせて住環境も大きく変わるべき局面を迎えている。

グループハウスなど多様化する日本の高齢者住宅

そうしたなか、新しいコレクティブ（集合）形態として、日本でも小規模高齢者施設の多様化が進行している。たとえば、「グループハウス（リビング）」である。気心の知れた五～八人くらいで広いリビングを共有して食事やミーティングを一緒に楽しみ、それぞれプライバシー性の高い個室で生活する。厚生省が認める認知症の高齢者対象の小規模高齢者施設「グループホーム」とは異なり、元気で自立した高齢者を対象としている。

「ケア付き高齢者マンション」など、生活面での支援が受けられる高齢者住宅もある。ライフアドバイザーやボランティアが、買い物などの日常生活をサポートする。この際のケアは、地域コミュニティが行うのが望ましい。私営の業者にケアを任せきりにし、高齢者と地域社会とのつながりが断たれるのはよくない。

高齢社会における住宅のあり方として、高齢者を施設に隔離し、社会と「切り離す」ように扱うのではなく、ユニバーサルデザインの理念と同様、「共生」の論理のなかに位置付けることが必要ではないだろうか。

地域に開かれ生活を楽しむ特別養護老人ホームに

最後に、高齢者施設としてなじみの深い特別養護老人ホームにおける住環境について。これまで高齢者画一化の見本のようであった大規模収容施設にも、「個性を尊重した住環境」の概念が必要だからである。

当建築工房の設計した〈黒部特別養護老人ホーム〉は、水の豊かな公園内に、立地を生かしたさまざまな試みを導入して建設されている。基本コンセプトは「特養は住まい」「地域に開かれた特養」である。

特養は人的介護が不可欠な場であるから、ボランティアなどの社会的支援も自然に得られるよう、訪れやすさを演出し開放的な施設デザインを試みている。在宅介護の困難さゆえにたどり着く「終の住みか」ではなく、利用者自身に選ばれた住まいにしたいとの考えを全編に生かしたのが特徴だ。

施設全体が街のような設計で、街並みには居室群や食堂、デイルーム、医務室、ショートステイハウス、浴室、ギャラリーなどが並ぶ。水の音が心を和ませ、外部の人も公園に集う。建物全体は小さな住宅を組み合わせたユニット構成だが、共有部分は他者とコミュニケーションが成立しやすいよう設計した。なるべく個室を確保する一方で、寂しさを感じないことを重視した。

部屋には思い出の品や大切な物を飾る棚やクローゼットもあつらえた。それまでの特養が、「余計なもの」として排除していた私生活を持ち込み、施設側の処遇に身を委ねるの

〈黒部特別養護老人ホーム〉
左：食堂

ではなく、住居に近い質を保つことで生きる気力を持たせようと考えたからだ。この考えは、施設側にも理解してもらうことができた。

機能回復訓練においても、高齢者が日常生活の一部として継続することが大切と考え、自分でベッドから起き上がりたくなる工夫もした。入浴はリゾート気分でできるようにと、公園に面し、端座位入浴を基本とする浴室を滞在者用とデイルーム用にそれぞれ用意した。通路を利用したギャラリーを設け、地域との文化交流もめざした。

ハイセンスな世代が高齢になる時代を迎えようとしている。これまでの高齢者らしさの押し付けは受け入れがたいだろうと考え、片流れ屋根やドーム天井、高窓など空間性豊かな室内環境も積極的に提案した。

特養であっても、家族や介護者の都合ですべてを決められ、高齢者は身ぐるみはがされて送り込まれるのではなく、自分で暮らし方を決定できる運営が大切だ。虚弱な心身の選択肢はこれだけとばかりの生活パターンの押し付けや、デザインをないがしろにし、そのくせ高価な日常品を供給する産業構造を見て、次に高齢者となる世代が改革しなくてはと強く感じている。

日本の高齢者の住まいには「隔離」や「介護者優先、利用者は二の次」のイメージがつきまとう。しかし、これからの高齢社会に必要なのは、「共生」「個性の尊重」の視点であることは間違いない。誰にとっても有益な「ユニバーサルデザイン」の定着が重要課題である。

〈黒部特別養護老人ホーム〉
デイサービスエリア

第四章

・・・

「持続する豊かさを求めて」

第四章「持続する豊かさを求めて」には、二〇〇〇年代の住宅と集合住宅の作品紹介などのテキストを集めた。住宅・生活・都市を論じた章頭のテキストの題名をとって章題とした。二〇〇一年のこのテキストは「住宅」誌の「住まいと住生活の未来」という特集に寄せた論考である。「住宅」誌を発行する日本住宅協会は、公営住宅をはじめ、住宅政策の推進と住生活の向上を目的とする社団法人である。n-LDKを標準とする住宅の供給にはかねてより批判があったが、九〇年代初頭に世帯平均人数が三人を切り、末頃には単身者世帯が全体の世帯数の四分の一を占めるようになるなど、家族構成そのものが大きく変化したことを受けて、あまりにも産業化された住宅供給の持続可能性自体が問われるようになった。

一方で、二〇〇〇年代のそれぞれの住宅には、七〇年代八〇年代とのつながりを感じさせるものが多い。敷地の対角線方向に配置した〈品川の住宅〉には、七〇年代の住宅が持っていた幾何学性や「長い距離」との連続性が見られ、瀬戸内海に面した長い生活空間を持つT字型平面の〈小豆島の住宅〉は、海―自然と向き合う身体の快適さをテーマにした〈黒岩の別荘〉との連続性がみられる。また、〈品川の住宅〉のほか、ここには収録しなかった〈三重の住宅〉〈T-FLAT〉〈徳丸小児科2〉、〈赤堤の住宅〉などのクライアントは一九七〇年代の住宅のクライアントの子どもたち、つまり子ども時代を長谷川が設計した住宅で過ごした人びとである。七〇年代の住宅も〈鴨居の住宅〉〈柿生の住宅〉〈徳丸小児科〉のクライアントは実の兄弟であった。『生活の装置』（住まいの図書館出版局、一九九九年）には、一九七〇年代の住宅のクライアントとの対話が収録されている。

そのほか、駅前商店街のなかにあって第二の地表ともいえる最上階に生活空間を置いた店舗兼オーナー住宅の〈YSハウス〉、住宅地のなかにあって各住戸の独立性を高めた〈SNハウス〉などの小規模ながら都市的なスケールを持つプロジェクト、経済合理性の要請の強い民間開発に、さらに新宿区から要請された樹木の保存というシビアな条件下で「過密快適」な状態をつくりだした〈中井四の坂タウンハウス〉の作品解説を配した。一九七〇年代八〇年代の住宅と連続する質を持ちながらも、より身体的な快適さ、内外の空間の融合、外部環境との共生に力点をおき、都市のなかで居住性を追求している。

「T字型プラン　海とともに過ごす」（二〇〇一年）および「都市の新しいグランドレベル」（二〇〇二年）の原題は無題であったため、本文の語句から新しく題名をつけた。「個の集まりとして」（二〇〇三年）は、一部の語句を修正した。

・・・持続する豊かさを求めて

日本の古い生活が残っていた空間に子どもとして接してきた私の目には、伝統的住宅は美しく芸術的なる空間として焼き付いている。

伝統的薄絹の布でつくってもらったワンピースをこの上なく大事にしながらテキスタイルデザイナーになりたいと思い、食器の絵付けの素晴らしさに触れれば陶芸家になりたいと思い、襖絵に惚れて画家になりたいと思い、衣食住のすべてが子どもながらに惹き付けられるもので満ちていた。

随分前になったがイタリアの山岳都市をゆっくりと旅したことがあった。その山から切り出した石を組み上げた家並みは美しく、風通しの良い石の道が曲がりくねり、緑と花々を配し、私のイメージする「第2の自然」ともいえる快適空間があった。地方都市の訪れた家々はそれぞれ独自のインテリアと時間のゆとりが溢れていた。美味しいワインと料理、そして美しくデザインされたテーブルコーナー、色鮮やかなファッションや手づくりのインテリアとマンマと甘える男の子とおばあさんの笑顔が忘れられない。いまも続くイタリアの芸術的で豊かなるライフスタイルを目の前にしたときも、いつものように、失われてしまった日本のあの美しき生活を思い出すばかりであった。

個人の価値観や嗜好の多様化が指摘されている二十一世紀において、改めて豊かさとは、もしくは豊かな住生活とは何か考えてみる必要がある。

「住宅」二〇〇一年八月号

それは、パラドキシカルな言い方になるかもしれないが、個人それぞれが想像している豊かさを実現できるだけの選択肢と可能性を、社会が十分に備えているという状態をいうのではないだろうか。

住宅を考えるうえで、殊に住宅政策を考えるうえで基本的な単位を構成していたのは「家族」という単位だった。夫婦という男女のペアに子どもが付加された数人の集まりを一単位として空間が検討・建設されてきている。それは戦後の高度経済成長に伴う社会構造の変革によって生まれた核家族と呼ばれるものである。

この核家族単位が生み出した空間の典型にはn-LDKが挙げられる。単位を構成する人数分の寝室と構成員の交流の場としてのLDK。それらは建築計画上の不可侵の聖域として当たり前のように住宅内に取り入れられ、結果として都市中を埋め尽くすことになった。

けれども携帯電話などの普及からもわかるように、個人が社会とダイレクトに関わる時代になっているといえる。従来は電話を住宅のなかで固定してプライベートな領域で行っていた会話が、都市中で可能になっている。あるいはインターネットを通して海外の人とダイレクトにコミュニケーションができる。そうした状況のなかでプライベートな領域を囲い込むという住宅のあり方自体変わっていかざるを得ないのではないか。あるいは映像やCDといったさまざまなメディアの登場で、私たちの経験も変わってきているのではないか。プライベートな生活が都市のなかに流れ出し、生活の場も拡散しはじめている。個人が家族を構成し、家族が社会を構成するような従来の階層的な関係は薄れ、個人の超集合体としての社会が立ち現れている。すでに、血縁的な繋がりの家族を基本単位として住宅を考えることが、社会的ニーズと懸け離れていることを意味しているのではないだろうか。

　これは住生活が単独世帯へと移行していくことを予言しているのではない。住環境は携帯電話のように一人一世帯とすると高密度居住のスケールメリットに対して不合理なことも多いし、集まって住むことを望んでいる潜在的需要も多く存在している。

　都市のインフラとしては単独世帯が集合している形式は決して合理的ではない。空間としてのフレキシビリティに欠けるうえに、資産価値の高い土地に一人一個の水廻りを持たなければならないのは無駄なことといえる。

　問題なのは家族という単位以外の集団が暮らすことができるような、新しい形式の住生活の空間を、いかに都市のなかに創出していくことができるかということではないか。

　気の合う仲間同士でプライバシーを確保しつつ、広いスペースを共有した空間に住みたいお金のない学生。歳をとって家族の世話にならずに、気の置けない同じ趣味の友人と一緒に暮らそうと考えている高齢者。東京に単身赴任している父親と東京の大学に進学することになった娘。このような人びとが快適に暮らすためには、捏造された標準的マーケティングでは生活者の要求を満たすことはできないと考える。

　ただこのような住空間の創出のためには、需要側（居住者）と供給側（行政・住宅事業者）双方の価値観の変革が必要になる。

　日本において住宅は建築の分野のなかでも高度にシステム化され、生産性についても販売実績についても現在は住宅メーカーがイニシアチブを取っている。住宅メーカーが戦後住宅を安く大量に供給する使命を負っていた時代には、彼らが提示するビジョンは日本の社会活動の原動力になったかもしれない。しかし、彼らは社会の変化を目にしながらも、n-LDKを高度に洗練してつくり続け、消費者である居住者は自らのビジョンを持たないまま提示される住み方に甘んじて、受け入れてきた経緯がある。居住者は家を購入する手続きをメーカーに任せ、自分の生活創造さえ放棄してきた。そのことに違和感を持ちながらも、社会的認知を受けた住居形式に従って住まざるをえないのが現状ではないだろうか。

この経緯により評価の基準も成熟を見ないことになる。つまり、n-LDKのnの部分がいくつあるかが基本的な評価・取引対象として採用される。表層的な定量評価によって住生活空間は消費され、その空間的もしくは身体的意味においての評価の方法になると誰もが閉口してしまうことになる。

この一つの解決策として、内装（プランニング及びインテリア）と外装（構造体）の分離が挙げられる。つくば方式に見られるスケルトン・インフィル住宅は、リーディングプロジェクトとなる可能性を持っていると考えている。従来つくば方式は土地や定期借地権との関係で語られることが多いが、ここでは内装の自由度と創造性という点を強調しておきたいと思う。

建設業におけるライフサイクルコストの低減が望まれているいま、高耐久性能をもった構造体が都市ライフラインと同様な社会的インフラーストックとして都市生活者の生活を保証し、生活するスペースは直接消費者のニーズに応じて新しく計画するシステムを確立することが住宅ストックの円滑な流通と活用を可能にすると考えている。

日本ではインテリアを完全に仕上げてから住宅販売するという習慣があるために、住宅におけるインテリアマーケットは諸外国に比べて未成熟な段階にある。住宅メーカーが推し進めてきた市場に飼いならされてきた消費者が既視感をもちながらもそれを受け入れてきたことが、中古住宅のマーケットが伸びない原因にもなっており、売買の場合にもそのまま使うケースが多い。若い人たちを中心に、生活は自ら創作することでしか満足感も得られないし豊かさも感じられないという思いから、インテリアへの熱い思いが芽生え出している。

このインテリア・リフォームについて、社会的な補助とマーケットの育成を進めれば、資産としての土地と家屋に執着してしまうような考えからは開放され、美しい生活を演出しようとする都市生活者がでてきて、その時々の必要に応じて身軽に住み替え、都市をもっと活性化することができると考えている。

T字形プラン

海とともに過ごす

小豆島の住宅

無題「住宅特集」二〇〇一年十月号

T字形プラン

敷地は東側に海を望み、周囲は緑に囲まれた小豆島の高台にある。クライアント夫婦は気候も温暖なこの島で生活してきて、すばらしい自然にもっと積極的に接したいと考えることから、時間をかけてこの敷地を探したという。広い敷地に対していくつもの可能性を提案し、話し合った結果、海へ対面する南北軸のヴォリュームと、OMソーラーの効率がよい、南面する東西軸のヴォリュームを組み合わせたT字形プランを選んだ。

かつて三十代で設計した同世代の若いクライアントのための建築は、幼児がいて活発に動き回る動的な身体を引き受けられる単位矩形プランで、プライベートの領域とリビングの領域を分割した程度のヴォイドの提案であった。今回もクライアントは同世代だが、子どもたちは独立し、夫婦だけの生活スタイルも固定している静的なる身体を引き受ける住宅設計となった。

T字形は単純なヴォイドをさらに拡散させていき、住宅という小さな領域を溶解していくような方向性をもたせたいと考えたためでもあった。

〈小豆島の住宅〉
エントランス側（西側面）

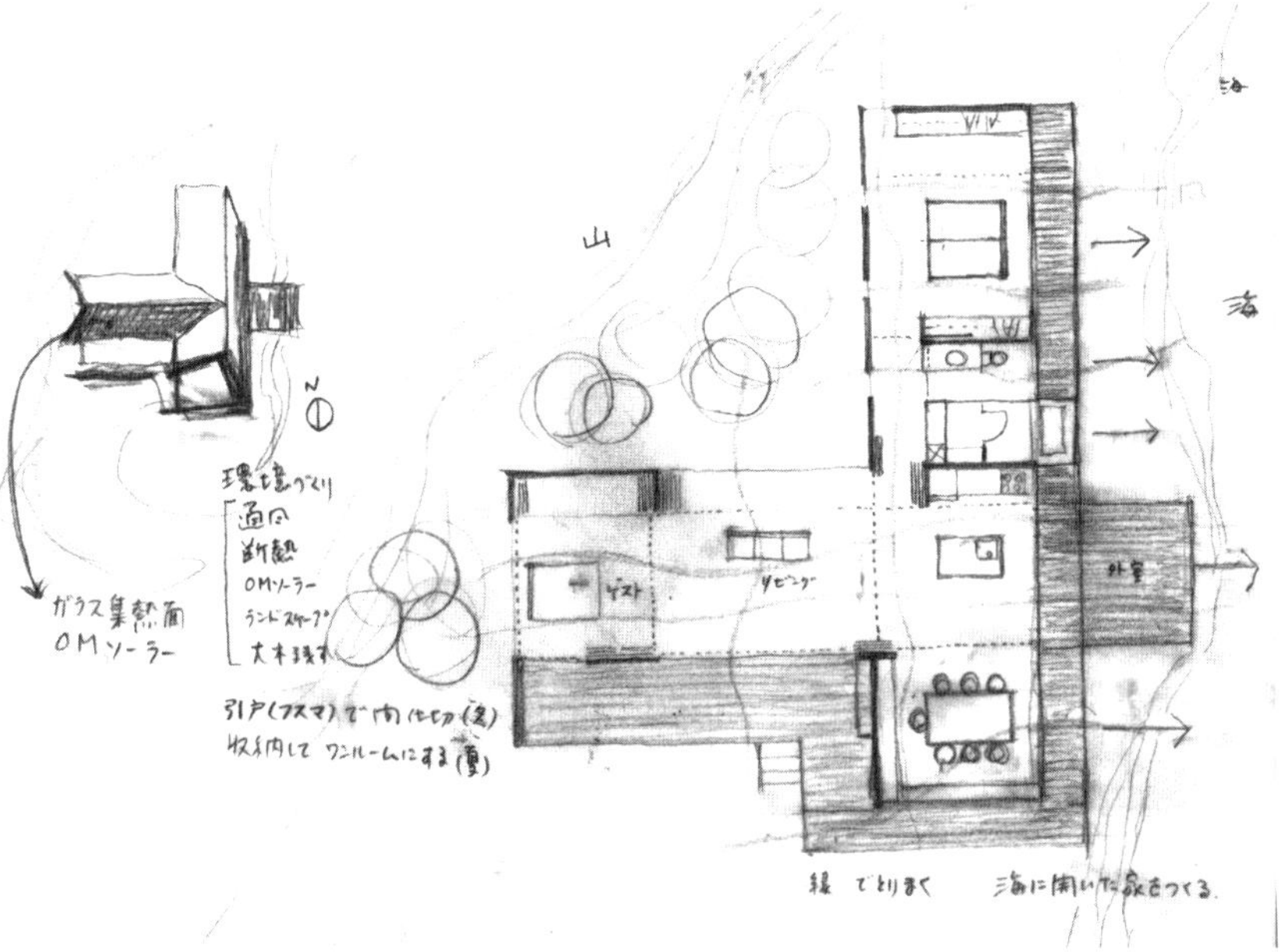

〈小豆島の住宅〉T字型プラン

白いフィルター

三方に枝分かれしたT字形プランは、部屋という仕切られた空間をつくらずにある程度のプライバシーを保つことができ、四方に展開する外部に内部を近づけ、外部と内部の関係をもつさまざまな場をつくることを可能にした。海に面して、寝室、トイレ、浴室、台所、食堂が並んでいて、朝目覚めてから寝るまでの一日中、海と共に過ごすプランが組み込まれている。その東面に一メートルのテラスを設け、外側を白いネットのスクリーンで覆った空間とした。スクリーンは防虫網であるだけでなく身体にとって快適な微風を運ぶ。スクリーン越しに見る雄大な風景は、白く抽象化されスクリーンに映る環境映像のようでもある。そこに立つと、テレビなどを通してさまざまな、また鮮明な風景を見る生活を送っている私たちにとっては、一度こうしたフィルターを通して経験するほうがリアルなのかもしれないと思えてしまう。外側からはテラスでの人の動きがフィルター越しのシルエットのような映像になって見える。スクリーンをたたんでしまえば、テラスのすぐ前の緑が目に入る。

西に延びる南棟は天井高三メートル奥行一五メートルという大きなリビング空間で、使用方法に合わせて木製の可動建具で仕切って多様な使用ができる。大勢の人びとが集まるときは建具を開け放し、一〇〇インチのスクリーンが天井から下りてきて、さながら映画館のように使うことができる。このように生活上の細部を定義せずに、集まりに合わせた広さを建具でつくれるようになっている。この広間の周りには和紙の太鼓張りの建具が入っていて、東側のフィルター同様に、外の光を調整しながら内部を漆喰と和紙のやわらかな白さで包み込む装置としての役割を果たしている。

〈小豆島の住宅〉
左：リビングルーム　右：海に面したガラス面のスクリーン

・・・個の集まりとして

SNハウス

原題「個の集まりとしてのSNハウス」「建築技術」二〇〇三年二月号

東京の賃貸アパート

中国大連での集合住宅設計の際に出会った大連市の担当者は、政策として広くてリッチな住宅を提供し、国民に良質な生活の実感を与えて行きたいのだ、と話していた。住居は実際二〇〇平方メートル前後で水廻りも二〜三ヶ所もあり、居間・主寝室も広くて新しいイメージの家具をセットするというもので、建築家としては新しいイメージを提案することが大きく期待されるものであった。設計料の安さを除けば、魅力的なプロジェクトである。敷地も素晴らしく、海の見える丘でランドスケープデザインも積極的に提案するよう要望された。

とはいえ、市内見学したものの多くは環境全体を考えるところまで行かず、建物ばかりが目立ったものが多かった。大変な数の都市住宅が若いリッチマンのためにつくられていて、どうやら投資の対象にもなっていて空き家も多い。そうした団地はグランドレベルの管理の行き届いていないものであった。しかし私たちのクライアントのように、いま、中国では緑化への意欲も高まり、環境づくりへ向けて次なるステップを歩みだしている。

東京では、賃貸アパートに限らず、分譲マンションまで含めて集合住宅の複雑さから新しいイメージをつくろうともしないまま、ディベロッパーは供給を続け、建築家も都市生活情報を上手く捉えられず、積極的に関わって来たとはいえないままできた。

〈SNハウス〉
1/4層ずつ上がるスキップ構成

そうしたなかで若い建築家たちによる小規模賃貸アパートがデザイナーズマンションと名付けられ、小規模建築だが個性的な提案がなされてきた。都市と直結して生活しているシングルが東京には大勢住んでいる。八四年の〈NCハウス〉、九〇年の〈コナヴィレッジ〉の設計を通して、積極的に個人の生活を楽しみたい人たちが大勢いることは知っていた。集合住宅はまちづくりと同様に、集合させるという全体像から入っていて個々の具体性を丁寧にやらなかったことから、個の生活の見えない閉塞性を残してしまった。個のもつ都市感覚と同時に快適さ、個別性を提案しながら外部と連なりたいとする生活意識の演出等を盛り込みながら集合させ、結果としての全体をつくるなら、個々の生活の楽しさが溢れ出し、閉塞感も払拭できるのではないかと考える。

螺旋とヴォイド

敷地は都内の住宅地の角地で、周辺には似たようなスケールの三、四階の建物が建ち並び、この辺の風景ができ上がっている。そこにクライアントのプチレストランと賃貸住宅十戸からなる建物〈SNハウス〉は建つ。

従来の集合住宅は各住宅が階を形成し、その住戸を繋ぐ廊下があって、廊下を繋ぐ階段があるという階層化した構成になるが、ここでは各戸を自立させて、ダイレクトに敷地に結び付いているようなフラットなありようを求めた。そこで敷地の中央に階段室を配置し、階段に沿って四分の一層ずつスキップする住戸を絡みつかせた。道路沿いに建つ戸建て住宅をグルグル廻して重ねたようなものである。当然四メートルと三・三メートルの道路からの斜線、高度斜線、日影規制をかいくぐりながらの螺旋状ヴォリュームとなる。この螺旋状の構成によって集合住宅の下部には、東南に面する半地下のレストランと引越し時や

〈SNハウス〉
共用階段室

搬入時のトラックの停車も可能な駐車場としてのピロティ空間を成り立たせることができた。十戸の住戸はヴォリュームの角に配置、全室角部屋で二面採光通風を確保し、外部に向かって開放的なものとなっている。

四方に穿たれたヴォイド

各戸へのエントランスは、階段室から住居と住居の間を外に向かって穿ったテラスという方法をとった。このことで暗く閉じた裏の空間になりがちな階段室は、四方から光と風、そして景色が導入される開いた空間になった。そして同時にこのヴォイドは各住戸のアプローチテラスとなり、各戸は隣戸との壁の共有を避けた。

四方に向けられたヴォイドはウレタンエナメル塗装でピカピカに仕上げられ、敷地内の植樹、隣家の庭の木々、壁の蔦、遠方のビル、空などが写し込まれ、階段室に取り込まれる。

こうした螺旋とヴォイドの形式によって、各住戸は他の住居と同一床レベルを持たず、周辺建物との高さにズレがあり、隣戸と接することもないので、建物内にあっても周辺建物との関係にあっても、十分な独立性を確保している。

グラデーション・バリエーション

各住居は二面から、採光・通風のとれるL型プランで、なかの水廻りユニットによってあいまいな分節のワンルームとし、「手前」の開放的な空間から「奥」の落ち着く暗めの空間へとグラデーションをつくりだしている。「手前」はリビング、「奥」を寝室とし、また「手前」を仕事場に、「奥」を私室として、SOHO的生活スタイルなど、多様な使い

〈SNハウス〉
各住戸ごとに1本ずつ
アプローチ路がある

方・住まい方のバリエーションに対応できるものとなっている。並列した住居は平面形状が異なるのは当然のこととして、上下に重なる住戸も、平面形状が同じであっても開口部の取り方や天井高の変化で、各住居は一つずつ異なるものとなって、使い方のバリエーションに応える多様な住み手の対応を可能にしている。この〈SNハウス〉の構成は、形骸化した南面採光によるプランの画一的な集合住宅から離れて、表裏も相対化し、東京のように密集した都市空間を積極的に取り込んだ結果の展開と考えている。

外部に開放され、各住居スペースが螺旋状に軽やかに空に向かって連続していく姿は、まちに流れ出す人びととリンクして、浮遊するスペースの集合体として都市と重なり合っていく。このように都市に浮遊する住空間は私が東京に住むイメージの具現化でもある。

〈SNハウス〉
住戸内

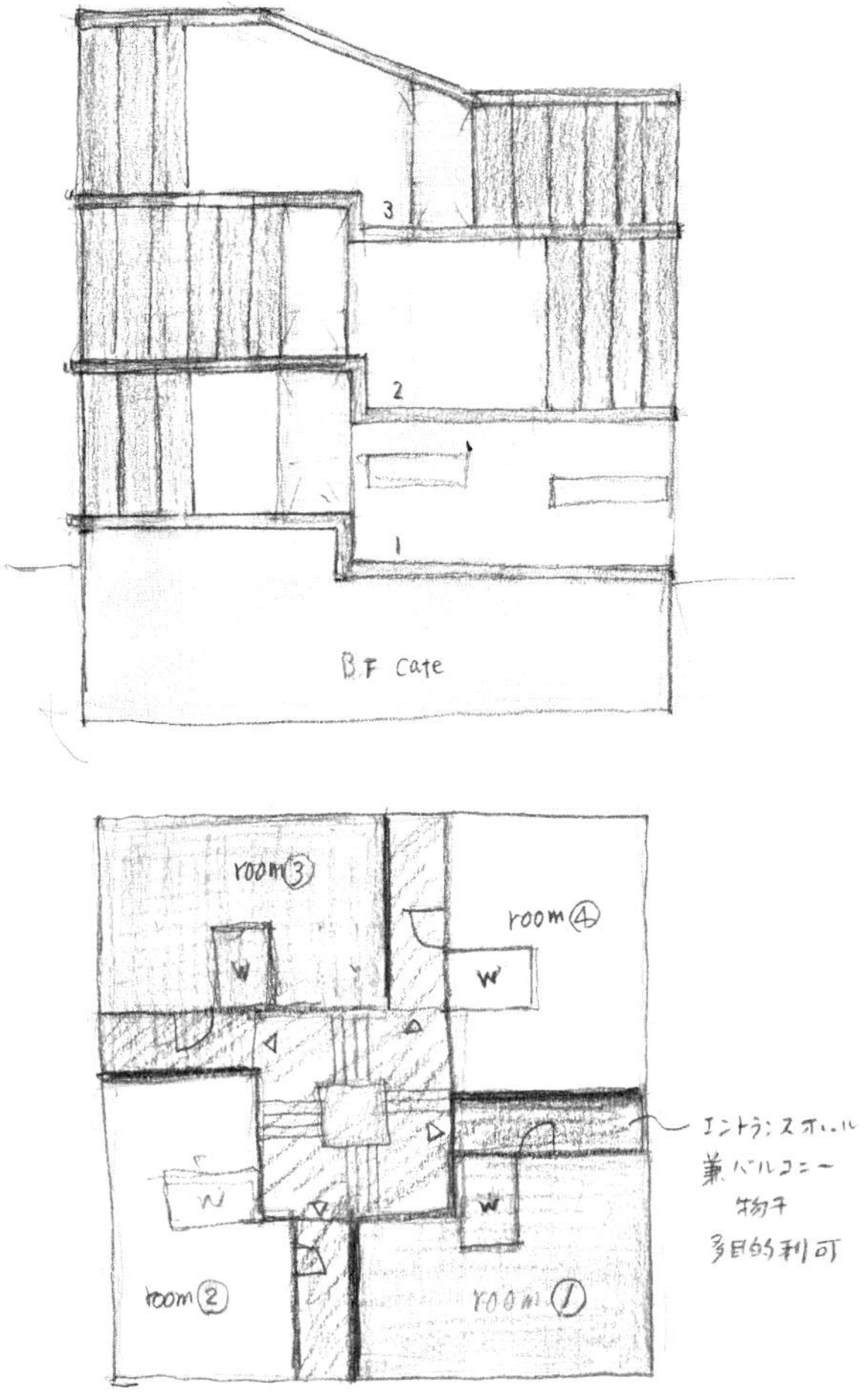

〈SNハウス〉スケッチ

YSハウス

無題「新建築」二〇〇二年二月号

・・・都市の新しいグランドレベル

敷地のある渋谷区笹塚の商店街には都心での実質的な生活を支える賑やかさがある。これまで商店街に面して薬局と花屋があり、その奥の小道に面してクライアントの木造住宅が建っていた。建て替えを機に、一、二、三階をレンタルスペースとして、四階を住居として計画することになった。いつものように都市の小規模建築は制限が厳しく、制限がつくるヴォリュームが大きな与条件となるが、最大限の容積を確保しながら、厳しいなかでも都市住宅としての快適さを立ちあげたいと常に考えてきた。

一階はこれまで同様薬局と花屋で、二、三階に三つのクリニックが入った。そして最上階（四階）のペントハウスにクライアントの住む住宅を配置した。グランドレベルは人や物が密集し、かつ雑多な状態であるが、四階ともなると空も広く、目線の高さに高速道路や西新宿の超高層ビル群が視界に入る。これまでのように建物に囲まれていた二階建ての住宅と違って、四階の住宅は近辺のビルの屋上緑化や遠方の都市のスカイラインが視界に入るもので、まるでもうひとつのGL（グランドレベル）があったと錯覚をするほどの様子が展開していた。東京の過密な環境にあって、地上一〇メートルのレベルでは街との距離が生じ、そこでの生活はまるで都市に浮遊するようなすがすがしい快適さを体験できることには驚いた。今後屋上緑化が進むなら、ペントハウスは新しい都市住宅の快適さの出現につながると思う。

〈YSハウス〉
ペントハウス内部

住宅には母親と学生の息子のふたりが住む。プランは厳しい道路斜線と日影規制をクリアすることでT字型のものとなった。外壁となる、ブルーの光にゆらぐガラスブロックのスクリーンは幔幕のように自立して内部を取り込み、そして包みながら場を立ち上げる。この二枚のガラスブロックの幔幕の外にふたつの個室があり、個室同士は距離を保っている。このガラスブロックは外と内を区切るスクリーンであるだけではなく、共有空間をつくる壁であり、個室を隔離しながらつなぐ。

ペントハウスはどこの都市にあってもその浮遊感覚によって快適さを演出している。ガラスブロックの幔幕がつくるこの住宅は、スカイラインに浮遊しながら雑多な都市風景を抽象化して都市の新しい景観をつくり出し、東京の都市景観の変更も迫っている。

〈YSハウス〉
屋上庭園

・・・斜めから見る

新しいガランドウへ

品川の住宅

「住宅特集」二〇〇五年九月号

〈品川の住宅〉は一九八〇年に竣工した〈松山・桑原の住宅〉のお嬢さんの嫁ぎ先で、自分の育った住宅の快適さを東京の家にも実現してほしいと依頼された。

敷地は品川駅から延びていく線路を境に、高密度に林立する高層ビル群とは反対側の、緑が豊かに広がる高台に位置している。住宅は厳しい法規制のなかで、最大限の空間が求められた。都市部の限られた敷地で、容積を最大に確保する計画の場合、ヴォリュームを敷地のどの位置に配置するかによって、計画の大半が決定してしまう。

住宅は敷地のなかで南西側にガーデンを、北東側にパーキングスペースを振り分けながら、敷地の対角線上に最大限の伸びやかな空間を確保して横たわっている。敷地も建物もグリッド状に構成される住宅地のなかで、建物を斜めに配置することは、外部環境との新たな関係をつくり出すことになる。斜めの壁を越えて、三層にわたり三角形のガーデンへと開かれる眼差しは、環境との変位する距離を生み出し、内部でのさまざまな距離の取り方を可能にする。

斜めから環境を見ることは、少し距離を取りフィルターをかけて眺めるような、浮遊した感覚を与える。一階ではホールとリビング、リビングとダイニング、リビングと二階のスタディルーム、地階ではファミリールームとガーデン、ベッドルームなど、内部にいく

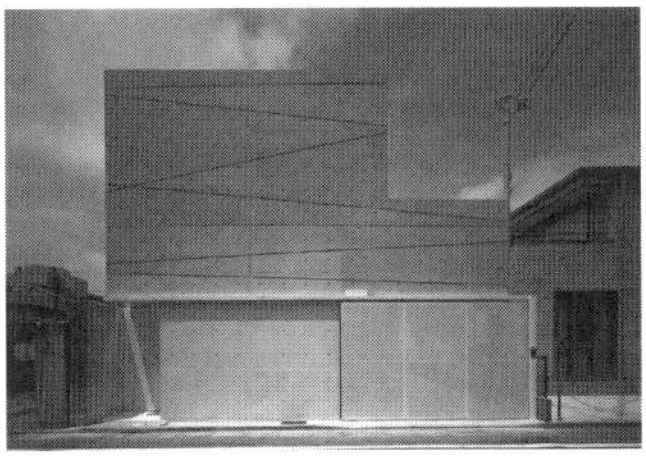

〈品川の住宅〉
ファサード

つもの高低差によるポテンシャルの異なる場を設けることで、つねに開口を通して引き込まれる環境との関係を計りながら、その感覚は立体的に増幅されていく。

フロア毎に南側からの光を受ける壁面に特徴ある材料を与えている。地階は土色のスタッコ塗りとし、一階はシルバー色の塗装とし、二階では白色の塗装としている。南側からの光を受けた各面はかすかに光り輝き、外部環境の光の動きや内部の人やモノの動きを繊細に映し出す鏡となる。

内部空間におけるさまざまな距離の関係性は、「ガランドウ」への試みであった。〈品川の住宅〉では、南側のガーデンに向けて全面的に開口が設けられている。斜めに建物を配置することによって、環境と正対するのではなく、微かなフィルターを通して環境を自由に引き込み、生活を溢れさせていくことができる。立ち位置の変化という小さな操作によって、環境へと軽やかに続いていく新しい「ガランドウ」をつくろうという試みである。

〈品川の住宅〉
リビングからダイニングを見る

・・・

都会の過密で触覚的な住空間

中井四の坂タウンハウス

「新建築」二〇〇九年八月号

東京の古い住宅地では、迷路のような道路に沿って過密に建物が建っている。郊外の、人気がなく模型のように整然とした住宅地が視覚的であるならば、都会の過密な住宅地は触覚的であり感度に溢れている。そこには縁台や盆栽が置かれ、住民は外での生活をみんなで楽しみ、繋がっている感覚をもつ。迷路の住宅地は、過密で快適である。

〈四の坂タウンハウス〉は新宿区中井の林芙美子記念館に隣接しており、区の保存樹木となっていた古樹を残すことを要望されていた。木々を残しながら、一〇〇平方メートル、地下一階地上二階の住居二十八戸を一棟で建てるというのは、何度スケッチしても不可能に思える条件であった。

いろいろな人が住むことをイメージし、まず五メートル×五メートルの平面の同一化した箱を導入する。次に樹木を避けて箱をイレギュラーに並べていき、箱と箱の間を変形したガラスのスペースで繋げていくことで、一棟の長屋としてまとめる。そうすることで地上には迷路のような道をつくり、地下にはサンクンガーデンをつくって各戸に採光、通風を確保した配置としている。

三層の住居はそれぞれの位置でリビング・ダイニング、寝室の配置される階が異なり、キッチンも対面式、壁付式と分かれる。寝室もウォークインクローゼット付きから製作家具を入れたものまでそれぞれで、箱の配置をイレギュラーにすることで生じた変形空間を

〈中井四の坂タウンハウス〉
林芙美子記念館との間の歩行者道

生かす平面計画をすることが、たくさんのタイプを生む結果となっている。屋上は緑で囲まれたテラス風になっており、そこからは全戸が繋がって見える。

建物は過密ながらも寝室以外はできる限り開放的に計画しているため、いくつかの住居が重なり先まで視線が通るなど、隣接する住宅を意識せずにはいられない。そこには繋がっていく感じがある。ブラインドや半透明フィルムでプライバシーは確保されているが、この過密空間がSOHOやアーティストのアトリエの集合体となるならば、触覚的感性空間として互いに刺激しながら、緑の多い気持ちよい空間で楽しい繋がりの生まれる独特の環境となる。そうなることをイメージしている。

〈中井四の坂タウンハウス〉
「過密快適」

第五章

「場＝はらっぱをつくるテクノロジー」

第五章は、長谷川のテクノロジー観をテーマにした。〈新潟〉のオーニングのパンチングシートが上下する速さを「人が手繰るようにゆっくり」と指示したというエピソードに象徴されるように、建築を訪れる人びとを威圧しない軽やかなテクノロジーのあり方は長谷川建築の特徴のひとつである。これまで、長谷川の建築がテクノロジーの面から語られることはあまりなく、長谷川自身も各作品解説などで折に触れて技術的な解決策も語っているが、まとまった形の論考はほとんど存在しない。

長谷川はコンサートホールを含む劇場建築の実績を豊富にもつ。劇場建築は、優れた上演環境や音響性能を実現するための特殊なテクノロジーが要請されるビルディングタイプである。しかし、残念ながらホール建築論とでもいうべき包括的なテキストがない。そこで、この著作集のために新たにインタビューを試みたのが、「劇場空間のデザインとテクノロジー」（二〇一八年）である。インタビューは二〇一八年十月十八日に長谷川事務所内で行った。四時間を超えるロングインタビューとなったため、〈新潟〉に至るまでのホール体験を語る前半と、〈新潟〉を中心とするホール論に分けた。収録するにあたって、話し言葉らしい言い回しや間合い、ちょっとした脱線などをほとんど削らなければならなかったことは残念である。それでも、さまざまなパフォーミングアーツとホールの祝祭的なムードを楽しむ聴衆としての視点と設計者としての視点、文化のあり方と技術的な解決が一体となって、長谷川のホール建築が生まれてきていること、その過程で市民との対話が重要な要素になっていることが伝わるテキストになったと思う。インタビュアは町田敦と六反田千恵である。

長谷川は、学生時代は松井源吾の構造コースに在籍しており、菊竹事務所時代も菊竹とともに松井との構造の打ち合わせにしばしば同席した。都城市民会館の乳母車の幌のように一点に荷重を集中するアイディアも、松井との打ち合わせの際に課題になった軟弱地盤に対する構造的な解であったという。篠原研究室時代は、木村俊彦との構造の打ち合わせに深く関わっただけではなく、ＰＳ暖房機株式会社の顧問としてＰＳ暖房機の建築化・設備開発に携わったということである（第四部参照）。

そのほかにも、湘南台のアルミのパウダーを溶着する市民ホールの仕上げ、パンチングメタルやアスロック、倉俣史朗が開発したスターピースなどの新しい材料を建築に持ち込む一方、山田脩二の瓦を湘南台の外部床に使うなど、積極的に伝統的な素材の新しい使い方にも挑戦してきた実績がある。それらを網羅するようなテキストはないが、唯一、鉄骨建築についてまとまった論考となっている「スチール建築の可能性」（一九九九年）を収録した。収録にあたって、語句を一部修正している。

・・・劇場空間のデザインとテクノロジー 1

多様なホール設計

二〇一八年十月十八日、長谷川逸子・建築計画工房にて

1 独立前の音楽とホールの体験

小学校六年のとき、焼津の女学校にホールができ、コンサートがあるというので母親と一緒に出かけたのが、私の最初のコンサートホール体験だった。そのとき聴いた「フィガロの結婚」がいまでも記憶に残っている。静岡にはヤマハがあったので、戦後には多くの小中学校に楽器が揃っていて、あちこちの学校にブラスバンドがあった。私も、入っていたブランスバンドで「トルコ行進曲」を演奏して全国大会にでて、上位入賞したこともあった。そんなわけなので、小学校のときからレコードで洋楽を聴く機会が多かったが、ブラスバンドでは行進曲みたいな曲が多い。その日はモーツァルトをやると聞いて、楽しみに出かけたのだった。

中学高校のころ、夏休みを祖父母の家で過ごしていた。その家には立派なレコードプレイヤーがあり、なぜかバッハとモーツァルトのレコードがあった。商人だった父が自分で買ったとは思えないから、どうしてそんなレコードがあったのか、いまだに謎だ。母はモーツァルトやシューベルトが好きだったけれど、私はバッハをよく聴いていた。東京に出てくるときも、バッハのレコードをたくさん抱えて来た。結局一回かけたきりだったが、いまでも中野の家には十枚くらいのバッハのレコードがある。大学はキリスト教系で、教会にはバッハが流れていたから、私がずっと通して聴いてきたのはバッハだといえる。宗

教音楽だからだろうか、聴いているとなんとなく落ち着いた気持ちになる。

その当時、映画といえば時代劇ばかりだったが、女学校のホールで「フィガロの結婚」を聴いてからは洋楽や洋画にのめり込んだ。ヨーロッパの町の風景や生活が映画に出てくるのが楽しみで、中学三年間は映画館に通い詰めた。その後東京に出て来てからも、六〇年代のゴダール作品や「去年マリエンバードで」など、ヌーヴェルバーグ映画が全盛期で、私もよく観に行った。

菊竹事務所に勤めていた頃、よく行ったのは上野の文化会館だった。よく覚えているのは小澤征爾が初めて指揮すると聞いて、なにをおいても駆けつけたこと。そのときの小澤征爾は、それまでの指揮者とはまったく違う、躍動的で飛び跳ねるような、ほとんど踊っているようなパフォーマンスで、エネルギッシュでとても新鮮だった。その後、ウィーンやボストンで見たときにはもう超一流のマエストロになっていて、パフォーマンスもまったく違うものになっていたけれど。当時、コンサートホールといえば上野だった。上野の文化会館の前川國男さんのホールは、現代ホールの原点ともいえるホールである。両側の壁に木の彫刻が施され、椅子が赤い布のために一見クラシカルに見えるけれど、白い天井に穿たれた直角三角形の照明の多数の穴は抽象絵画のように現代的な印象で、この天井のイメージが私の脳裏に焼き付いている。

その頃、斎藤義さん[1]によくジャズ喫茶に連れていってもらった。斎藤さんはすごく音楽好き、ジャズ好き。ホールも好きで、菊竹事務所でもホールばかり担当していた。独立してからの自分の事務所でもホールを数多く設計している。その影響で、篠原研究室に入った頃にはクラシックからは遠ざかり、ジャズの話ばかり。研究室の人たちとジャズ喫茶によく行っていた。

▼1…（一九三八–）建築家。菊竹清訓建築設計事務所勤務、音楽に造詣が深く、コンサートホールを得意とする

篠原研に行きはじめた一九七〇年ごろは、太田省吾の転形劇場はじめ、黒テント、赤テント、状況劇場などが活発に活動していて、都市論や広場論、いまでいうコモンズ的な議論も起こり、都市を考えるのに演劇がとてもいい場所になっていた。なかでも太田省吾の転形劇場は場所性への意識が強く、よく観に行ったし、座布団を並べるお手伝いにも参加したことがある。当時ヨーロッパには状況劇場みたいな演劇集団がたくさんあって、小さな劇場やら倉庫みたいなところで実験的なパフォーマンスをやっていた。日本では六〇年、七〇年安保や学生運動があり、フランスでもアメリカでも若い世代の社会運動が広がっており、世界と日本の状況が同時進行でオーバーラップしていた。そういう状況のなかで、日本では演劇が多くの問題を提起していたと思う。

2 〈湘南台〉 球儀の劇場

音楽を聴きにいくのが好きで、演劇にも刺激を受けていたので、湘南台文化センターコンペに応募したのもホール設計があることが大きなきっかけだった。以前からホールを設計したいなとずっと思っていた。立派な劇場なんかなくても演劇はできる、イタリアやフランスに行けば、厩や廃墟を改築した劇場や倉庫みたいなところで素晴らしい演劇をやっていると多木浩二さんは主張する。立派なロビーがあってプロセニアムアーチがあって音響設備が整って、なんていう劇場は棺桶みたいなものだ、公共がつくるそんな劇場で演劇をやりたくはないね、と思っている演劇人が身近にたくさんいたので、私もいつか新しい劇場をつくってみたいという気持ちを持っていた。

いざコンペに入ってみると、行政がつくりたいと思っている劇場と、劇場を使う人たちとの矛盾が激しく、その間の議論は難しいものだった。行政は、文科省が推奨しているよ

〈湘南台文化センター〉
球儀の市民シアターを
屋上庭園から見る

〈湘南台文化センター〉市民シアター内部

うな、全国を巡回する演劇のための劇場があればいいという。〈湘南台〉の頃は折しも「生涯学習センター」という言葉を文部省がつくったころで、この文化センターも中央公民館の延長とする考え方があった。教育関係者は、公民館なのだから、あくまでも巡回演劇をかけたり市民団体が発表会をしたりするような市民ホールで、プロセニアムアーチのある、いわゆる近代的な形式の整った劇場がほしい。ところがもう一方に、市長を中心としてここを文化施設に高めたい人たちがいて、二つに分裂していた。そのなかで球儀の劇場を提案したものだから、それは激しい議論を呼んだ。

　行政と使う人たちの要望の矛盾に挟まりながら、コンペで提案したままの球儀の劇場を立ち上げた。上空高くから差してくる光や構造や機構が露出した空間が、倉庫みたいだったり屋外みたいだったりする。そんな空間を見て、いろんな人がここで上演するための湘南台版というオリジナル版をつくってくれて、大勢の観客が東京からも湘南台にきてくれる。この球儀の劇場が、批判を巻き起こしながらも完成にこぎつけられた背景には、当時の社会状況があったと思う。既成の劇場が嫌いな演劇人がいて、外でやればいいと思っている人、そういう人がわんさといたので、まるで屋外にいるかのような劇場空間をつくることができた。太田省吾さんは最初にこの劇場を訪れたとき、「ああ、ここは外みたいだね。うえに空がある感じがするね」と言ってくれた。

　前川國男さんや岡田新一さんの世代が、ヨーロッパの音楽を聴く近代ホールをつくり上げて来て、その完成形がすでにある。そのうえで〈湘南台〉があったから、原初の空間を取り戻したいという主張は受け入れられた。のちに、斎藤義さんと一緒にとあるホールのコンペに参加したとき、あの音楽好きの斎藤義さんがすごく〈湘南台〉を評価してくれていることを知って嬉しかった。球儀の劇場が宇宙の劇場のようであり、はらっぱの劇場のようであり、と。そのコンペは次点に終わったが、義さんの案は宇宙にホールを掲げようと主張した面白い案だった。

3 〈新潟市民芸術文化会館〉の劇場

〈新潟市民芸術文化会館〉の劇場では、自分で「魔笛」を演出し、出演から舞台装置や衣装づくりまでやった。〈湘南台〉と同じく、ここの客席は法規上許されている限界に近い急勾配の客席にしているので、演者として舞台から見ると一番後ろの人まで全観客の顔が見える。みんなの顔が大きく、笑っている表情まで見えて、怖いくらい客席と近い。湘南台シビックシアターの急勾配の客席について、太田省吾さんから「ここは演者を崇拝するように見上げて見る舞台とは違って、むしろ客席から見下ろすような舞台で、とても現代的な演劇にあっている」というような感想をいただいたこともある。劇場に行って演じている人の顔が見えないと本当につまらないし、演者の顔が見えれば声もよく聞こえる。そういう経験から、〈湘南台〉も〈新潟〉も演者の顔が見えるようにつくって来た。

〈湘南台〉で舞台監督に太田省吾さんを招いたり、〈新潟〉で金森穣[2]さんを舞踊部門芸術監督に迎えたりしたことは、振り返ってみれば、日本ではそれまであまりなかったことだった。〈新潟〉で市民参加を進めて行くうちに、オペラやクラシックコンサートは市民活動のなかにすでにあり、歌舞伎もあったが、それに比べるとモダンダンスはすこし出遅れてしまっていた。サントリーと提携して劇場は蜷川幸雄[3]さん、能楽堂には野村萬斎[4]さんに来てもらうように話を進めていたが、劇場のコアになる何かが必要だった。クラシックバレエだと脚が綺麗に見えるように舞台を傾けなければいけない。モダンダンスならばステージはフラットでいい。だから、専属にしてもいいようなモダンダンサーを見つけてく

〈新潟市民芸術文化会館〉868席のシアター

▼2…（一九七四―）舞踊家、コリオグラファー。二〇〇四年よりりゅーとぴあ舞踊部門芸術監督

▼3…（一九三五―二〇一六）演出家。多くの作品を新潟市民芸術劇場で上演した

▼4…（一九六六―）能楽師、俳優。一九九四年に二世萬斎を襲名

ださいと館長に頼んでおいた。私と一緒にN-PACワークショップにずっと参加していた館長は、このお願いをよく理解してくれていた。そんな折、北欧で活動している若手だった金森さんの東京公演を一緒に見に行って、館長がスカウトを決めた。当時、ほかのモダンダンスの人たちにも声をかけたのだが、新潟に定住して活動するという決断をできる人はいなかった。金森さんはまだ若かったし、芸術文化会館の建物もでき上がっていたから、そこでの活動がイメージしやすく、引き受けてくれたのだと思う。金森さんはNoismを立ち上げて、いまも新潟を拠点として世界的に活動している。

4　松山　市民の手でつくる文化

私が最初につくったホールはアオノホールという個人所有のホールだった。松山市の〈AONOビル〉のワンフロアにはいっているシューボックス形式のホールで、個人運営としてはたいへん利用率が高かった。百五十人か二百人の小さいホールだけど、眼科医だったご主人が音楽好きで、娘たちは音楽大学に通っているという家族みんなが音楽家のご家庭だった。有名な音楽家とも親しく、質の高い音楽会を開いていた。ご主人のいないいまは、ヤマハに貸して運営してもらっている。

夫婦で、いわば松山市の文化活動をやっていた。ほんとうに音楽好きで音楽を聴きたい人たちがやってくるから、公共のホールと違って連日満員ということもあった。ジャズピアニストの穐吉敏子さんなど、有名な音楽家や女優さんなども出演していた。アオノホールでは音楽会の前後にパーティを必ず開く。奥さんは食事をつくるのも得意で、うえの階にある住宅の大きなリビングがパーティ会場だった。そこにはピアノも置いてある。東京や遠方から聴きに来る人たちには子ども部屋を空けて泊めてあげる。この家はいわばゲス

〈AONOビル〉
ファサードとホール

トハウスでもあった。活発に文化活動をして、地域の文化をつくっている家族だった。コンサートも開いていたし、そのホールのロビーやリビングでは、いつも誰かが展覧会をやっていた。美大出身の奥さんも絵描きでよく展覧会をしていた。

同じく松山の〈ミウラート・ヴィレッジ〉も、民間会社の社長である三浦さんの個人運営だった。単なる個人美術館ではなく、展示室の他にも陶板を焼く工房や宿泊施設、庭園には能舞台などを併設して、さまざまな活動をしていた。あちこちの国からアーティストを招待して、アーティストインレジデンス形式で作品制作を支援し、展覧会をする。三浦さんは陶板の独自のレシピをたくさんお持ちだったので、そのレシピを知りたくて多くの芸術家が世界中から集まって来る。画家の野見山暁治さんも訪れたことがある。岡本太郎さんもそこで展覧会をしようと思ったようで、ここが長谷川の建築のなかでは一番素晴らしい、ここで岡本太郎の作品展をやりたい、と下見に来た岡本さんと親しい女性が言っていた。もっとも岡本太郎さんはその後すぐに亡くなってしまい、その話は実現しなかった。

三浦さんは能楽者でもあって、広場の一角を能舞台にして、能やいろんなイベントをそこでやる。緑の広場に千人以上の人たちが集まる様子を見ていたから、立派な能舞台よりもこのはらっぱで開催される能のほうが人を集める力があるという実感がある。能楽の会にも全国からいろんな能楽者がやって来て、地元の人たちと一緒に能を楽しむ。昼間に能を見て、夜はその広場でパーティ。その広場には調整池があって、敷地の周りにずっと桜が植えられていて、広場でお花見も楽しむ。和製グラインドボーンといってもいいような、みんなが文化を楽しむ場所をつくっていた。

松山のクライアントたちは、そうやって自分たちで文化を楽しむ場所をつくっていくという気概がある人たちだった。すぐ隣には体育館もあって、そこで私も子どもワーク

〈松山ミウラート・ヴィレッジ〉

ショップを開いたりしたし、私の展覧会も開いてくれた。行政のサービスとは違うところで、地域の人たちの手によって文化がつくられている。行政が、立派なホールをつくりました、世界の有名な楽団が来ます、聴いて勉強しなさいというようなレベルとは違う、生活に密着したところで市民の手によって文化が育まれていく。そういう地域の文化をつくっている人たちはおそらく全国各地にいて、お祭りを担い、その地域の文化を引き継ぎ、新しい風を吹き込んでいるのではないか。公共とは、公共建築のなかにだけあるのではなく、その地域の名家や有志が自宅を開放したり、自らいろんな文化活動に参加したりしてつくってきたのではないだろうか。

能登などでは、お祭りを見にいくと、どうぞご自由にお入りくださいとみんなが家を開放している。なかには美味しいものがおいてあったり、きれいな庭を見ることができたりして、そこに寄って美味しいものを食べて飲んで、またお祭りに戻る。お祭りの間は自分の家を開放して、来訪者をもてなす。日本中あちこちにそういう文化があって、「私」の領域とみんなで共有する領域が自然な形でつながっていたのだ。

私が育った焼津の家でも、豊漁だといってもらった魚を庭でさばいた。庭に魚を焼く大きな炉があって、大きなカツオをもらうと、そこで丸ごと焼く。ほかにも大きな台があってマグロはそこで刺身にする。いい匂いがするからみんなが集まってきて賑やかになる。祖父はそういうことをよくやっていた。かつては日本中あちこちで、広い庭があるような大きな家はそれをみんなに開放して、まちのコモンズのようにして使っていたのだろう。焼津でも戦後しばらくは公共建築なんて公民館くらいしかなかったのだから。こんなにあちこちに、活発に公共建築が建てられたのは戦後しばらく経ってからである。逆にいえば、公共建築がなければ市民の間にコモンズが発達するのかもしれない。いまはどんどん閉鎖

▼5…三浦工業株式会社の創業者・三浦保氏（一九二八―一九九六）

的な時代になっているから、同じようなことは難しいかもしれないが、最近の若い建築家たちの活動を見ていると、これからの時代は、行政とは違うレベルでそれぞれの地域で引き継がれて来た文化を再生し、新しい時代の風を入れながら育てていく、そんな人たちがまた出てくるのではないかと思う。

5　その他のホール　日本のさまざまなホール事情

〈袋井の月見の里学遊館〉では広場に面しているホールを、外のイベント空間と繋げるために外が見えるようにつくった。ガラスを張るのはガタ付きの防止などの対策が大変だが、吸音のためのカーテンが入っており、反射板は可動で、劇場にも使えるようにしている。以前はコンサートホールでも劇場でも、舞台は九〇〇くらいの高さが多かったけれど、舞台を見上げるのではなく、まっすぐ見られるようにしようと舞台の高さを下げて六〇〇くらいに抑えている。ホールには慣習的にでき上がっている決まりごとが多く、それらを変更するのはなかなか難しい。

〈名古屋デザイン博インテリア館〉は、名古屋の家具屋カリモクと壁紙やファブリックのメーカーサンゲツのエキシビションの場だった。六ヶ月ほどの博覧会が終わると、せっかくつくった家具や照明器具を全部捨ててしまう。もったいないことをするなあと思い、あちこちで声をかけてみると、みんな欲しい欲しいと言う。だから、このときにつくった備品類はいろんなところに寄付した。家具は〈湘南台文化センター〉や〈不知火ストレスケアセンター〉へ。カリモクはこれと同じようなものでよければ〈湘南台〉の家具もつくってあげると言って、寄付してくださった。〈湘南台〉の工事費は坪九十万という低コストで、家具に回すお金などなかったけれど、外に置く金属椅子だけは藤沢市のお金でつくっ

〈袋井月見の里遊学館〉うさぎホール。側面のガラス窓から外が見える

た。樹木型の装置や照明器具は〈コナヴィレッジ〉に行った。象設計集団の身体障害者施設にも送った。

〈すみだ〉は東京都の第一号生涯学習センターで、劇場という機能の他に、展示場やギャラリーなどとしても使えるように多目的にすること、という条件だった。このとき、初めて可動客席を使った。

〈絵本館〉にもコンサートホールをつくっている。当初劇場をつくる予定はなかったが、一年間市民とワークショップをするうちに、市民の方から要望が出てきた。富山で白雪姫などの童話オペラをやっていたのを見た市民が、ここでもやりたいといいだしたのだ。一度そんな声があがると、子どもにピアノやヴァイオリンを習わせているお母さんたちから発表会の場が欲しいという意見も出てきた。市民の要望とはいえ、童話オペラや発表会だけでは、そんなに活発には使われないだろうと心配していたが、その後、谷川俊太郎さんはじめいろんな作家を招いた絵本のシンポジウムを開催したり、絵本作家のレクチャーをしたりして人を集めている。ホールがとても有効に使われていて良かった。〈絵本館〉はコンサートホールだけではなく、エントランスホールの横の半楕円形のロビー空間や、屋外の雛壇状に盛土したランドスケープまで、ずっとつながった祝祭空間になっている。

一方〈塩竈ふれあいセンター〉のホールは最初からプログラムにあった。ここはいわば子どもたちの公民館で、運動がメインの多目的ホール。そこでホールは小学校の体育館のように、コンサートもレクチャーもできるようになっている。

〈倉橋桂浜ふれあいセンター〉のホールは大宴会場。図書館があり、温泉とレストランがある横に宴会場がある。大勢で温泉にきて、ここでカラオケをするのが主な目的のホールである。地方に行くとこのように複合的な機能を持つ大規模温泉場やスパがよく使われて

左：〈倉橋桂浜ふれあいセンター〉　右：〈名古屋デザイン博インテリア館〉

いる。そこにある多目的ホールは、宴会場でありカラオケ場であり有名人のお話を聴いたりする場所でもある。つまり、昔の旅館にあった宴会ホールのようなものである。

〈珠洲〉では、地産の珪藻土を用いたホールをつくった。ホールだけではなく、事務室や多目的ルーム、キッズルーム、ロビーなどの壁、外部の「音の広場」の通路まで珪藻土で塗り込んでいる。珪藻土は約千二百万年前の珪藻という藻の一種の遺骸が蓄積してできたもので、能登半島は珪藻土の一大産地であり、高い断熱性能や耐火性を活かした七輪がよく知られている。表面が〇・一〜〇・二ミクロンの無数の小さな孔をもつ超多孔質構造になっているため、当初は吸音性に優れた材料として考えていたのだが、ヤマハの研究所に実験を依頼した結果、音響材料としては穴が微細すぎて、グラスウールなどの他の多孔質の吸音材のようには機能しないことがわかった。さらに、焼き物にすると約五％程度の微小な中高音域の吸音力を有する一方、左官仕上げでは柔らかな反射材として機能することもわかった。この柔らかな反射材としての性質を利用して、左官仕上げの珪藻土の円板をたくさんつくって壁に用い、円板と円板の隙間に吸音材を導入した。実際に音を鳴らすと、暖かく豊かな音に響いていくような不思議さが感じられる。多目的ホールとして、伝統芸から演劇や音楽までを楽しむのに適したホールとなった。

このように振り返って見ると、実にいろいろなタイプのホールをつくってきた。一口にホールといっても、松山のアオノホールや〈ミウラート・ヴィレッジ〉のように民間で活発に柔軟に、地域の人たちや県外国外の人たちを巻き込みながら運営しているホールもある。イベント的な仮設ホールもある一方で、公共のホールには世界の一流フィルハーモニーを招くような専門性の高いホールから市民がカラオケを楽しむホールまである。地域の人たちの生活や文化、社会のあり方が、それぞれのホールの性格となって現れてくる。

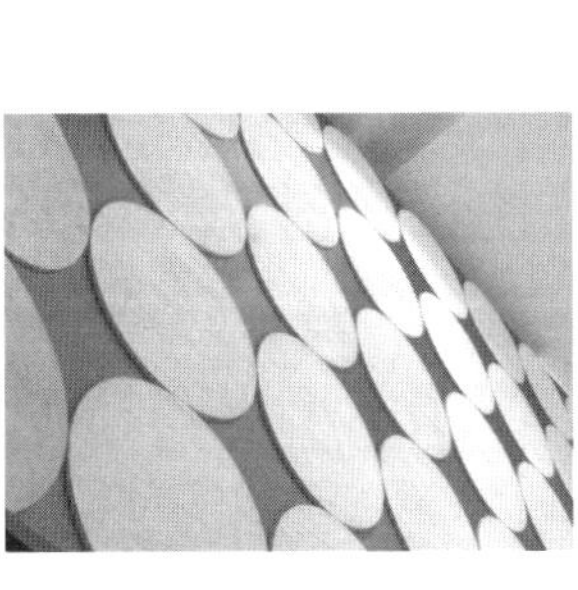

〈珠洲多目的ホール〉
珪藻土を用いたホール

・・・劇場空間のデザインとテクノロジー　2
新潟市民芸術文化会館

二〇一八年十月十八日、長谷川逸子・建築計画工房にて

1　世界のホール

湘南台コンペより以前から、ノルウェーで展覧会したときを始めとしてヨーロッパやアメリカ各地にレクチャーに行くと、夜はその町のホールに必ず行っていた。コンサートだけではなく、演劇でもダンスでも、なんでもその日上演しているものを探しては観に行った。だから、世界各地のホールを相当数観てきたことになる。独立して間もなく参加したのを皮切りに、ザルツブルグでのワークショップには数回参加した。夏の一ヶ月間、オペラ、コンサート、演劇などをたくさん観て過ごす。屋外コンサートも開催され、町中が音楽祭で華やぐ。一度行くと週に三、四回もコンサートやオペラを観るという生活を楽しむことができる。

ウィーンやザルツブルグのコンサートホールにいくと、そこが日本ではちょっと経験することができないような、特別な祝祭空間であることが実感できる。ウィーン工科大学でレクチャーした後、楽友協会のゴールデナー・ザールに行ってみると、さっきまでジーパンを履いていた学生が家族全員でドレスアップして、別人かと思うような出で立ちで来ている。コンサートに来て居眠りしているのは旅行客だけである。地元の人はみんな美しく着飾って集まってきて、身動きもせず集中して聴いて、コンサートが終われば美味しいものを食べに出る。あちこちのレストランが混んで、町中をあげてサービスしている、とい

う祝祭空間が都市に広がる。レクチャーやコンペの敷地見学などでさまざまな都市を訪れると、そのたびにホールに行くためのドレスを一枚持っていってはコンサートを聴きファッショナブルに過ごす時間が持てるというのは、滞在中の大きな楽しみだった。ドイツをはじめ、ヨーロッパには戦前に建てられたようなコンサートホールがたくさんある。それらはとても美しい装飾空間で、それを観るのも好きだった。

東ドイツが返還された直後に、旧東ドイツ領も含めて、チュービンゲン、コロブス、ワイマール、ベルリン、フランクフルト、シュトゥットガルドと、数週間かけてレクチャーをして回ったことがある。東ドイツだった街は返還直後で荒れていて、電気もない真っ暗なアパートには不法占拠者がいて治安が悪いという話もあり、危ない感じがあって怖かった。文学者をたくさん輩出したチュービンゲンの街の文化センターは新しい時代を迎えて活気があり、市民が千五百人集まったホールでのレクチャーでは多くの質問を受けた。このときの最後の訪問先がベルリン工科大学だった。ゲバントハウス[1]に行ったのはそのときである。そのあと、ベルリンでは展覧会も開催してもらった。

〈新潟〉のコンペの二次審査の際に、團伊玖磨[2]さんから、音響についてどんな考え方を持っているのか、いままで聴いたなかでどこのホールの音響がいいと思っているか、と質問された。私は、ライプチヒにあるゲバントハウスがいいと答えた。ライプチヒは瀧廉太郎が留学した街である。実は、ベルリンフィルに行ったときに、日本人のバイオリン演奏者にゲバントハウスはいまもあるかと質問したら、連れて行ってくれたのだ。コンクリート構造の建築物で、ファサードは全面ガラスで大きな噴水のある広場に繋がっている。音楽会がはじまる前になると、その広場に大勢の人が集まってくる。洋楽を聴くのにとても良い、強い音響で迫力のあるホールだった。そんな体験があったから、ゲバントハウスの

▼1…Gewandhaus。一九八一年落成。設計ルドルフ・スコダ。大ホールは千九百二十席、小ホールは四百九十八席。初代のホールは一七八一年に落成した。現在あるのは三代目にあたる

▼2…（一九二四－二〇〇一）作曲家、指揮者。随筆家でもあった

ような音響を実現したいと答えたら、ゲバントハウスを知っていることに團さんが感激し、ゲバントハウスの感想をいろいろと話すことになった。旧東独地域にあるので当時はなかなか行けないホールだったのだ。その広場のように、新潟でも、イベントがあるときにはみんなでピクニックできるような空中庭園をつくりたいともそのときに話した。

ロンドン郊外にある個人所有のオペラハウス、グラインドボーンではまた違った体験をした。きれいな庭園でランチを食べて、昼寝する。夕方になるとみんな車で着替え始め、オペラを聴き、そのあとディナーを楽しむ。コンサートが終わるとレストランが開かれるのだ。そこでみんなで食事して、夜遅くに一斉に車でロンドンまで帰る。一日がかりのオペラだが、始まる前や途中に、広場でシャンパンを飲んだり昼寝をしたりしながらピクニックしている雰囲気がとても良くて、こんなふうにリラックスして音楽を楽しむんだと感激した。〈新潟〉の二次審査でも、コンサートホールと庭園が一体になって、コンサートの前後に市民がピクニックしたり、コンサートの感激を反芻したりするような空中庭園が大事だと主張した。

審査でのそういう経緯があったので、コンペのあと、市役所の人たちからゲバントハウスに行ってみたいという要望が出た。そこで、いままで私が行ったコンサートホールのなかからいくつか、二千席前後のホールを中心に選んで、一九九三年五月十五日から二十三日の八日間で、ヨーロッパのホール建築を見学するプログラムをつくった。それぞれのホールを、昼間は裏方から運営までを見せてもらい、夜はフィルハーモニー、オペラ、ダンスなどの実演を見る。〈ガスタイク文化ホール〉（ミュンヘン、一九八五、二三八七席）、〈ベルリン・フィルハーモニー〉（一九六三、二四四〇席）、〈シャウシュピールハウス〉（コンツェルトハウス）〉（ベルリン、一九八四）、〈ゲバントハウス〉（ライプチヒ、一九八一、一九二〇席）、〈アルテオーパー〉（フランクフルト、一八八〇、二〇一〇席）、〈ウィーン学友協会グローサー・ムジークフェラインスザール〉（一八七〇、一六〇〇席）、〈ウィーン・コンツェルトハウス〉（一九一三、大ホール一八六五席）、〈スメタナホール〉（プラハ、一九一二）などを歴訪した。たいへんな強行スケジュールだったが、各ホールの裏方を見ることは、その町の歴史を知ることでもあり、とても有意義だった。ベルリンでのコンサートも素晴らしかったし、ウィーンでは「カルメン」や「ドン・ジョバンニ」、そしてワルツの華やかさを堪能した。

新しいゲバントハウスは噴水のある前の広場が社交場になっていて、開演が近くなると大勢の人たちが着飾って集まってくる。ホールは焼失して一九八一年に再建されたが、歴史を引き継ぐ格調があり、ツアーで訪れた夜はオペラ「ドクター・ファウストス（ファウスト）」を見た。舞台装置が特に素晴らしかった。

市役所の人だけではなくヤマハの音響技術者や、大学のホール計画学の研究者も参加して総勢十名にもなる大旅行であった。このツアーで、市役所の人も専門家もホール体験が多いわけではなく、むしろ日本人の生活にはコンサートホールに行く習慣が少ないことを改めて知った。いろんな意味で、ヨーロッパ文化の中心ともいえるコンサートホールを日本につくり、根づかせていくことの難しさを実感したツアーでもあった。

2 〈カーディフベイ・オペラハウス〉

〈カーディフベイ・オペラハウス〉はある意味では、日本人がヨーロッパの文化の中心にあるオペラハウスをつくるという挑戦だった。とりわけ、イギリスのような階級社会のなかでホールをつくるのは特別なことだったと思う。国立能楽堂を外国人がつくるような「事件」だったのだろう。第一次審査の結果が発表され、長谷川が一席だとわかると、イ

〈カーディフベイ・オペラハウス〉
カーディフ湾に面する「オペラシップ」

ギリス建築界の反発も、イギリス社会の反発もとても強かった。共同設計を申し出てくれた建築家もいたが、「ファーイーストのカブキの国の女性建築家」という見出しをつけた新聞記事も見た。差別そのものだった。

このオペラハウスで提案したことのひとつに、クラスの撤廃がある。イギリスという社会は、バービカン[3]でもクラスが厳然とあり、一般の人や観光客と、上位階級の人たちとではロビーやバー、レストランがすべて分かれている。だからイギリスの建築家は皆このクラスを前提にした提案をする。しかし、私の案には大きなバーと大きなレストランがあるだけで間仕切りがない。それがイギリス人にとっては大変な驚きで、審査のインタビューでも質問はそこに集中した。もちろん、各地のコンサートホールを見てきて、イギリスではクラスが根強くあることは知っていた。しかし、もうそういう時代ではない、みんなで建築を共有するにはクラスは撤廃したほうがいい。日本はヨーロッパの哲学に学んで身分制度をなくし、今日では身分差別のない社会と公共空間ができている。ここでも身分制度のない民主的で市民が主体になるような空間をつくりたい、これからの公共建築には差別のない空間がふさわしい、というプレゼンテーションをした。新しいオペラハウスのあり方を模索していたウェールズオペラの運営者たちは私の提案を歓迎してくれて一次審査は一位になったが、その後降ろされ、二席だったザハ・ハディッドさんに設計させるということになったが、結局は実現しなかった。

3　〈新潟市民芸術文化会館〉の二千席のコンサートホール

〈新潟〉のコンペの後、市民からも専門家からも、二千席ものホールをどうやって運営するのか、そんなことは無理だという手紙が私宛に多数届いた。意見交換会を開いても、千

▼3…Barbican Centre（設計 Chamberlin, Powell & Bon、一九八二）、コンサートホールと劇場（約千三百席）のほか、映画館、アートギャラリー、図書館などを併設する。バービカン・ホール（約二千席）は、ロンドン交響楽団の本拠地でもある

席にすべきだと運動している人たちが大勢押しかけてきたり、いろいろな装置にお金をかけすぎだといった意見が出てきたり。コンペで入ってから一年ちょっとの間、「二千席のホール」が一番大きな問題だった。

〈新潟〉のコンサートホールはヤマハと1／10模型をつくって実験をしながら音響設計をしたので、どういうホールになるかを、市民に模型でも見せることはできた。しかし、市民にとっては空間の良さはそれほど問題ではなく、とにかく二千席が埋まるのか、無駄なことしていないかという目で見ている。だから抗議は長期にわたって終わらなかった。元々あった公会堂を大事にしている人たちもいて、公会堂の数百人のホールも埋められないのに、どうやって二千席を埋めるのかという意見もあった。公共建築のプログラムは大学の専門家などがつくって、行政と議会の間だけで決めてしまうから、一般市民は二千席がどうやって決まったのかわからない。

かつて新潟は五大港のひとつで、早い時期からヨーロッパ人がクラシック音楽を持ち込んだという歴史がある。そのため、新潟にはクラシックファンが多くいて、バッハ研究会があったり、市民の間にいろんなクラシックファンの同好会がある。市長もモーツァルト研究会に入っていたりする。そういう会から、二千席に対して反対意見が出てくる。いままでコンサートをやってもそんなに人が集まった経験がないから、市民も自分たちの生活のなかに二千席のホールがどう根付いていくのか、想像ができなかったのだと思う。

〈湘南台〉では最初、私はプロセニアムアーチはいらないと思っていたが、可動式の布製アーチをつくるという案をだしたところで、行政との考えの違いを打開することができた。一方〈新潟〉ではコンペから竣工までずっと、この二千席問題がついて回った。オープニングでは〈新潟〉ならではの祝祭空間を立ち上げたいと思っていたが、マース・カニング

〈新潟市民芸術文化会館〉
左：オープニングの日はロビーも人であふれた　右：1/10模型で音響実験を繰り返した

ハムとジョン・ケージの最後のコラボレーションで、百十二の演奏者とともに演じる「オーシャン」を上演することができた。音楽、演劇、ファッション、新潟フィルハーモニー、学生からダンサーたちまで、ワークショップなどで関わって来たみんなに協力を頼んだ。コムデギャルソンを着たダンサーを舞台だけでなく客席通路にも配置して、さまざまなパフォーマンスが同時に立ち上がるような企画となった。〈新潟〉で常に意識していたのは、公共の場はどうあるべきか、市民はどうあるべきかという問いだ。グラインドボーンのように丸一日音楽を楽しむ文化を市民がつくり、素晴らしい体験をここでもできるようにしたい、と。そして総出で迎えたオープニングは大成功であった。ずっと反対していた専門家たちはじめ、東京から見に来た人たちも市民たちも、コンサートホールというものが堅苦しくヨーロッパのフィルハーモニーを聴くだけの場ではなく、演劇もダンスもファッションショーも楽しめる、いろんな可能性を持つ場、祝祭空間なのだということをその日、感じ取ってくれたのだと思う。オープニングの日以来、五年間ずっと反対や批判を訴えてきた手紙も批判記事も、ぴたっと止まった。

元々クラシック好きの人が多く、東京文化会館まで日帰りでコンサートを聴きに行く市民が大勢いる街なので、オープン後は、地元の新潟フィルハーモニーも二千席を埋めるプログラムを上演することができている。この二千席のホールをうまく運営して行くために私も、サントリーホールに来る世界の有名オーケストラが新潟に来てくれるように手配したり、蜷川幸雄さんや野村萬斎さんに毎月来てくれるようにお願いしたり、いろんなところに頭を下げて回った。日本海側で唯一の二千席ホールだから、有名オーケストラが来ると能登半島や山形、青森からも聴きに来てくれる。結果としてみなさんがよく使ってくれて市民も良く来るという循環ができていると思う。

こうして振り返ってみると、〈湘南台〉の球儀の劇場ができた背景には、演劇運動を篠原研時代に体験したことや、各地の民家とお祭りを訪ね歩いた体験があった。そのうえに、ゲバントハウスをはじめ世界各地のコンサートホールを訪れた体験、グラインドボーンのように音楽を楽しむヨーロッパの文化の体験、青野さんや三浦さんたち[4]のような自分たち市民の手で文化をつくる人たちとの出会いといった体験が集約したのが〈新潟〉であったと思う。

4 〈新潟市民芸術文化会館〉のコンサートホールのディテール

〈新潟〉のホールについてもう少し具体的なことも説明しておきたい。

ゲバントハウスは同じワインヤード形式でも、ベルリンフィルに比べたらとてもコンパクトなホールである。日本でいえば、サントリーホールよりも小さい。ゲバントハウスは見学したときにいただいたプランや断面でチェックすると、コンパクトであるために音が明快な強さを持っているようであった。そのことはヨーロッパの劇場を巡るツアーで、音響の技術者も一緒に現場で確認したので、〈新潟〉の音響実験のなかにこの気積の問題を取り入れてみることにした。模型で壁を少しづつ動かして気積をコンパクトにする実験をしてみると、コンパクト化によって音が強くなることがわかった。気積が大きいと残響音が伸びて、ベルリンフィルのように音が拡散するけれども、小さいと直接音の比重が大きく、音が強くなる。

もうひとつ、コンサートホールでいつも気になる問題はリハーサル時の音と本番のお客さんが入ったときの音が違いすぎることだ。ウィーンフィルでもそうだった。ヨーロッパではコンサートの前日か日中、必ず本番と同じホールでリハーサルをする。それを聴いて

〈新潟市民芸術文化会館〉1890席(最大2000名収容)のコンサートホール

▼4…前出「劇場空間のデザインとテクノロジー1」参照

いて、本番の音とリハーサルの音が違うことが気になっていた。観客がいないときにリハーサルをするから、吸音が全然違うのである。そこで、座席の下に人間が座っていると きと等しい効果を持つ吸音材を入れて、観客がいなくて座席が上がっていると、裏面で吸音するようにした。観客が座席に座るとシャッターが閉じて吸音材は働かなくなる。その椅子もなんども実験して調整を重ねた。だから、新潟のホールでリハーサルをすると、本番とほぼ同じ音が出る。ウィーンフィルの指揮者が、リハーサルを見ている私の隣にまでわざわざやって来て「どうやって、リハーサルの人がいないときでも同じ音がするようにした？」と聞いてきたことがある。椅子のことを説明すると、なんども椅子を開けたり閉じたりしながら真剣に見ていたことを思い出す。ホールの椅子も能楽堂や劇場の椅子も、三つとも既製品を少しずつ調整し、テキスタイルも自分でデザインしてつくっているので、いいものになったと思う。

コンサートホールの二階席、三階席の手すりは壁を立てず、横桟の手すりで素通しにしている。ヤマハは最初腰壁にすることを提案してきたが、ワインヤード風に高い腰壁に囲まれて聴く音も気持ちが良くないし、観るのも不快なものだと思っているので、素通しにする提案をした。腰壁を使って一階に音を反射させるという考え方もあるが、一階の音だけ強くなるのもよくない。ホール全体に平等に音を直接響かせるには素通しのほうが適している、とヤマハも賛成してくれた。

劇場の手すりには、竣工してから自分たちでベルベットを張った。ステンレス製の手すりはひんやりして冷たい。新潟の、冬の寒さが厳しい風土のなかで、この金属の冷たさはよくないと思ったからである。音楽ホールの手すりは音が通るように金属の手すりにしたいが、どうしてもひやっと冷たいので布を貼りたくなる。

〈新潟市民芸術文化会館〉
コンサートホール2階部分

テント状に下がっている天井と壁面の間には、コンクリート躯体が露出する部分がある。そこに間接照明を入れているから、そのままだとコンクリート躯体がライトアップされて目立ってしまう。ここも金色の真鍮のネットを自分たちで張った。これはいまリフォームしており、もう少しいいものに変える予定である。ヨーロッパのコンサートホールは一九二〇年前後の戦前に建てたものが多いので、装飾もリッチで美しく、宮殿のような華やかさがある。ところが近代建築家がつくると、イタリアでもガラス張りのコンクリートボックスでまったく装飾がなくなってしまう。〈新潟〉も庶民的なホールではあるけれども、すこし祝祭性を持ち込みたくてゴールドのネットを入れたのである。

手すりを素通しにしたので空間が軽快な感じがするとよく言われるが、それだけではなく、一階のアリーナ席にいても、二階席くらいの人から「やあ、長谷川さん」などとよく声をかけられる。なかで移動できるようにホール内部に階段もあるので、それぞれの客席が囲われていない分、声をかけたり、移動して話をしに隣に来たり、そういうコミュニケーションが起こる。そんな和気藹々とした一体感が生まれるホールになった。

設計という観点からは、ヨーロッパから来た伝統的なホールの持っている質に抵抗感がある。多木さんや六〇年代演劇運動の持っていた既成劇場への反発という意味ではなく、建築の素材とか構成の問題として。その素材も構成も、日本から生まれたものではないからだ。しかしホールをめぐるツアーでは、先輩からも後輩からもそういう感想はまったく出てこなかった。建築家がいかにホールを見ていないか、ホール建築の歴史を考えていないか。音楽を聴きに行く場所へのイメージがないから、抵抗もしないのだと思う。

私にとっては、どうしたらヨーロッパの伝統的なコンサートホールが持つあの重たさを、新潟という場所ですこしでも軽くできるのか、というのが大きな課題だった。そういう課題への答えはつくり方のなかに自然に出てくる。いつか、音楽家たちが新潟のホールについてに書いてくれた本がある。そこに新潟のホールは白くて軽くて、いままでにみたことのない感じがして、ホールに入った途端すごく心配になったけど、音響はとても良かった、という書き方をしている人がいた。

一方で、建築家からホールについて書かれたことは一度もない。多くの人に軽いとか安っぽいと書かれると覚悟していたのに、オープニングにもたくさん建築家が来たけれど、色や素材、ホールの質について話した人はいなかった。

5 〈新潟市民芸術文化会館〉の能楽堂

能楽堂の室内化の始まりは江戸城だったと聞く。現代でも、武士のための空間として切妻の力強い屋根が多くの能楽堂で採用されている。設計にあたって、いくつもの能楽堂を見学したが、女性である私を舞台に上がらせてくれるところはなかった。どことなく女性が能楽堂を設計することへの抵抗があるように感じられたものである。佐渡は世阿弥が晩年流された地でもあり、江戸時代初期には能文化が隆盛して市井の人びとの生活にも能が深く浸透していたという。いまでもたくさんの能楽堂があり、まちにも能を舞う人が大勢いる。そのような地で、伝統を引き継ぐ舞台を公共で持つことは有意義なことと考えていた。公共であればこそ、専門家だけではなく、市民にも使用してもらいたいと考えて、切妻を避けて方形の東屋風の屋根とした。

振り返ってみると、能のはじまりは野外で行われていたものだった。従来のような和の装飾で室内を仕上げ、天井を蛍光灯の下手な灯りにするのではなく、幽玄の闇に能舞台の屋根が消えていくような空間を考えた。また、松羽目および橋掛りの羽目板は可動とし、

〈新潟市民芸術文化会館〉
能楽堂

竹林の中庭を背景とするしつらえを可能とした。N-PACワークショップでも、野村萬斎さんに能のレクチャーをしていただいたり、能楽堂のあり方について相談したりしていたので、このしつらえについてもご意見を伺ったら、共感してくれた。N-PAC以来のご縁もあり、完成からずっと、ほぼ月一回はここに来て上演され、ときに中庭の光のなかで舞ってくれていると聞いている。

ここでは武満徹の音楽、宇宙・意識・無限の時空間を体験できるような能楽堂でありたいと思っていた。音楽会に参加して感動したり、日本舞踊、ギターコンサート、レクチャーなどいろいろの企画に参加して、音楽というものがライブに設計されていることや、能楽堂が多様な利用に向けて開かれているということを体験してきた。

6　設備の高度化

現在、〈新潟〉の改修工事を進めている。改修といっても、ほとんどが舞台機構や舞台設備の改修で、建築ではない。建築のほうは耐震天井の補強工事と部分的な改修があるだけ。この十五年間で大きく変わったのは舞台設備である。設備が非常に進化し、調整卓がコンピュータ化、小型化し、スピーカーも大きく変わった。

この年月のあいだに新潟の運営者たちはそれぞれ相当な専門家になっていて、設備の高性能化に熱心である。イタリアの「ソナス・ファベール」のスピーカーはじめ、何種類かいろんな国から取り寄せるから、音を聞いて決めてほしい、といった要望が出てくる。ヤマハの音響設計者の清水さんと一緒に聞きにいったが、まったく音響の状態が変わってしまうのに驚いた。手始めに劇場から、既存の巨大なスピーカーを下ろして、新しいスピーカーに変えて順番に聞く。いままで音が多少濁っていても気にならなかったが、新しいスピーカーだとすごくドライな音になる。調整卓はとてもコンパクトになって高性能化している。現場で音を聞き分けることはできるが、あんまりにもハイテクで高価で、買うべきかどうか躊躇する。そんなものが本当にいるのかと思ってしまうのだ。運営者たちはホールや劇場をさらに高性能にすることに夢中なのだ。そのことは私には多少抵抗があって距離感を感じてしまったが、途中から、彼らが稼いだお金で自分たちで選んだものを買うんだから、好きにしたらいいと覚悟して任せることにした。しかし実はすごく大きな問題である。

最近のホールは、ほんとうに十五年前とはまったく機材が違う。なぜ公共建築をそんなにまで高性能なものにするのか。もちろん、〈新潟〉はウィーンフィルやベルリンフィルまで来日する高級なホールではある。しかし、一方で市民も使うわけだから、そこまでの費用を費やして性能を追求するべきなのか疑問を感じている。これまでに十五年間使って来たとはいえ、そのくらいの短い期間でホールの装備をまるごと全部変えるなんていう事件は初めてのことではないだろうか。菊竹事務所時代でもそんなことを聞いたことはなかった。もっともこれは時代でもある。コンピュータの進歩がどうしようもなく早く、高性能化は著しい。だから、それを内心ではおかしいとは思っていても、拒否することができなかった。

照明も実験したが、LEDだとつけるときに変な音がするといって、劇場の照明を変えさせてくれない。点灯するときの音がうるさいのでだめだ、と。せっかく耐震天井に改修するので照明も変えればいいと思うのだが、劇場の人たちがデリケートで変えさせてくれない。運営者が、そういうことについて大専門家になっていて、自分たちの主張がしっかりあるのだ。結局コンサートホールやロビーはLEDに変えるが、劇場だけは変えないことになった。ロビーなどをＬＥＤにすることでだいぶ運営費が安くはなったのだが。

六〇年代、七〇年代の演劇運動から〈湘南台〉の頃まで、演劇を原初の形に戻したいという機運があり、私はそれに合う劇場空間をつくってきた。しかし、最近つくられたホールはみんな、設備の高性能化の方向に向いている。多木浩二さんが劇場なんて厩でいいんだ、倉庫でいいんだと訴えてきた、まったく反対のことがいま起こっている。それでいいのだろうか。〈新潟〉をつくるときも、なぜヨーロッパのフィルハーモニーが来るためのホールをつくらなきゃいけないのかという疑問が、私にとって大変な抵抗感だった。そこまでやらなくていいという気持ちがあって、機材に大きなお金をかけることを私はできるだけ避けてきた。

こうした劇場の高性能化はどこまでいくのだろうか。それもいつか飽和して、空間だけあるような劇場、〈湘南台〉みたいなものでいいよ、というふうになる転換点が来るのかもしれない。ときどき、市民の日常の感覚にある、自分の手で直接操作できるローテックな技術でつくっていきたいと思うことがある。高性能化は、生活レベルでみても必ずしも安全ではない。かつての演劇運動のように、原初の姿を取り戻し、都市のなかの出来事をも巻き込んでいくような演劇の姿が求められる、そんな局面がまた現れるのではないだろうか。若い建築家たちが、物をつくるのではない、事をつくるのだと言ったり、イベント的なものに関心が移っている姿を見ても、どこかに高性能化への反発があるのではないかと感じることがある。

7　建築の高度化

〈新潟〉の改修がはじまった頃、なぜそこまで高性能化するかということの抵抗感から、市役所の課長と大議論をした。そんなお金があるならば外に子どものホールをつくったほうがいい。そう提案したが、高性能化したい運営者たちの意向が強くて、市の意見も私の意見も通らない。

舞台機構や設備だけではなく、建築自体の高性能化、ハイテク化、高安全性能という問題もある。〈新潟〉の外周部オーニングも竣工当時は、あのハイテクさはアトリエ事務所の仕事ではない、組織設計事務所の仕事だと批判された。コンピュータで素早く制御するような装置もつくったが、わざとゆっくり二メートルずつ上がるようにしているんです、と私がいうと、ある組織設計の人が、なぜわざわざそんなことをするのかと質問してきた。このオーニングは手で手繰るようにゆっくりと動かさないと市民に馴染む装置にならない、ハイテクさを消したいのだと説明すると、なぜハイテクがいけないのかと大変な議論になったことがあった。

私には、人びとが音楽や演劇を楽しみ、ゆったりと過ごすための場に、あまりにハイテクな装置や大げさな装置は似合わないという感覚がある。そうした装置は人びとを萎縮させ、活動をむしろ威圧してしまうような気がする。むしろ野原に張られた幔幕の、一枚の布の方がはるかに人びとを元気にするのではないかとさえ思う。劇場のハイテク化の問題と共通する問題が建築にもある。人間が演じるのははらっぱだっていいし、お祭りの盆踊りでいい。ハイテクな演劇空間には、音や光がすべて目に見えないところで電気的に制御され調整されている気持ち悪さがどこかにある。

竣工から十五年経って、このハイテクなオーニングは結局、手動で操作されている。ドイツ製のセンサーをつけているので、光の強さや向きを計測し、パンチングメタルのシートをどのくらい上下させ、どのくらいずらして開口率をどのくらいにするか、空調や照明

〈新潟市民芸術文化会館〉
オーニング

のコスト管理をしながらコンピュータ制御で動かすことはできる。そして、コンピュータ制御にしていたほうがおそらく、室内環境の制御や維持のコストパフォーマンスは優れているだろうと思う。しかし、そうした目に見えない技術をどうも信用できないのではないか。自動的に制御されているのが気持ち悪いのかもしれない。自分の手で制御したほうがしっくりくるのだろうと思う。最初から、コンピュータ制御と手動の両方できるように設計してあるから、上げ下げもパンチングシートの開口率を変える操作もすべて、ゆっくりではあるけれども手動でできる。

コールハースが、日本の組織事務所がつくるなんでもない箱の建築がもつ性能は素晴らしいと言っているのは実際その通りである。日建設計や竹中工務店は相当優れたディテールを持っていて、それに匹敵するような高性能なビルディングは諸外国にはない。先日訪れたロンドンでは、フォスターのような重い建築はもうなくなってきて、まるで日本のビルのような軽い建築が多くなった。日建や大手の組織設計事務所には、大手工務店と一緒に日本中の民間のオフィスビルをつくってきたという歴史がある。

いま世界中で進行しているハイテク化の先端を行っているのが深圳である。二〇〇〇年ごろの深圳は大規模建築など数えるほどしかないような街であったが、いまや中国のハイテクセンターになっている。世界一のドローンメーカーがあって、空飛ぶ絨毯みたいな人が乗れるドローンを開発していたりする。深圳を筆頭に、中国のハイテク化はいまやもうアメリカよりも進んでいるのではないだろうか。都市全体が完全にデジタル決済に移行していて、キャッシュレス社会ができ上がっている。誰もお金もお財布も持っていない。上海よりもさらにハイテク化が進んでいる。

各店舗にデジタル決済のための機械と通信設備を導入させ、あらゆる売買の情報やお金の動きが透明化されていく。この流れはもう元には戻らず、世界中に広がっていくのではないだろうか。八百屋に行ってカードで払う社会なんて私には抵抗感があるが、そうやって生活が変わっていくのだから、建築も変わらざるを得ない。コンピュータ技術の進化は凄まじくて、建築を目に見えないところから変えていく。そのときに、建築家として何が提案できるのか、不可視化していくテクノロジーとどのように向きあえばいいのか、人びとにとって安心して信頼できるテクノロジーとは何か、リラックスできる心地良い場をつくっていくにはどうしたらいいのか。デジタル化はいまや家電製品だけではなく、住宅の環境設備や建築生産の現場にも広がっている。身体感覚に基づく速さとは異なるレベルにあるデジタル技術。手や足を使って物をつくってきたことから離れれば離れるだけ、むしろ身体性が優先されなければならない。デジタル化が人間の活動や生活にゆとりをもたらし、豊かにするという方向を得ていきたいと思う。

・・・スチール建築の可能性

「鉄構技術」臨時増刊号、一九九九年一月

スチール素材と表現

一九八七年に、ヘルシンキで行われたフィンランド鉄鋼建設労働者協会〈Finnish Constructional Steel Workers Association〉主催のシンポジウムでのメインレクチャーに招待された。私は、松山の〈桑原の住宅〉が評価されての招待だったので、「スチール造の住宅建築」についてレクチャーを行った。その頃は、まだ公共建築の仕事はなく、プライベートなクライアントの仕事をしていた。小住宅の内部を法的に可能な大きなヴォイドとして立ち上げるためにスチール造と木造を複合させたり、〈徳丸小児科〉のようにクリニック部分をRCとし、上部の住宅部分は断熱材を十分に導入したスチール造として構造の複合化などの提案を行っていた。スチールという素材の特性をぎりぎりまで追求した美しさ、その緊張が生み出す直截な美しさについて話した。

他の参加者は、可能性を巨大化のなかに求めて発表を行っていたことが目立っていた。超高層ビル、最長を目指した橋梁や直径が数百メートルの球儀のスポーツセンターで内部にスパイラルランニングコースをもつものなどが発表されていた。アアルト建築とその周辺にあるものしか紹介されていないフィンランドにあって、地元の建築家たちからは、私の知らない建築が次々に発表された。それらは私の目指すものに近く、スチールが繊細、かつシステマティックに構成された大小の規模の建築だった。

その夜、ヘルシンキ工科大学での私の歓迎ディナーパーティで地元の建築に感激したことを話すと、次の日には、建築家たちがいくつもの仕事を案内してくれた。そのスチール建築の美しさに感激したものだった。若い人のガレージや倉庫のような小作品の機能性の良さは感動ものだった。とくに酪農の生協のスチール建築は活力に満ちた美しいものであった。加工工場やオフィス、そしてレクリエーション用のスポーツセンターなどの機能をもつ大建築で、スチール造のその透明性や開放性に新しさを感じたことを思い出す。

その日の経験から、スチール建築に魅かれ続けてきた。鉄は、注射針やホッチキスから橋や船まで日常の風景をつくり上げており、地球のあらゆるところに古くから存在していた素材である。そして、各地に独自の技術と芸術の歴史をつくり上げてきただけでなく、自然界から得て自然界に戻せるものであって、溶解してリサイクルも可能であると考えると、改めて、その優れた特性を長く継続している素材であると考えさせられる。

ヨーロッパにレクチャー旅行に行くたびにスチール建築を見歩くことにしたのは、このヘルシンキでのレクチャーがきっかけだった。ロンドンのキューガーデンの〈パームハウス〉（デニマス・バートン、一八四八）や〈パディントン駅〉（イザムバード・キングダム・ブルネル、一八五四）を代表とする駅舎建築、ミラノの〈ヴィットーリオ・エマヌエーレ二世のガレリア〉（ジュゼッペ・メンゴーニ、一八七七）を代表とする各地にあるパサージュを見て回ったり、スチールの組み立てを見ようとエッフェル塔を改めて訪れたり、ニューヨークのブルックリン橋（ジョン・ローブリング、一八八三）を歩いてみたりと、スチール造を意識して旅行をしてきた。

そのなかでも、ロサンゼルスで〈イームズ邸〉（一九四九）をイームズ夫人に見せて頂いた日は感激した。非常にコンパクトで、住宅建築とは人が生きる装置だとばかりのスケール

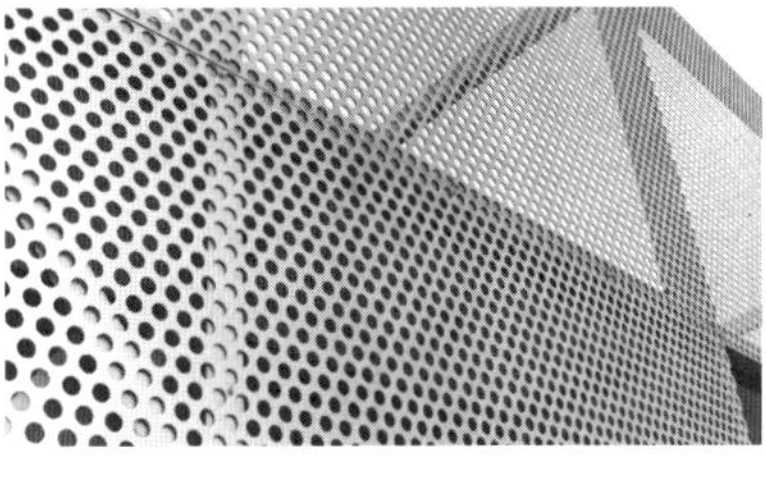

〈桑原の住宅〉

の住宅だった。間口一奥行二のプロポーションの矩形プラン二層分のヴォリュームをスレンダーな鉄素材とブレースで組み立て、屋根をラチス梁とデッキプレートでかためた合理的なものだった。

そのスケール感をはじめ、インテリアにイサム・ノグチの提灯や和風の置物があり、日本の風土のなかにあっても可能な空間性に引きつけられた。住まい方まで含めてチャーミングな建築で、学生のときに訪れた〈スカイハウス〉以来、引きつけられ離れがたさを味わったことを思い出す。

ピエール・シャロウ財団の方の案内で〈ダルザス邸〉(一九二八—三二)を見学したことがある。そのガラスの家は、ヨーロッパに生まれた鉄の職人芸の集大成としてのモダニズム建築といえるもので、マッキントッシュの〈グラスゴー美術学校〉(一八九九)やスカルパの作品の中にある、鉄の平鋼をまるで織物を編んだかのように柔らかく見せた門扉のデザインなどに通ずるブリコラージュの仕事と、シャロウのモダニズム感覚が合体したものとしてスチール建築の良き時代のディテールの集合体を見せてくれるものであった。

十九世紀産業革命の技術革新で誕生したといわれる圧延鋼や精練技術の発展でできた強靭なスチールなど時代の産物としてつくられたスチール建築は、新しい素材ゆえに追求されたディテールの極致ともとらえられる仕事のうまさが、私が建築に求めるポエティックマシーンともいえるものを生み出していて、いま訪れる私たちにも、その時代感覚を味わわせてくれた。

スチール造の魅力とその可能性

スチール造の建築特徴を考えてみると、フレーム構成であり、軸力系では垂直と水平材の差のない重力場に対する解放感がある。木造フレーム構成を主流とする日本より、石造やれんが造が主流のヨーロッパ都市で、その開放性に新しい建築空間のあり方が求められ、パリの〈ポンピドー・センター〉（一九七七）をはじめ、素晴らしい建築が伝統的な都市のなかに出現してきた。

私たちの設計した〈Fコンピューターセンター〉やジャン・ヌーベルのパリの〈カルティエ現代美術財団〉（一九九四）のビルは、存在を希薄にするほどスケルトンの量を最小限にして構造と仕舞の消去をすすめ、周辺の緑の空間のなかに透明なる非物質性を表現した建築を求めた。とくに耐震壁や剛性床のブレースによる置き換えは、透明性に関わる。オフィスビルの構造と外壁材やサッシュなどは時代性を反映しているが、そこでは、スチール造は開放性という空間性だけでなく、工場生産性も高めるということで社会状況と関わってきた。

また、フォスターの〈スタンステッド空港〉（一九九一）や〈京都駅〉（原広司、一九九七）などのように交通の大拠点づくりが進み、ドーム建築のように軸力系で重量感のない構造体による大空間が世界中につくられてきた。とくにセンサーと機械技術の導入による開閉可能なドームや競技場など、さまざまなプログラムと一体化した大空間構造システムとソフトとしての建築、つまり活動の装置のようなものが新しい建築としていま、次々につくられようとしている。

こうした大建築に限らず、形態の複合化、ＲＣ造や木造との混合構造などの複雑さに対して、構造解析やＣＡＤなど設計から製作までコンピュータによる一貫した対応が確立されつつある。かつての〈グランパレ鉄骨ドーム〉[1]のような軽やかさや、新しいピンやボルトのジョイントが力学的意味を明示するハイテクな表現をつくり出している。逆に、私

▼1…パリ万国博覧会（一九〇〇）のメイン会場として建設された。鉄骨の大屋根は全長二四〇メートル、高さは四三メートルに及ぶ

〈Fコンピューターセンター〉

たちの設計した〈山梨フルーツミュージアム〉のスチールのジョイントに見られるように、溶接技術の発展でジョイントの消去といってもよいディテールづくりも可能である。

施工にあっては、分業化による個別性能の向上とプレファブリケーションの発達をもたらした。大建築の機能別階層構造のオーバーレイの手法は、情報社会がつくり出した離散的情報空間の美学ともいえるものにつながっている。そこでは、設計過程、建設過程とも情報を伴う作業と酷似して、その目的が生産性にあるにしても芸術性にあるとしても、自ら離散的な作業者としての意識を刺激するメカニズムに取り込まれていく。

このようにスチール造にあっては、フォルムは常に建築のソフトプログラムとハードの構造によって建築を建てていく過程との結果としてあり、インテリアレベルの問題だけではなく、施工する技術をもってモダニズム以降の都市風景をあらゆる意味でリードしてきたといえる。モダニズム初期のスチールそのものへのフェティッシュな感覚から、抽象化、情報化、離散化への開かれた感覚へと向かってきたといえるのではないだろうか。

今後のスチール建築の可能性をどう展開していくべきか、再び古典的な感性を取り込み直して緊張した美しさづくりを試みるのか、それとも、極めて現代的な光景のなかで模索するのかは問うまでもない。私はいつも、建築は常に現在のスピリットを揺り動かすほどに立ち上げていくことでこそ、過去も未来もインクルードしていることにつながるのだ、と考えて仕事を進めている。

住宅建築

私たちは二十一世紀を迎えてスチールの可能性に大きな期待を寄せている。鉄は固有のイメージである重さや堅さ、力強さを表現するものとして使用されることを超えて、ス

〈山梨フルーツミュージアム〉

チールの細く軽快なるものの集合がつくり出す新しい可能性、フレキシビリティとフリーダムのイメージを追求し、新しい建築を生み出すためのマテリアルとして使われ始めている。

私は小住宅を設計していた二十五年程前、ステンレスや銅のメッシュやひもなどでパーティションや家具から小物までつくって楽しんでいた頃があった。ステンレスや銅メッシュの鞄や服を手づくりして周囲の人をびっくりさせていたが、今日この頃は、ステンレスの結いひもでできたゴージャスなオペラの舞台衣装が評判を呼んだということを聞いた。防御のための甲冑ではなく、美しい優雅なクロスに化けるほどに技術性と芸術性を備えた素材となりつつある時代を迎えている。

七〇年代、八〇年代と住宅設計に取り組んでいた頃は、いつも素材を探し求めていた。新素材ではなくナチュラルなもの、伝統的なものの新しい使用を考えていた。藁の板づくり、竹の構造体、土壁のいろいろな仕上げ、布のパーティション、草類の織物、アルミのパーティションなど、たっぷりあった時間を素材探しに費やしてきた。したがって、初期の小住宅の設計には、そうした素材が内部の装置づくりに導入されてきた。

小住宅の設計は、狭い敷地の法的制約がつくる最大ヴォリュームのヴォイドを立ち上げるという手法をとっていた。そのヴォイドのなかに家族の領域、パブリックな応接の領域、個人の領域など内部をフレキシブルに使用するため軽く仕切る素材が必要だった。それは、日本の社会の激しい変化に対峙してあるライフスタイルの変化を取り込んで成立する住宅空間づくりであった。

ヨットのセールにチックをつけて長い曲線の壁をつくったり、アルミの有孔板で屏風形式のパーティションや簾戸のようなものもつくってきた。アルミパンチングメタルのよう

〈焼津の文房具屋〉
ヨットの帆でつくった長い曲線の壁

な有孔板の素材のグレーチングやエクスパンドメタル等々、とくにシースルーな素材を選んで、伝統的な格子や葦簀のように光をコントロールしながら時間の変化を演出するものとして導入してきた。木洩れ日のような光のつぶつぶを、その光が刻々と変化していく様相をつくるのと同時に、時間の変化を刻むものとして導入してきた。この光の変化をつくり出すマテリアルの魅力に取りつかれて、建築全体を、この素材で表皮のようにパッケージして刻々の変化の内にある建築をつくること、光と風の動きのなかにある建築というイメージの追求をメインテーマと考えてきた。

当初パンチングメタルの開穴については、三十種類位の穴の大きさ、開口の角度、そして開口率の異なるものを用意し、自分のアトリエの階段の手摺りにとりつけて、変化を調査するため写真で記録し、私の求めるイメージに見合うものを数点残してきた。溶融亜鉛メッキしたスチールフレームにアルミサッシュのビス止めにするディテールで使ってきた。型状のパネルにしないで、面で使用してきたのはリサイクルをめざしてであった。この素材の代替えが見出せないまま使い続けてきた。

私たちの住宅建築の代表作といえる松山の〈桑原の住宅〉にあって、このパンチングメタルのパッケージは非常に効果的であった。構造は道路に面した妻方向の二枚をＲＣ構造とし、桁方向をスチールフレームとする混成構造である。その頃つくり続けていた住宅建築はフレーム構造で、広い開口部をもつ快適性と断熱材を十分に充填して省エネをテーマにした緊張空間を立ち上げたいと考え、二十戸近くの住宅の設計を続けた。どうしても内外打放しのコンクリートボックスでなければならないとクライアントが主張した〈緑ヶ丘の住宅〉以外は、フレーム構造を選んできた。初期の小住宅は木造であったが、次第に大きなヴォイドを立ち上げるため、スチールフレームの構造へと向かった。大きな開口部に

〈桑原の住宅〉
テラスは植物で覆われている

対してプライバシーの確保と省エネのために、半透明のメタル面で外部全体をパッケージした建築づくりに向かってきた。

〈桑原の住宅〉は、この二十年の間にクライアントによってイングリッシュガーデンが前庭につくられ、内部にも緑の演出がうまく施されるなど、竣工時に持っていたドライさと未完さが美しく成長している様子をこの頃拝見した。プライバシーを確保するためにあったパンチングメタルの面は、庭の花々のカラフルな色を吸収して華やいでいた。先日二十年ぶりにインタビューに伺った際、大きなヴォイド空間と大きな開放部によって、いつも室内の空気が気持ち良く快適で、植物もよく育つとクライアントは話されていた。スチールフレームで内部に大きなヴォイドをつくるという手法を使ってきた〈徳丸小児科〉〈AONOビル〉をはじめ、多くのクライアントから室内空気の快適な家として評価されてきた。

〈山梨フルーツミュージアム〉

〈山梨フルーツミュージアム〉の敷地は山梨のぶどう畑の丘陵のなかにある。種を増やしていくフルーツの生命力の多様な存在様式を表現する一群としてとらえ、斜面に飛び降りたフルーツの種子の自由さと生命力をイメージして形態を決定していった。アトリウムでありインドアガーデンでもある「くだもの広場」は、天井全体に可動ルーバーが配備されたガラスドームで、種が成長した大きな木のイメージである。「トロピカル温室」は種子のイメージで、地下に埋め込まれた「フルーツミュージアム」はフルーツの遺伝子の世界であり、「ワークショップ」は種を増やしていく生命力に秘められた異形のシンボル性を与えて、この全体を物語的要素で構成することを試みた。連立するシェルター群は、それ

〈山梨フルーツミュージアム〉
トロピカル温室内部

ぞれ異なる規模と素材を持ち、大地との接し方は、親密にあるいは反発するように違いを表現に与えた。
「くだもの広場」は、大地に降り立った緩いカーブの円盤状のガラスシェルターで、高さ一一メートル、直径五五メートルのスチールドームである。H形鋼で大きな幹と枝のような形状を放射状に構成し、そのうえに同心円上の鋼管が配されている。「トロピカル温室」は楕円の組み合わせでできている高さ二〇メートル、スパン三〇メートルの変形鉄骨ドームで、ガラスで覆われている。約二〇〇ミリメートル径鋼管で構成された単層格子構造で、そのジョイントは溶接接合である。三次元モデルの解析を行い、ブレース材なしで十分な剛性があることが証明され、シンプルな竹かごを思わせるものになっている。
「ワークショップ」のドームは、変形楕円体のパーゴラのなかにシースルーのラーメン構造の矩形ビルディングが入る建築となっている。最上階にドームいっぱいのテラスが広がっている。二〇〇ミリメートル径の鋼管ドームの形状を構成し、下半球は斜材で剛性を補強している。三つの形態作図はコンピュータの三次元データでスタディを進め、施工性を考慮しながら、シンプルな定義によってつくることができる回転体をそれぞれ決定した。三次元データから二次元に変換して図面の作成は進み、コンピュータで複数の思考を重層させて作業をしていった。

〈滋賀県立大学体育館〉

大きく風をはらんだ帆のような形態は、大学のどこからも見渡せる位置にある。南北面はオープンなガラス張りで開放的なものだが、夕方からは大きな照明器具としてシンボルとなって輝く。屋根は薄く軽快なシェルターで、樹木状に屋根を支える柱と束材が並び、

〈滋賀県立大学体育館〉

その樹木状の構造が連続して、時にはガラス面に映り、林のように連立する風景を見せてくれる。透明なガラスのなかの林が快適さのシンボルとなって、いつも活気に満ちている。

〈国立国会図書館関西館コンペ案〉

地下に最新の搬送システムによる書庫を埋め込み、地上は内外部を帯状に繰り返しながら一体化した低層空間として、閲覧室などを収めた。帯状の外部空間には耐震要素である樹形構造柱を導入し、連続する自然の樹木と構造の樹木の繰り返しにより敷地全体に木漏れ日のやわらかな光の流れる林のシーンをつくろうと考えた。マルチメディア化する二十一世紀の情報空間に望まれるのは、ともすればバーチャルな世界に埋没しかねない私たちに、世界につながるのは感覚によってであることをいつも思い起させてくれる、リアルで自然なものではないかと考えたからである。

〈新潟市民芸術文化会館〉

地上五階建で平面形は長径七七・五メートル、短径四一・五メートルの楕円と長径五〇・五メートル、短径四一・五メートルの楕円を、それぞれ短径の中央で合わせたものを基本とし、複数の円弧で近似した卵形である。直径五〇・五メートルの北側に演劇ホール、能楽堂と多数のリハーサル室を設け、吹抜けの多い空間となっている。直径七七・五メートルの南側にアリーナコンサートホールが入り、それらの周りにホワイエがあり、屋根まで吹抜け空間となっている。

演劇ホール、音楽ホールの周りの柱は、軽量化のためS造とした梁と壁の取り合いを考慮したSRC造である。ホールはコア壁を支点とし、トラスを連続梁として延長し、外周

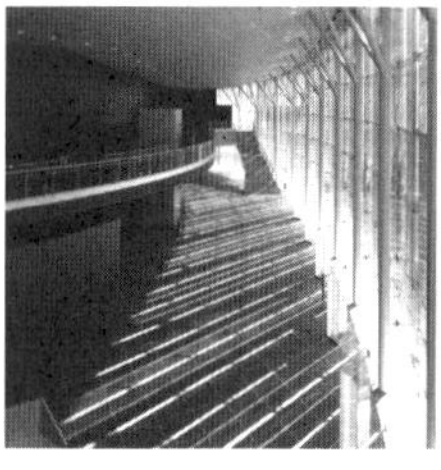

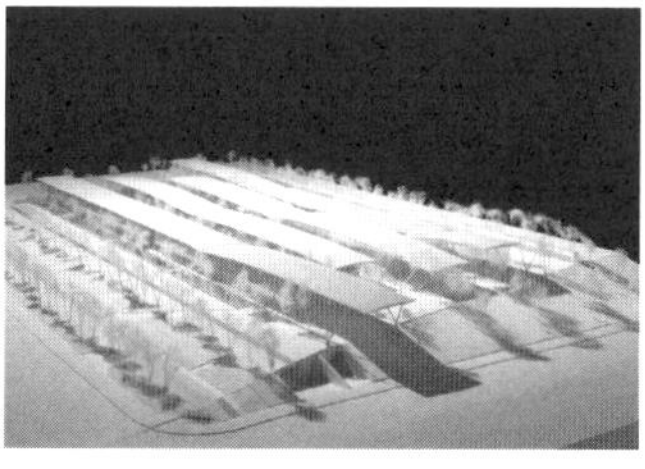

左：〈新潟市民芸術文化会館〉樹形構造の柱が並ぶロビー　右：〈国立国会図書館関西館〉コンペ案

リビング梁にピン接合することで外周部の支柱に及ぼす屋根荷重の影響を極力小さくしている。このようにして長期荷重から解放された外周柱は方杖を伴い、よりスレンダーにFR鋼として露出され、構造のキーワード「樹形構造」を表現している。「樹形構造」は駐車場の屋根面を構成する空中浮島、そして浮島間を結ぶ空中ブリッジの構造にも展開され、自然の樹木に連続していく。

このプロジェクトは、建物と一五ヘクタールの白山公園の外構工事という公開コンペ(一九九三年)で最優秀賞に選ばれてスタートした。この敷地全体を都市のなかの林とし、林のなかにかつて前面の信濃川に浮遊していた浮島を七つも浮かせ、浮島のように水とともにあった新潟の都市のアルケオロジーをテーマにしている。

第六章

「素材・ガランドウ・形式性」

第六章のために二編の鼎談と一編の往復書簡を選んだ。倉俣史朗との素材をめぐる対談、ガランドウをめぐる西沢立衛、藤本壮介との鼎談、そして西沢立衛との誌上往復書簡である。それぞれの年代や主題はまちまちであるが、長谷川が作家として信頼をおく人びととの対話のなかから、長谷川の作家としての姿勢や思考が明瞭に現れたテキストを選んだ。

「マテリアルについて」（一九八七年）は、植田実が司会をした、倉俣史朗と長谷川の対談である。長谷川がはじめて倉俣と会ったのは高校時代で、静岡で開かれたアンデパンダン展だったという（第四部参照）。その後、篠原研究室時代に再会し、〈粉と卵〉（一九七〇年代初頭、未発表）という渋谷区内の店舗設計で、店内の什器を倉俣に依頼している。〈徳丸小児科〉の半屋外のギャラリーの床は倉俣のスターピースを使用していた。〈徳丸小児科〉の円弧の重なるファサードを描いた高松次郎とは、倉俣を通じて知り合ったということである。〈湘南台〉でもスターピースを使用している。長谷川と倉俣の二人で、これから開発したい素材の長いリストをつくったこともあるというが、残念ながら失われてしまったようである。

「ガランドウとはらっぱをめぐって」（二〇〇三年）は、『ガランドウと原っぱのディテール』のために二〇〇三年二月二十八日、長谷川事務所で開催された鼎談である。この鼎談は、ギャラリー・間の百回記念展覧会にともなって、二〇〇二年九月二十八日に開催された「この先の建築」のシンポジウムでのガランドウをめぐる議論を引き継いでいる。このシンポジウムの内容は『この先の建築　Architecture of tomorrow』（TOTO出版、二〇〇三年七月）「4　篠原一男、長谷川逸子、隈研吾、西沢立衛、藤本壮介」で読むことができる。

また、西沢立衛との「往復書簡　形式と第2の自然」（二〇一五年から一六年）は「LIXIL eye」の「新・建築家の往復書簡シリーズ7-12」として、二〇一五年から二〇一六年にかけて掲載された誌上対談である。西沢と長谷川が書簡形式で、お互いの作品や建築の機能と形式性、コンセプト、旅行など多岐にわたるテーマで言葉を交わしている。十年の歳月を超えて、ガランドウと建築の形式性をめぐる思考が具体的な作品を介して語られている。多木浩二の他界（二〇一一年）によって中断された、建築の形式とプログラムをめぐる多木・長谷川の一九八五年から約三十年間続いたダイアローグの変奏としても読めるのではないだろうか。

・・・座談会

マテリアルについて

倉俣史朗×植田実×長谷川逸子

原題「マテリアルについて考えること」「AXIS」一九八七年四月号

最近作と材料

植田実 倉俣さんの最近のお仕事にはどんなものがありますか。

倉俣史朗 そうですね。イッセイ〔・ミヤケ〕さんの渋谷西武のお店と、何点かのエキスパンドメタルを使った家具製作をしました。

植田 デザインの発想は新しい材料との出会いから始まるのか、それともイメージから材料を探し出すのか……。

倉俣 両方ありますが、イメージが先にあり、造ってみたいという思い込みの強い方が結果としていいものができますね。人に見せたいとか商品化したいなどということは関係なく、自分が見たいと思うことが先にありますし……。イメージが先にあると道端に落ちているものでも目に止まりますし、ものが見えてくるというか、向こうからやって来るという感じです。造ってみたいという気持ちがあれば、たいがいのものはできるのではないかと思います。でも逆に気持ちがないと逃げていってしまうし、ほんの三ミリメートルぐらいの差ではないかと思います。イメージの素材を探す時でも、中島敦的に言えば「探偵の目ではなく詩人の心で探せばいい」[1]のではないかと……。実際は難しいですが……。

植田 ご自身が材料開発に関われるときは、工場に出向いていろいろ指示されることもあるわけですか。

▼1…『南島譚』(一九四二年)中の「悟浄歎異」より

倉俣 そうですね。指示というより教えられることも多いですし、造る過程での発見もあります。

植田 つくり手が材料を既製概念でとらえている限りは、そのイメージを超えられない場合などありませんか。

倉俣 初めてのことにおいては、こちらが何をしたいのかをうまく伝達するのがコツです。でも数年前に色ガラス入りのテラゾーを造ったときは、最後に職人さんが「スターピース」と名付けてくれました。

長谷川 実は設計中の〈湘南台文化センター〉の外壁の断層仕上げについて、左官屋さんやコンクリートの施工に詳しい職人さんに私のイメージを伝えたのですが、なかなかイメージが伝わらないので、南伊豆から西伊豆に自然のままの断層を皆で見学して意志の疎通を計ったのです。千畳敷あたりの海岸を歩いていると、大きな山と同じ材質でできているミニチュアの石ころが足下に無造作にころがっていました。なかには錆や鉄分や砂利だけでなくガラスを含んでいるものもありました。この自然さを床に生かそうと思って帰ると、倉俣さんがすでにスターピースをつくっておられることを知ったわけです。私はローコスト建築ばかりしていたので、倉俣さんのようにオリジナルの材料をつくることは不可能でした。倉俣さんと久しぶりにお会いして、私がイメージしたものに近い多くの材料をすでに開発されていることには驚きました。私も建築で既製の建築材料でないものを見つけて使ったり、建築材料でも決められた方法以外を模索したりしましたが、材料の開発まではなかなか……。

植田 建築家も材料からイメージを触発される部分があるでしょうね。

長谷川 私の場合はやはりデザインイメージが先行します。インテリアデザイナーはいつも

〈徳丸小児科〉
床スターピースを用いたギャラリー

新しい材料に意欲的で、最先端を走っていらっしゃる。ですから新材料はインテリアデザインで充分実験された後にようやく建築家の手元に入ってくるのが常です。驚き、思いがけなく感じたのは、私が風景や自然の姿から連想した材料が倉俣さんがすでに開発されていた材料と多分にオーバーラップしていたということです。建築の材料は安全性とか法規的な条件のために偏っていますが、私は材料収集には可能なかぎり挑戦していきたいという姿勢でいます。

植田 倉俣さんが開発されてきた材料はインテリア中心のものが多いわけですね。それらをインテリア的なスケールから住宅建築、さらにはより大規模な建築へ拡げていく場合、どの程度まで適応できるのでしょうか。

長谷川 建築材料としては使用可能ギリギリのものが多いと思います。建築はすごく保守的で、例えば〈湘南台〉のある空間でも、天井を倉俣さんのスターピースをスライスして取り付けようと計画していますが、建築で採用するときはディテールを考えなくてはなりません。倉俣さんのようにスライス状のスターピースをアクリル板に貼りつけるシンプルな納まりにしたいのですが、落下する危険性があるので、たとえば星型の金物などを造ってそれぞれのジョイント部分を再度押さえ込むような工夫が必要です。建築には現場で組み立てて初めて完成した材料となるものがあります。たとえば石積みとか壁塗りなどで、この良し悪しは現場の職人さんの技術と感性にたよるしかないのです。倉俣さんが工場で苦労することを建築家は現場でこなしていかなければならないのです。しっくいのように現場での手づくりの仕事の場合はもちろん、既製材料を現場で組み立てたりするときも、最終的には施工職人さんのセンスが影響してしまうのです。

〈湘南台文化センター〉スターピース

材料開発の現場

植田 建築の場合、現場の技術力が重要なわけですね。

長谷川 均質につくるという技術はすごく優れてきていますね。でも別の表現ができなくなってきています。均質ではない別の表現がずいぶん消えているのです。

植田 でも実際問題としてどこまで自然の法則に委ねるかという点は非常に難しいですね。

長谷川 ええ。自然さアットランダムさは腕の良さだけでは表現できません。また施工会社がその都度違うので仕方ないですが、私がよく使うビス止め、アルミパンチングメタルなどは単純な仕事ですが、仕上がりがそれぞれ違ってきます。

倉俣 その点、僕は造る職方の人たちにも恵まれていますし、一度コミュニケーションが成立した職人さんは、逆にこちらを触発してくれたりして、助けられることも多いです。

植田 材料といっても仕上材、構造材、コンポーネントの構成材といろいろですが。

倉俣 僕の場合は仕上材がほとんどです。

植田 それ自体でコンポーネントを構成し機能をもつ材料の場合は、耐久性や強度なども十分検討するのですか。

倉俣 自分たちでもできる実験は色々やって、ある程度裏づけといいますか、可能性を見込んでから業者にバトンタッチしたりと、色々なケースがあります。

植田 長谷川さんが〈菅井内科〉で使われた七色タイルは、ご自身で開発されたのですか。

長谷川 既製品です。オリジナルにしたいのですが予算的に無理で、既製品をいかに工夫して使うか考えました。当初、自然環境と一体化するよう二色の迷彩色を配慮していましたが、陰気になるので、既製タイルのカタログに載っているものを全色使うことにしました。あれは五〇センチ角のタイルをアットランダムに感じさせたくて、パソコンでシミュレー

〈菅井内科〉
既製の50角タイル全色で外観をつくる

ションを繰り返してできた配置なんです。三〇〇シートの三十六枚の一枚一枚にも、タイルは焼き物だから釉薬や焼き方によって違いが出ると思い、その変化を期待していたのですが、でき上がるとプラスチックみたいに均質なんです。高生産化のおかげでその分アットランダムさがなくなったのです。カタログとの違いを追求したところ、メーカー側は均質に製造することへの努力と、高級品になったことを力説しました。私は材料には二種類必要だと考えます。すなわち均質なものと手づくり感覚のものの二つです。建築はローコスト化のために既製品を利用することが多くなりますが、それらは皆高精度で均質で、逆に均質さをなくそうとすると他の方法で再加工する必要があり、非常に手間のかかる時代になってきました。私のようにいろいろな材料を使う建築家には、使いづらい材料が多くなってきました。もちろん建築用でない材料もいろいろ工夫をして使ってきましたが、当然限界はありますし……。〈湘南台〉では倉俣さんの人研ブロックなどを、幅広く取り入れていくつもりです。そしていろいろな材料をミックスしてまとめたいと考えています。このプロジェクトは私としても初めての大型施設ですから、なかの展示品や備品まで担当していますが、具体的に内部もいろいろな方に参画してもらうつもりです。それは私のセンスだけを押し込める建物ではなく、多くの人のセンスでまとめ上げたいからで、材料についても同様です。これは、公共建築はさまざまな人びとが開放的に集える空間であることが大切だと思うからです。材料に関しても、倉俣さんの素敵な床材や山田脩二[2]さんの瓦材、むろん私が試みてきた金属素材なども効果的に活用するつもりです。それに伊豆でヒントを得た砂利や土などの壁や床も加えましたが、まだ探している最中です。

植田 倉俣さんは開発した材料をあるひとつのテーマ、あるいはひとつの作品に封じ込めていくといった強い印象を受けますが。

▼2…（一九三九―）山田脩二・あわじかわら房主宰。「カワラマン（カメラマン＋瓦師）」と自らを呼び、湘南台文化センターで吉田五十八特別賞受賞

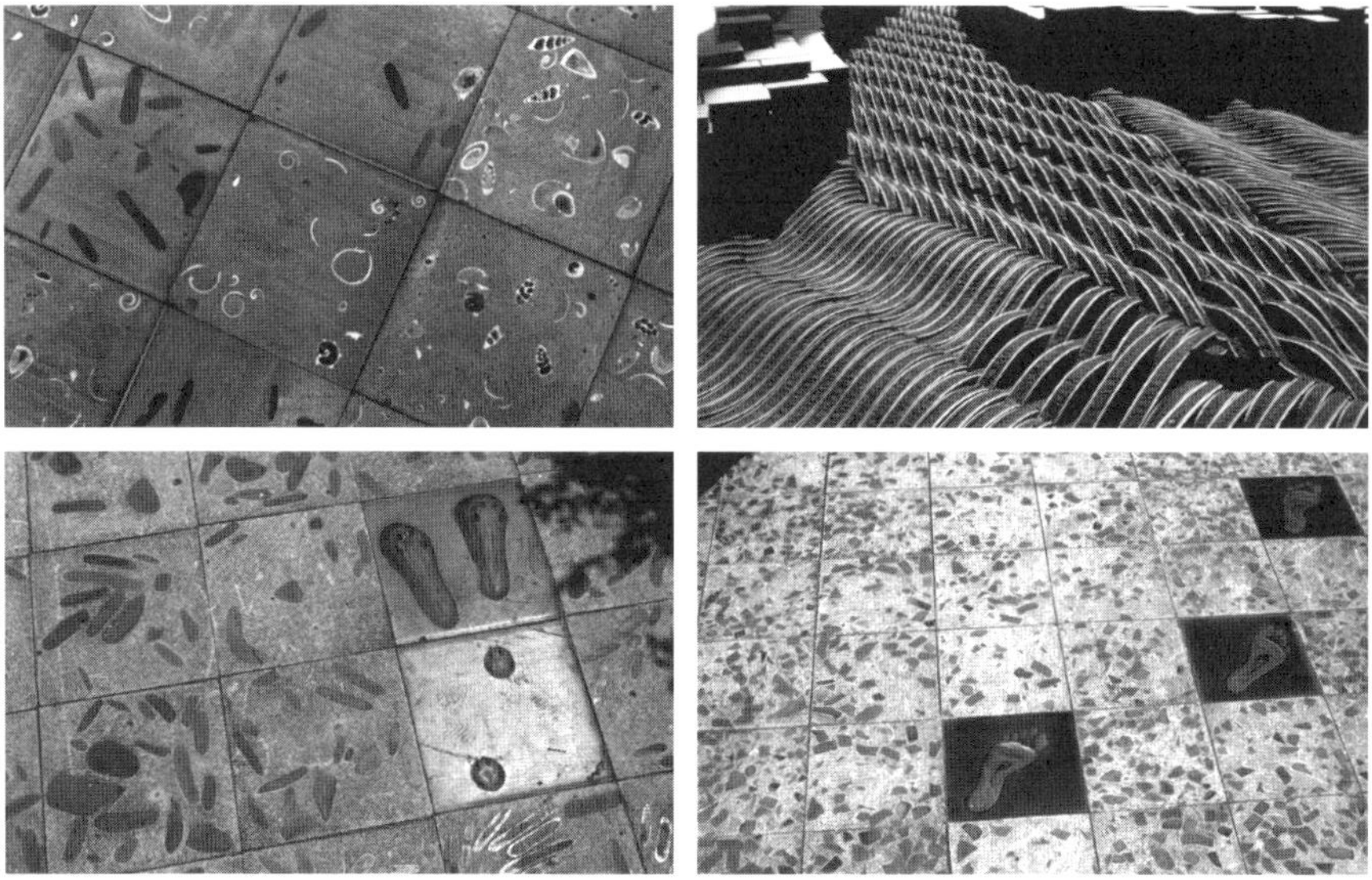

〈湘南台文化センター〉外部床の仕上げのいろいろ

倉俣 ある期間集中的に使って、すぐ次になにか新しいことをしたいと思うから、そう見えるのかもしれません。

長谷川 私は倉俣さんはアーティストあるいはデザイナーであると思っていましたが、久し振りにお会いして、多方面から材料をつくっておられることを知り、感動と共感をおぼえました。以前アメリカですごい塗装を見たのです。それはプラスチックの椅子に塗装されていて、まるで金属であるかのような質感や重量感を感じさせる。こうした複合材料をも倉俣さんはすでに実験されていたのです。何度もいいますが倉俣さんとは、仕事には距離があると感じていますが、何か共通する素材感を追求しているような気が、いましています。

植田 倉俣さんの場合、限りなく一点に集中するように材料をつきつめていくほど、それだけ逆に豊穣化しているような気がします。この辺の矛盾が非常に魅力で、石材ならばさまざまな色に輝くパワーリングのようなものがある。それらの材料はにぎやかな派手さはないけれど、すごく奥深い豊かさを感じさせてくれます。それらを、建築家である長谷川さんが〈湘南台〉のプロジェクトでいかに活用されていくのか、興味深いところです。

倉俣 発想としては身近なものが多かったり……。マニキュアをたくさん買って色出しをしてから、それをサンプルに塗料を造ってもらったりといろいろです。

植田 身近なものを拡大する発想はアーティストに近い、奥深い豊かさの原点はそこにあるように思われます。

材料の変化

植田 たとえばブティックなどの場合、デザインを徹底しても商品が入ってくることを考えないわけにはいかないと思うのですが、当初から商品展示も想定して、材料の選定をするのでしょう?

倉俣 壁を一生懸命つくっても、洋服でうまってしまっては意味がないですからね。

長谷川 商業空間は、商品自体も材料ですものね。

倉俣 最近の流行は鉄板、銅板、アルミ板やそれらのパッチワーク的な使い方が多いように思うんですが、錆や変色のようなもので時間の流れが読み取れるというか感じ取れるというか、その時間を見ることで安心感が得られるのではないかと……。不安な時代の裏返しのような気もします。僕はどうも錆などで故意に変色させるようなことやその行為を意識的に見せようとする表現はあまり好みではありません。もちろんすべて行為の延長線上にあるのですが、むしろ行為が見えない硝子とかプラスチック、ラミネートといった人工的な素材の方が好きです。表層的な時代かもしれませんが、素材と時代性というのは関係が深いのではないかと思います。

植田 未来を描くイメージも、たとえば映画の「2001年宇宙の旅」と「ブレードランナー」とではすごい差です。素材感に限っていえば、前者は一瞬の幻想を透明で浮遊するような材料で表現していたのに対し、後者は連鎖する現実をハイブリッドで不透明な材料で構成していました。

倉俣 僕はタルコフスキーの「惑星ソラリス」に出てくる紙くずだらけで汚れた宇宙船がとても好きでした。

植田 宇宙船のイメージも変化して、非常にクリーンなものから原始的な要素を感じさせる造形になっています。

長谷川 廃墟というイメージもあります。

植田 様式的には時代をさかのぼることもあり得ますね。つまり技術が進歩してくれれば、斜めに倒れそうなビル建築も可能になります。けれども、室内はそれに反して古代エジプト風であったり、ギリシャ的であったりしている。ただ共通することはそれらが未来的な材料でできているということです。

倉俣 色々な素材や要素が混在したほうが面白いと思う。

長谷川 一面だけを強調されると、内容が非常に軟弱にみえますが、ミックスされているとヒューマンな感じがします。

今日日本は経済大国になると同時に、構造材や軽量外壁材の開発は世界の最先端にあります。建築も十年で壊しては先に進めます。そのコンクリートは再生不可能な材料として埋め立てなどに使い、地球を不毛化させます。過去の木造、瓦、土の建築は壊しても再利用でき、新しい建築に繰り返し使われて時間の層を重ねることができました。時代の流れが早いためにものが大量に消費され、ゴミが放出される。そしてその再利用が大きな課題になるわけです。日本では粗大ゴミというと皆溶かしてまったく新しい材料を再生するのが普通です。しかし新旧の材料をひとつの造形にまとめ上げていく利用法もあるわけです。建築は綺麗で新しいもの志向が強く、素朴な材料は日本の気候や風土に合うにもかかわらず捨てられてしまいます。もう少し感性の豊かな人が建材開発に参加するようになれば、この問題もよい方向に行くだろうと期待していますが、建築界はどうも日本の社会状況を甘受しすぎているようです。

植田 現代建築は構造材とコンポーネントを明快に構成することを目的としていましたから、いまから古き良きものを復元しようとしても、新生で均質な製品づくりをめざす企業姿勢はとことんまで貫かれるでしょう。でも一方で昔ながらの職人芸が消失することは確実です。僕の身近では印刷の世界でも「寄らば大樹の陰」で、小さな活版屋も大印刷会社へ右へならえです。こんな調子ですから、小企業や材料提供者はいなくなってしまいます。これは現代建築の宿命で、いくらポストモダンと唱えても身動きできないのが現状です。

長谷川 新旧の材料をいろいろ用いたいのですが、予算的なこと、つくり手のこと、高精度追求などから、実現できないことだらけです。加えて私のイメージする材料が不足しています。なぜこんなに妥協して物づくりをしなければならないのか、苛立ちは大変なものです。建築の材料ぐらい不自由で制約の多いものはないですね。

倉俣 そのうち均一化した材料をアットランダムに加工する専門の企業が出現するかもしれませんね。

植田 技術大国とはいえ、材料については日本は決して先進国とはいえません。

倉俣 実際に現場からテラゾーの職人さんなどはどんどん減っています。でもアメリカでは現場テラゾーのいい仕事をよく見かけます。〈ウォーカーアートミュージアム〉〔Walker Art Center、一九二七年開館〕の階段の踏面の両方の隅は三次曲線で磨いてありました。結局スピードが違う場での技術を消していってしまうと思うんですが、設計者にもその責任の一部はあるのではないかと思います。

長谷川 確かに昔ながらの技術は外国の方が残っていますよね。

植田 プラスチックみたいな新しい材料を上手に使いこなす術には長けている。

長谷川 ヨーロッパやアメリカは、新、旧を残しながら前進するのです。

植田 建築にしても、ルーブルのなかにガラスピラミッドを置く〔〈ルーブル・ピラミッド〉イオ・ミン・ペイ、一九八九〕ような大胆な決断を下す一方で、古い建築を何十年もかけて修復し、復元しています。

長谷川　ＡＡ［Architectural Association school of Architecture］のナイジェル・コーツは、わざわざロンドンからペンキ職人を連れてきて、タバコの煙が染み付いたような塗装をさせたと聞きました。

倉俣　イタリアなどはフェイクのマーブルを描く技術も未だに残っていますし。欧米では中世と現代が同時に生きているのですね。

長谷川　日本もピカピカの透明建築に飽きたら、そういう部分が求められるようになるでしょうね。住宅空間もすべてが白壁やコンクリート壁になって、子どもたちがいたずらすらできなくなっています。以前は障子に穴を開けたり土壁を壊したりしていたけれど、このような欲求を抑圧された子どもたちが大人になったら、従来にない新しい材料を考えだしてくれるかもしれません。

植田　国際化が進んでどんな材料でも比較的簡単に入手できるようになったけれど、歴史や生活習慣の差で、同じ材料を使ってもお国柄が現れますね。倉俣さんは未来のインテリア材料についてどうお考えですか。

倉俣　特に未来志向はないです。プロジェクトごとにイメージがあり、それをどうやって具現化するかということの連続です。

植田　シンガポールのエスプリでアルミパネルを切り込んで、なかに色面を入れたものがありましたね。

倉俣　すごく大きなファーサードでしたが、シンガポールは法的規制が厳しく、ネオン管を使えなかったので、アルミを切り込んでみたのです。いつも感心するのだけれど、日本的なものでは数奇屋の造りは実際に凄いエレメントです。あれを見ていると、いったい自分は何をしているのだろうと思うことがあります。

長谷川　厳密な規約を下地に整然と構成されているかの如く論じられていますが、実測してみると辻褄の合わないことが多くて、偶然に従ってつくり上げられているのではないかとさえ思えると、西澤文隆先生が私に話してくれました。

倉俣　僕が考えるのには当時はすごく腕のいい棟梁がいて、現場で指示し組み立てていたのでしょう。茶室などを見ていますと、その迫力に圧倒されてしまいます。

植田　材料は組み合わせが重要なのですね。

長谷川　組み合わせやディテール処理で材料の表情はまったく変わりますから、材料の種類に限りがあるのならば、その接合や合成が今後は重要な意味をもつでしょう。

倉俣　いろんな材料がいかに接合していくかは、デザイナーにとって最も知的な作業になるだろうし、一方で装飾ではない必然性が求められるようになるかもしれません。

・・・鼎談

ガランドウとはらっぱをめぐって

西沢立衛×藤本壮介×長谷川逸子

原題「ガランドウと原っぱをめぐって」『特集長谷川逸子 ガランドウと原っぱのディテール』『ディテール』二〇〇三年七月別冊。二〇〇三年二月二十八日、長谷川逸子・建築計画工房にて

長谷川 今日は先日行われたあるシンポジウムで[1]私のほうから提案して話題にのぼった「ガランドウ」ということばを軸に、話を展開できたらと思っています。

ガランドウには神社仏閣（伽藍）がもっている大きくて静寂な空間のイメージがありますが、伝統論の展開のなかで住空間としても出てきます。通常何もない大空間があって、冠婚葬祭や四季折々のセレモニーに大いに使った。ガランドウはそういう複数の出来事に対応できて、時間の変化を含み込む場でもある。ガランドウにはそれぞれの構成があって、構造が主張しているものもあれば、構造は見えにくくて外と内の境界幕が主張している場合もある。その内包されたヴォイド＝空間が独自の様相をもつものを、ガランドウと呼びたいのです。

西沢立衛 先日のシンポジウムでガランドウということばを聞いて僕が興味をもったのは、ひとつには、そのことばが空間の個性や状態をはっきりと示したことばだと感じたからです。だれでもガランドウと聞けば、ただちにあるひとつの空間の状態をイメージできるという、空間の個性をはっきり指し示した名前だと思ったのです。

ガランドウの魅力にはいろいろあると思いますが、大きな魅力のひとつとして、ガランドウにはある程度のことは許容してしまうおおらかさがあることです。たとえ室内が全部もので埋められて倉庫のようになってしまったとしてもその個性がまったく崩壊しないよ

▼1…ギャラリー・間百回記念として開催された連続シンポジウム「この先の建築」。長谷川が参加した回のメンバーは篠原一男、長谷川、隈研吾、西沢立衛、藤本壮介。シンポジウムの内容は『この先の建築 Architecture of Tomorrow』（TOTO出版、二〇〇三年）に収録されている

うな、そういう空間だと思うのです。むしろ、それが倉庫であっても居間であってもオフィスであっても何であっても、その空間の特性がはっきり現れる、そういう意味で、フレキシブルでありながらたいへん強い空間だと思います。

もうひとつ、ガランドウについて僕がいいなと思う点は、それがあまり機能主義的でないところですね。機能主義がよくないと言っているのではないのですが、ただ機能主義だけで先鋭的に空間をつくっていくと、どこか息苦しくなるときがあって、キッチンの設計ひとつとっても奥さんの一挙手一投足にいちいち応えていく設計というか、人間の行動ひとつひとつに細かく対応していくような空間というのは、便利なようなうっとうしいような微妙なところがあると思うんです。ここで奥さんがこう振る舞うかもしれないからここにこのくらいの空きスペースが必要で、ここにこれを置くのでこの高さにコンセントと台が必要だ、というように、限りなく細かく緻密になっていって、それ以外の使い方ができなくなっていく。機能特化された先鋭的な空間ですね。それに対してガランドウの空間というのは、「細かいことはまあだいたいでいいじゃあないか」というような（笑）、そういうおおらかさがあると思うんです。細かいことはだいたいでOKなんだという、その辺のことはシンプルにすぱっと応えようという姿勢があって、それはガランドウの重要な魅力のひとつになっていると思います。

長谷川さんの建物は僕も全部は拝見していないので偉そうなことはいえないのですが、実は以前〈熊本の住宅〉の前を偶然通りかかったことがあって、それはたいへん大胆な建物で、大胆というかシンプルというか、伸びやかさがあって、好きになったことがあります。その前から僕はその住宅のことを雑誌で知ってはいたのですが、写真で見ると建物の大きさがわからないせいか、連続する小屋根の反復が一番目を引くのですが、実際にはそ

〈熊本の住宅〉

ういうことよりも、むしろ平面図や配置図に見られるようなシンプルさ、強さのほうを僕は実際の建物に感じたんですね。あれはどこか、ガランドウ的空間がもつシンプルさにもつながっているような気がします。

いずれにしても、ガランドウの良さのひとつとして、シンプルさというか許容量の大きさということが、ひとつあると思います。

長谷川 そういうことですね。一言で言うとおおらかな空間でしょうか。固有の質をもちながら持続してゆく空間です。持続のために私はコミュニケーションを通して建築を立ち上げる手法を導入して、クライアントと、時には生き方についてまでたくさん話をするのです。打ち合わせのたびに変わりがちな施主の要望を受け入れ、さらに将来のために空間に余白をもたせようと、私はガランドウをつくって応えてきました。ディテールの決め方がその空間の質を決める。シンプルであっても、ひとつひとつの空間が特性を備えていて、どの住宅でも実物はドライで抽象的な場になりました。

藤本壮介 長谷川さんはずいぶん前からガランドウということを言っていますね。最近は大きなスペースをつくっていますが、〈湘南台文化センター〉の頃はわりと小さな単位をワーッと集めてつくっています。そのときに小さな単位だからガランドウではないかというとそうではなくて、小さなものの集合で成立するガランドウみたいなものがある。同じガランドウといってもつくり方がいろいろ変化している。その移り変わりがおもしろいなと思っています。

長谷川 〈湘南台〉は子ども館や市民シアター、公民館など機能の要求が多いけれど、そのひとつひとつがガランドウで、つながって複合しています。でも、それらよりもっと大きなガランがほしくて、外部にもつくろうと思ったのですね。そしてそれを外部化されたヴォイドと呼ぼうと思ったのです。多数の小さな部品や装置で複雑に囲まれたなかに広々とした広場空間が出現する。それが都市のなかのヴォイドという感じがしたのです。そういう外部のヴォイドを「はらっぱ」と呼んでいます。それは公共建築の広場ともいえますが、人びとがいつでも自由に使えるオープンな場です。〈湘南台〉の敷地は建つ前にははらっぱだったのですね。それではらっぱの様相を持続させたいと思って、「第2の自然」としてのはらっぱ＝フィールドをつくったのです。

西沢「はらっぱ」というのと「ガラン」と言うのと僕のなかではちょっと違う存在だったんですが。つまりはらっぱはガランほど構築的ではなくて、もっとフラットな感じの……。

長谷川 都市に構築されたフィールドがあってもいいでしょう。はらっぱは外部化されたガランドウで都市のなかのヴォイドです。私は公共建築をつくるときには外のヴォイド空間をつくろうという意識が働きます。そのとき、ヨーロッパ的な広場の硬質さや形式性をもち込むより、はらっぱのほうが私のイメージする公共性の自由さ、カジュアルさにつながっている。呼び方は広場でもいいのですが、緑や水も導入するのではらっぱというほうが、人びとにも私のイメージが伝わりやすい。

西沢 そういえば、妹島和世さんがよく、カランって言うんです。「カランとした空間」というような言い方なんですが、この前のシンポジウムで、ガランドウというのはカランと比較できるなと思って聞いていました。カランというと、何か壁がなくていいような場のイメージだけど、ガランというともう少し空間的な、立体的で大きなイメージを感じるので、両者はかなり違うとは思うのですが。

長谷川 確かにガランは、文化といったらいいか、何かを引きずりながら、未来に開いていく場をつくるという考えですから、少々ウェットですね。カランというほうが何かドライな感じがします。引きずっているものがない。おもしろい違いですね。それでも私は妹島さんがつくっているものは幔幕でつくるガランドウという感じがして共感を覚えますし、美しいおおらかな空間を残せる力はすごいと思っています。私は環境と身体の快適さを無視できないタイプなので、空間を取り巻くフレームの質には敏感です。家具のスケールでフレームをつくってゆくという藤本さんのプロジェクトも、フレームが集合してできる全体はガランとしているのでしょうか。

藤本 ガランドウといってよいのかわかりませんが、単に家具的に身体に寄り添ってくるだけではなく、逆にちょっと突き放したような場所のイメージもあります。そのままでは人間には優しくない自然環境のような感じです。そしてボワッと雲のようにできているけれども、いざ使ってみるとうまく使えるようなもので、だからむしろ先ほどの〈湘南台〉の話での、はらっぱとかフィールドといわれたようなものに近いのかなと思います。何かそういう場というかモヤモヤした状態があって、座ろうと思えば座れるというような。

長谷川 身体的なスケールで構成された生活の場ですかね。明快なシステムを壊して全体をあいまいにしながら組み立てていこうとする感じがあります。

藤本 たとえば群馬県邑楽町の、役場を含む複合施設のコンペ[2]での私の案と山本理顕さんの案との類似点と相違点は、というような問いかけをされることがあるんですね。で、自分では何か決定的に違う部分があると思っているのですが、それがなかなかうまく言葉にならない（笑）。

長谷川 私はそのコンペの審査員をやっていて、パネルの印象で山本さんの案を藤本さんのものかと思ってしまいました（笑）。オープン審査のとき発言したのですが、あの案はレゴのようなユニットを市民が組み立てていくなかで建物がゲームのようにつくられていくと

▼2…邑楽町役場庁舎コンペ（二〇〇二）。審査員は、原広司（委員長）、中川武、長谷川逸子、倉田直道らであった。コンペ後に町長が交代し、山本理顕設計工場の最優秀案が取り消された。建築家に断りなく別の設計者をプロポーザル方式で選定し計画を進めた町に対して、建築家の職能を揺るがすとして「建築家集団訴訟」が起こった。二〇〇九年には和解が成立。庁舎はプロポーザルで当選した福島建築設計事務所案で二〇〇八年に竣工した

いう手法だけど、まずそのことに疑念をもちました。さらにそこでのシステムという考え方はエンジニアリング的なことが主なテーマで、市民参加のもとでプログラムのパラダイムの転換をもくろむものになりうるとは読み込めなかった。市民参加のコンペというテーマにシステムの強さがなじまないとも思った。いま急速に小さな活動グループや個人が自由に生活し始めている社会にふさわしい新しい公共建築としては、大きなシステム論ではもはや対応しきれないのではないかと私は感じたのね。

藤本 たぶん場所のつくり方の違いなのでしょうね。何というか、山本さんの案は、乱暴に言ってしまえば架構のシステムで、そこにつくられる場についてはシステム以前に前提されているような気がする。僕のは逆に場そのものをつくるシステムだと思っています。このことばを換えると、山本さんのはひとつの単位がすごく自律している、ということなのかもしれません。僕の場合には、単位とかユニットというよりも、むしろそのあいだの関係性をつくっている。だから個々の部分はそれ自体では成立していなくて、それぞれが関係をもったときに、部分と全体が同時に立ち現れてくるような、そういうほうに僕自身は興味があります。

長谷川 均質なユニットを並べて全体としていくのではなくて、各々特徴のある個の集合によって全体が成立するようなもの。多様な個と集合を同時に考えたいということでしょうね。建築の問題でも、都市の問題でも強い形式を先行させるより、多様な個と集合を同時に考えることで、プランが自由に考えられ、結果として建築や都市が違って見えてくるのではないかという期待が私にはあります。

西沢 そうですね。たとえば集合住宅というのは、そういった個と集合という問題をいろいろなかたちで考えさせられるプログラムですが、いままでの集合住宅の計画学では、どちらかといえば、各パーツの一様化をめざしたと思います。より効率のよい集合のために、よりよい全体のために、個はみんな同じハコにして、きれいに積んでいって、という方法がメインだった。でもこれからは、効率の良さが集合のルールになるのではなくて、もっと別の考え方によって、いままでとは異なる集合が可能になっていくのではないか。僕が興味をもっているのは、多様なもの、個性が異なるものが、どのように集合可能かという問題とか、それらがお互いに無関係に並ぶのではなくて、何か実際の都市や社会と同じように、お互いが何らかの動的な関係をもちながら全体ができていかないか、というようなことです。

長谷川 〈千葉のアパート〉（船橋アパートメント、二〇〇四）のつくり方ですね。コンピュータのデータベースモデルにしても個人と社会の関係にしても、いま求められているのはかつての均質なものの集合ではなくて、異なったものの複雑な集合なのだろうと考えます。コンピュータを使って複雑なものを複雑なままに表現できるようになり、いま建築では異種混合した集合をつくれることが魅力的なのだろうと思います。かつての、均質空間を集合させた建築とは異なる集合のあり方が開け始めているように見えるのです。単純には読み取れないあいまいさを建築が許容し出してきているような気がしますね。

藤本 単純なグリッドでいかようにもできます、ということでは汲み取れない状況がある。

西沢 積み木のような、ひとつひとつのパーツにはあまり個性が強くなくて、そのおかげでどのようにも容易に集積可能な安定的なシステムの場合はいいのですが、たとえば個性が明らかに違ってしまっているモノたちはいったいどのように集合可能か、という問題を考えると、これがけっこう大変で、なかなかまとまらないんですね。各パーツの個性とかアイデンティティが強すぎると、簡単には積層してくれない。でも、現実の都市では、一様な集合はあまりおもしろくないが、多様的集合は都市空間のおもしろさや魅力につながりやすい。とくに新しい関係性ということを考えた場合には、多様的集合には、可能性がある気がします。

長谷川 自己表現をした個が集合している街でもある東京の渋谷を見ると、建築が連なって、もはやインテリアのようでもあり、外部も内部化し内部も外部化し、境界はあいまいなま複合化している。歴史が見え隠れするさまざまな小さな路地は、連なる建築の廊下のように見えてきますね。それらは固定化することなく、多様な場が重なるランダムノイズとなって渋谷の街の様相をつくり、巨大な東京というカオスの都市の一角を担っています。そして私は、そこでの建物は建築というよりは装置のようなものかなとも思います。そして装置は絶えず変化を引き受けながら集合し、都市の広場をかたちづくっている。

西沢 ただ、ひとつ思うのは、東京に代表されるような日本の大都市というのは、ある角度から見ると、形式性があると感じるときもあります。それはシステムとは違うのかもしれませんが、たとえば東京の写真を撮って、他のヨーロッパやアフリカや東南アジアの街と比較すると、たぶんだれもがただちに識別できると思うんです。これが東京だと。つくられ方が他の国の都市と全然違っていて、それが景観にモロに現れているから。道路のつくられ方から、建物から標識から広告から、ある形式性が一貫して保たれている。

建物だけ取り出して考えても、すごくユニークだと思うのは、日本の建物はすごく軽いですよね。鉄骨造でＡＬＣ板をペタペタ貼ってペンキを塗ったりタイルを貼って、何かすごいインスタントに突然つくられて、簡単に壊されて消えていく。つくられ方が、どの建物も同じにしようとしていなくても同じになっている。そういう意味では、日本の都市は非常に高い形式性を保っていて、かつ強い均質性が共通しているかなと、感じることがあります。

長谷川 私は、その軽い建築のなかにも多様性があるし、そのつながり方が非線形で、それが日本の都市の複雑さの様相をつくっているのではないかと思いますが。

同じ東京とはいえ、西新宿などの超高層ビル群には違和感を覚えます。私には工場のようにしか見えない。床面積を可能なかぎり詰め込み過ぎて、内部に空間が立ち上がっているとは言えないでしょう。それに各フロアは閉じている。東京らしい超高層は、まだつくられていないと思いますね。

西沢 工場のような超高層ビルというのはおっしゃる通りだと思います。特に〈ワールド・トレード・センター〉[3]の事件によって、超高層ビルは、均質空間というより集中空間なのだなと、多くの人が恐怖を感じたと思う。人とかモノがあまりにも効率的に、激しく集中し過ぎた、高密度な異常効率の空間、というような建築タイプですね。

でも僕の個人的イメージでは、均質空間は必ずしもガランドウと対立しない。均質でも不均質でもどちらにもなりうるのがガランドウの良さだという気がするからです。以前ミース・ファン・デル・ローエの〈クラウン・ホール〉(一九五六)を見に行って驚いたのですが、内部空間がたいへん大きくて、ものすごく静かだった。僕が驚いたのは、空間そのものもそうですが、むしろ、そのなかで機能が混在していたことでした。中央部のパーティションに囲まれたなかでマイクを使ったシンポジウムをやっていて、パーティションの外側では学生が製図を黙々とやっている。普通であればマイクを使ったシンポジウムのすぐ隣で勉強なんかできないという気もするんですが、そこでは、なぜかそれらが不思議に同居できていて、その風景がすごくいいなと感激したことを覚えています。あれは、均質空間というか不均質空間というか、微妙なところでした。

▼3…World Trade Center (Minoru Yamasaki, 一九七三) 二〇〇一年九月十一日に、航空機によるテロで崩落した。ディビッド・チャイルズ(SOM)、ノーマン・フォスター、リチャード・ロジャース、槇文彦、フランク・ゲーリー、コーン・ペダーセンらによる再建計画が実施された

長谷川　シカゴの〈クラウン・ホール〉はおおらかな大空間で、すばらしいガランドウでしょうね。同じシカゴの〈ファーンズワース邸〉（一九五一）もガランドウと見ました。また、友人の住むニューヨークの古い超高層には、東京のビルにはないヴォリュームがあります。

西沢　長谷川さんはミースの建築をどう思われていますか。

長谷川　菊竹清訓先生から、ミースは京都の伝統建築のなかのガランドウから影響を受けたとある本に書かれていた、とうかがったことがあります。ミースが日本のガランドウを知っていたとは感動的です。ミースの建築のおおらかさはいまになってとても今日的だと見直しています。一番よいと思うのはやはりシカゴのイリノイ工科大学にある一連の建物ですね。シカゴの〈レイクショア・ドライブ〉（一九五一）も訪れました。ヒューストンにある美術館のなかのホールで公演をしましたが、そこもおおらかでとても快適でした。ベルリンの〈新国立ギャラリー〉（一九六八）なども見ています。

　私の学生の頃は巨匠に学ぶという雰囲気があったので、コルビュジエ、ミース、ライトなどを専門とする先生がいて生徒がついていました。私は構造の松井源吾[4]先生のコースでミースの十字柱などをつくったこともあって、ミースはエンジニアリング的な研究対象でした。〈バルセロナ・パビリオン〉（一九二九、一九八六復元）のミラー仕上げの十字柱が私の設計した〈AONOビル〉の上部の住宅の構造です。一九九一年にアメリカ中をレクチャーしてまわった際にミースの実物を体験するまで、その空間の質の素晴らしさはわかりませんでした。

　びっくりするかもしれませんが、私が直接会ったことがあるのは、ミースではなくてアルヴァー・アアルトです。大学を出てすぐにアアルトのところに行って、[5]そこで一番印象的だったのは、テクスチャーを消すということでした。「なぜレンガの上に白いペンキを

▼4…（一九二〇－一九九六）構造家。菊竹清訓をはじめ著名建築家との協同が多い

▼5…長谷川は菊竹事務所時代に一九六五年、ヨーロッパ各地の家具見本市を見学する出張へいき、菊竹の紹介状を持ってヨーロッパ各地の建築家に会う機会を得ている。当時のサヴォア邸はまるで廃墟のように荒れ果てていたという（第四部第七章参照）

塗るのですか」と質問すると、アアルトは「アブストラクトにするためだ」と言うのです。それが一番印象的な会話でした。デンマーク、スウェーデン、さらにフィンランドと北に行くにつれて少しずつ薄めの色のレンガになっていくのですが、その黄っぽいレンガをアアルトは白く塗り、抽象性のなかに空間を立ち上げようとしているのだということを知りました。そういうこともあって、篠原一男先生のところでは抽象的な空間をつくるために開口の枠をなくしてしまうようなディテールを描いていました。

藤本 その消すというのも、ディテール的なものによって規定されるガランドウのつくられ方なのでしょうね。

長谷川 そうですね。ガランドウのイメージとして床も壁も天井も白く小さなアールでつながっていて、幅木も扉枠も五ミリメートルの目地で見えなくする。白い仕上げも塗り壁のようにウェット過ぎず、ペンキ塗りの乾きすぎたものでもない白を求めて、これまでやってきたのですね。

藤本 僕はミースのベルリンの建築を見たときには確かにものすごく感動したのですが、同時にこの大きさをどう把握してよいのかわかりませんでした。僕自身、ガランドウってまだよく把握しきれていないんだ、と思うんです。もしかしたら、ガランドウとは一見対極にある、ある種のゴチャゴチャしたものに興味があるのかもしれません。僕にとってのガランドウがあるとすれば、何かいろいろ詰め込まれているんだけど、その先にガランドウがあるようなそんなイメージがあります。うまく言えませんが、先ほど〈湘南台〉の話で小屋根などの装置をゴチャゴチャつくっていたときにもはらっぱやガランドウが持続していたというのが僕にはおもしろいのです。ガランドウのつくり方にもそういうやり方があるのだろうなと、漠然と感じたのです。たぶん僕は、建築はひとつの空間ではないのだろ

〈湘南台文化センター〉
小屋根と雲の装置

う、と思っているんですね。先ほどの街の話でいうなら、装置のようなものがたくさんあって、それらがどう関係づけられているかということだったり、いくつかの空間が関係をもっているような状態です。ひとつの空間ではないガランドウというものもあると思うのです。

長谷川 いろんなものが寄せ集まってできるガランドウ的なもの。複雑さを複雑なまま表現する。そういう建築や空間のありようはあると思いますよ。それは密実とした複雑さをもつ都市のようなものかもしれませんね。

西沢 もうひとつガランドウの良さとして、その使われ方があると思います。それをどう使うかというところでおもしろさが全然違ってくるのではないか。〈クラウン・ホール〉の場合は、たまたまそれが使われている場面に出くわしたことで、空間の良さがよくわかったわけですが、でもそれがベストだというわけではなくて、いろいろな使われ方があると思うのです。カテドラルのような、人の少ない静かな空間もあるだろうし、市場のような活気に溢れた激しい空間もあるだろうし、その使われ方の多様さがガランドウの魅力のひとつではないかと思います。〈湘南台〉でも、都市のただなかでガランドウやはらっぱが重要な意味をもつためには、その使われ方の多様性がすごく大事な要素になっていると思うんです。

長谷川 ガランドウは利用する側の形態として生み出されるものだといえますね。住宅にあっても公共建築にあってもつくる側にあるものとしてではなく、利用する側のものにしたい。そのため基本設計を公開して、さらに対話集会を開いて使い方をいっしょに考えてきたのです。またワークショップをして、実際のデモンストレーションもやってきました。ガランドウをテーマに設計をすると、西沢さんがおっしゃるように多様な利用方法や自由で楽しく使うための具体性を示さなければならない仕事が生じるんです。いま、そして未来も多様な活動を引き受ける場とするためには、利用者側に立って活動の内容や運営のありようをみんなでつくり続けることが大事です。そしてそのことによって公共建築が利用者に開放されていくことを伝えます。ガランドウ建築は機能が固定しているものではなく、常に未完でさまざまな利用形態をつぎつぎに引き受ける場です。常に変化を引き受けるプロセスとしての建築です。ワークショップは、ガランドウが多様な活動をしなやかに受け入れ、自由に編み込んでいける場であることを利用者に知ってもらうセレモニーでもあるのです。

大きな建物をつくるようになって、集合や複合の仕方をいくつかの建物で考えてきたのですが、複合建築の場合、それぞれ機能の違うガランドウがいくつかできるわけです。それをブリッジでつないでいく。〈すみだ生涯学習センター〉をはじめ〈大島絵本館〉も〈茨城県営滑川アパート〉も、ブリッジがテーマでした。〈新潟市民芸術文化会館〉では、それを外部の空中庭園だけではなく、既存の施設とつなぎ、水辺から中心街へとつないでいくことを試みたのです。そうすると不思議に集合のネットワークが立ち上がるのです。ブリッジが敷地の外の都市空間にまでつながっていくことで、人のつながりを引き起こすのです。ひとつひとつの建築はヴォイドなのですが、それをどう集合させて異種のものを受け入れる場をつくるかが、いまおもしろいと思っています。

藤本 ブリッジもある種のガランドウなのかもしれないですね。それはいわゆるガランドウとは違うけれども、何か使われ方が限定的ではなく幅がある。つなぐということがさまざまなレベルの行動を喚起する。そういう意味でガランドウ的です。そのときの建物＝ガランドウは大きければよいというものではないし、もしかしたらブリッジとガランドウというように分かれていなくてもいいのかもしれませんね。

長谷川 つなぎ方で新しい建築が生まれると思います。そういうふうにズルズルと建物をつないでいくことを群馬県太田市のプロジェクトで提案しています。建築をつくることが敷地のなかだけで完結してしまうのではなくて、周辺へと広がっていくようなものでありたいのです。新しくできる建築と既存の建築がさまざまに連鎖していくようなものになると、個と全体の単純な構成から複雑な関係が生まれ、都市と関われる建築が生み出せるのではないかと考えています。

・・・往復書簡　形式と第2の自然

西沢立衛×長谷川逸子

原題「新・建築家の往復書簡7–12」「LIXIL eye」二〇一五年二月から二〇一六年十月

箱の離散がつくり出す隙間の多様さ

西沢立衛さま

二〇一四年十二月十六日

　一九九七年にパリでの私の展覧会[1]をベルリンにも巡回し、やや小規模にして開催した。そのとき、「ドクメンタX」展を見に〈セセッション館〉（ヨーゼフ・オルブリヒ、一八九八）へと足を伸ばした。会場には「動く家（カプセルハウス）」などの装置と一緒に、延々と連なるフラットな住戸プランが展示されており、結局誰によってつくられたのか知らないままなのだが、とても興味深かった。図形の連なりとしか思えないその集合住宅の図面を見ながら、レム・クールハースの〈ラ・ヴィレット公園コンペ案〉（一九八二）を連想した。あのさまざまな場のイメージが短冊状に平行配置された図面は美しかった。さまざまな場面を切り出し無機質なまでに平行に配置していくそのパターンは、その後多くの建築に影響を与えた。つまりクールハースがラ・ヴィレット公園で提案したものは、特殊解ではなく、いろんな建築を解くことができる形式であった。

　SANAAや西沢さんの仕事のなかにも、形式のようなものが見られるように思う。〈金沢21世紀美術館〉（二〇〇四）は長谷川祐子[2]さんの案内で見学し、次はスタッフたちと訪れ、そして今年はポンピドーの展覧会[3]と三回訪問して、そのたびに居心地良さを感じている。〈21世紀美術館〉は箱の並べ方で生まれるいろいろな場づくりにトライしている。こ

▼1…「長谷川逸子」展（一九九七–九八年）。フランス建築学院（ifa）とオランダ建築研究所（NAi）の共同開催で一年にわたりパリ、ベルリン、オスロ、ロッテルダムを巡回した

▼2…キュレーター。金沢21世紀美術館創立に携わり、二〇〇六年まで同館芸術監督

▼3…「ジャパン・アーキテクツ1945-2010」展（二〇一四年十一月二日–一五年三月十五日開催）。ポンピドーセンター・パリ国立近代美術館副館長（当時）フレデリック・ミゲル（Frédéric Migayrou）氏のキュレーションで実現した

の美術館がもつ快適さは、内部の光庭の配置やさまざまな広がりの通路がつくり出す多様さにあるように感じる。西沢さんは〈21世紀美術館〉のほかにも、白い箱をいくつも配置する模型を繰り返しつくっているようだ。〈森山邸〉(二〇〇五)を雑誌で見かけたときには、スケールもビルディングタイプもまったく異なるのに、ここに丸い床と屋根をかぶせると〈21世紀美術館〉になるととっさに思った。

〈森山邸〉は〈金沢21世紀美術館〉とどう異なるのか、どう同じなのか。それを体験したいと考えて先日見学させていただいた。私は大通りの建築の大きな壁の前を歩くより、その裏の盆栽なんかが並んでいるところを歩く癖がある。〈森山邸〉の箱の間の路地的空間を歩くことを楽しみに出かけた。そして、箱の間は通り抜けできる小道であるというよりも、各住戸の専用庭としてつくられ、それぞれの住まい手に任されている空間だと初めて知った。六つの箱は巧みな距離感で配置され、その配置関係で変化のある庭空間がつくられている。森山さんの庭のトネリコは大木になり、柿やみかんがたわわに実をつけて鳥がやってきていた。少しぶっきらぼうに植木鉢を置いた庭や白い壁沿いにカラフルな椅子を並べた細長い庭、テーブルと椅子を出してお茶でも飲むような庭の配置が多様さをつくっている。

住戸の内部に入ると、それぞれ丁寧につくられていてひとつひとつみんな違う。隣接する箱との関係で階高や開口が決められ、大ガラス面から桜やトネリコの枝が見えて気持ちが良い。それぞれの住み手がそのなかで自分らしい生活をしている様子を拝見させてもらった。森山さんは〈21世紀美術館〉のうえに突き出している箱がこの家だと笑う。美術館と住宅という規模も機能も違う空間になる形式があり、それは緑豊かで親密な集合住宅的空間になったり、散策できる美術館空間になったりする。

多木浩二さんに「多様性と単純さ」[4]という私の初期の住宅設計について批評してくれたテキストがある。一九七〇年代の住宅はいずれも同世代の友人や知人のローコスト住宅で、壁を一枚斜めに入れるだけ、三角のフレームを組み上げて、なかはガランドウ、という単純極まりないものであったが、多木さんはその単純な構成のなかに生まれる多様性を評価してくださったのであった。私がめざしていた単純な構成とは、建築家の作品性としての形態ではなく、生きていくことに関わる複雑さや曖昧さと絡み合ったところから必然のように出てくる形式に近いものであった。〈森山邸〉でも〈21世紀美術館〉でも単純な構成が多様性を生み出している。箱の離散がつくり出す隙間の多様さが快適さの源泉であるように感じています。

〈森山邸〉の私の感想はいかがですか？

二〇一五年一月十二日

長谷川逸子さま

こんにちは、西沢立衛です。昨年末はお忙しいなか、〈森山邸〉までお越し下さりまして、またたいへん興味深い批評を頂きまして、ありがとうございました。「箱の離散がつくりだす隙き間の多様さが快適さの源泉」というご指摘には、設計当時の僕らのスタディの内実に迫る鋭さを感じました。いまも覚えているのは、当時何かのインタビューで「〈森山邸〉を一言で言うと？」と質問され、とっさに「ぎゅうぎゅう詰め」と言ってしまったことがありました。この「ぎゅうぎゅう詰め」を建築として成り立たせるために、各棟のばらけ方や隙き間の多様さ、風景的な調和というようなことを、ずっとスタディしていたのです。

〈森山邸〉では建築全体として、「使い方」というものが決まっていない建築をめざして

▼4…「インテリア」一九七七年六月号。第四部第二章収録

〈焼津の住宅2〉

いたように思います。建築の自由さ、開放感というものに、僕は興味がありました。建築を見に来た人が、建築のありようを見て、また建築と庭を使う人びとの風景を見て、これは学校に使えるなとか、こういう仕事場もいいなとか、自分だったらどう使おうか考え始めるような建築というのでしょうか。人間の想像力を動かすような建築をつくりたいと思っていました。

議論するなかで森山さんが、ローン返済の進み具合に合わせて、住人たちに出て行ってもらって、徐々に自分の住まいを広げていき、最終的には全部を自分の家にしたいとおっしゃったことがありました。建築が集合住宅からスタートして、時間をかけて〈森山邸〉になっていく風景を僕は想像して、おもしろく感じました。森山さんがぎゅうぎゅう詰め案の模型を見てそういう使い方を思いついたのか、もしくは自分の家を広げていくアイデアに触発されてぎゅうぎゅう詰め案が出て来たのか、順序は覚えていませんが、僕はその発想を聞いて、建築を使うということは創造的なことなんだと感じました。

ヨーロッパの街では、何百年も前の古い建築がいまも使われています。いまの人間の事情に合わせて建築をつくるのではなくて、すでにある建築に人間のほうが合わせて、住んでいます。貴族の邸宅がいま寄宿舎になっていたり、大きな宮殿が美術館になったりと、事例はさまざまですが、時代を超えて生き続ける建築群に人間が張り付き、使いこなす風景に、僕は人間の生のダイナミズムや、生きることの創造性を感じています。人間は建築にどう挑むかということが、もうひとつの創造になっているように思えるのです。

長谷川さんがおっしゃった「特殊解でなくいろんな建築を解くことができる形式」というのは重要な問題だと思います。たとえば日本ではビルティングタイプという言葉で、建築を用途別に分類していますが、ヨーロッパの建築類型（タイポロジー）は用途別ではなく形態別で、クーポラ、ロッジア、ポルティコなど、建築の形の個性に名前を与えて、建築を分類しています。ロッジアもポルティコも、その用途・使い方は、極端にいえば何でも良く、バシリカは主に教会に使われますが、集会所などに使われた例もあるようです。建築の使い方は、時が経てば変わっていくものですが、しかし建築物の形のおおまかなところは変わらずそのままなので、それに名前をつけるのだろうと思います。そこでは建築が人間や時代よりも長く存在し続けるということが、建築の条件の一つになっているように思えます。

「いろんな建築を解くことができる形式」という言葉から僕は、建築の歴史、時間ということを思いました。分棟とかストライプという建築形式が、単一用途に限定されず使えることには、建築の器としての大きさを感じます。そしてまた、本来建築は歴史的な存在であるという、建築の時間性みたいなことも、連想します。それは、いろんな時代にいろんな民族がイスタンブールに押し寄せて、ハギヤソフィアを教会に使い、モスクに変え、お墓に変え、さまざまな形で人間が建築物を使い続けてきた、時空間の風景です。

二〇一五年四月二十日

土地と建築の有機的関係

西沢立衛さま

前回西沢さんは、自分が求めているのは時間や用途を超えてある「Building Typology」だとお書きになった。それを読んで、菊竹〔清訓〕さんの「空間は機能を捨てる」という言葉を思い出しました。菊竹さんはまさに時間を超えてある「かた」を求め、さまざまな機能を包含できる空間性をつくるために格闘していました。それは単なる類型というのではなく、仏教の中空構造の思想に近いものだったように思いますが、「かた」という言葉は、西沢さんの「Building Typology」と重なり合う部分がありますね。

一昨年の第五十五回ヴェネツィアビエンナーレのイギリスの課題が「一人の人物を取り上げて深く掘り下げる」というもので、イギリスで活躍する建築家のチームt-sa[5]が私の公共建築を取り上げて熱心に研究してコンペを獲得した。その成果を讃えてＲＩＢＡ［Royal Institute of British Architects、王立英国建築家協会］は私をロンドンＲＩＢＡのレクチャーに招待してくださった。その機会を利用して〈ルーブル・ランス〉（二〇一二）を見学したいと西沢さんにお願いした。ロンドンからＴＧＶに乗ってリール駅に行き、ＳＡＮＡＡの北澤伸浩さんに迎えてもらいました。私が〈ルーブル・ランス〉で一番楽しみにしていたのは、平面図で微妙にゆがむ曲面の様子を体験することでした。木造住宅を設計していたころ、左官職人が糸を張って墨出しをして長い壁を塗ったとき、たわんで曲面ができてしまったような微妙なゆがみの壁に光が流れて、真っすぐな長い線より、美しいと思ったことがある。長い直線を真っすぐつくる技術はもはや難しくないが、ＳＡＮＡＡの平面がどう立ち上がっているのか知りたかった。

緩やかなアンジュレーションのある地面にスーと立つ白いアルミの柔らかな外壁に沿って歩いたり、遠くに離れて眺めて下りたりしていると、木々の陰影が映り込んで影が動き消失してゆく不思議さを見た。ほのかなたわみと空気の流れを感じる気持ちよさがありました。内部の壁沿いに歩くと、わずかな起伏が同じように気持ちよかったです。展示物が多く、遠くからはこのたわみはわかりにくかった。建築科の学生に声を掛けられたので「このわずかな曲線をどう感じる？」と聞いてみたが、あまり感じないらしかった。安易に直線を選ばないで施工の難しいこの曲面を選んで、このデリケートな空間性は人びとに

▼5…Takero Shimazaki Architects。島崎毅郎主宰。一九九六年創立、ロンドンを中心に活動している

どのくらい感じ取ってもらえているのかとも思ったものです。

また西沢さんといま一緒にＪＩＡ賞の審査をやっていますが、昨年は三人で二対一に意見が分かれることが多く、私は自分の考えが通らず難しさを感じるばかりでした。そのことで全力で完成させた仕事でも賛否両論が起こるのは当然だと感じさせられました。ですから建築家の作品を評価するのは難しいことになると想定していましたが、今年のＪＩＡ賞は一度の投票で、五人全員一致で大賞が決まったことには驚きました。全体のなかで大賞にふさわしい内容を持っているということでしょう。特にプログラムづくりやローカリティの導入が評価されたのではないでしょうか。

この頃建築を見ていると、既存の都市環境や社会制度に立ち向かってソフトプログラムを優先した建築家が多く、その先の空間をつくることに消極的になっている。一週間前に大学のディプロマを審査したときも多くがソフトづくりのレベルで終わっていた。

一方で、近年の国内のコンペでは、要綱で示された地元の人たちの公共空間としてのプログラムや建設費用を踏まえた提案よりも、グローバルに通じるオブジェかアイコンのような提案が、コストや公共性や市民の意見とは無関係に選ばれるケースを散見する。建築のコンペは、審査員次第といってしまえばそれまでだが、建築をめぐる活動がプログラムとオブジェやアイコンの二極に分化していっているようにも見える。

近年、経験を通して共感できる評論家を見出すのも難しくなっているように思いますが、建築に対する共通感覚も失われつつあって、人びとが求めるような、積極的に人間に関われる空間をつくっているのだろうかと心配になります。二十一世紀に入って十五年経ちましたが、新しい世紀にふさわしい建築はつくられつつあるのだろうか。ぜひ西沢さんの今日的建築批評を伺いたいものです。

二〇一五年五月十三日

長谷川逸子さま

菊竹さんの建築を以前見て回って、どれもすごいと思いましたが、一番感銘を受けたのは〈スカイハウス〉でした。簡潔で、力強く、火のような勢いで建築を組み立ててゆくその迫力に圧倒されました。空中に持ち上げられた姿はまるで、いまの制度を超越する意志そのもののように見えました。時間を超えた「かた」を目指すという菊竹さんの姿勢も、たいへん示唆的だと思います。

「近年、建築に対する共通感覚も失われつつある」、「積極的に人間に関われる空間をつくっているのだろうか」という長谷川さんのお言葉は、僕も非常に近い感覚を持って拝読しました。他方で共通感覚的なものを探すなら、二十一世紀になって以降、または東日本大震災以降、時間、歴史、地域ということが、ある大きな課題、皆が考える共通の問題になってきているように感じています。以前、原広司さんから、道元の「山は時なり」という言葉を教えて頂いたことがありました。僕は道元のその言葉に、時間と空間が一体化したような認識を感じて、感銘を受けました。旅行をしていると、地域固有の時空間のようなものを感じることがあります。中国やインド、アラブ、ペルシャ、ヨーロッパ、もしくは日本の田舎に行って、彼ら独自の世界に入るたびに思うのは、地域というのは時間と空間が独自の形で一体化していて、それが彼らの文化や歴史になっているということです。〈ルーブル・ランス〉の曲線は確かに、見た目わかりづらいと思います。曲線は平面だけでなく断面的にも起きていて、丘の起伏に沿って建築が傾斜しています。敷地を真っ平らに造成して平らな建物を置くのでなく、もう少し有機的なもの、土地と建築の有機的な関係を目指したのだと思います。ただそれらは地形スケールの曲率なので、ほとんど目立ちません。それは、丘を歩いてもあまりその曲線を感じないのに近いかもしれません。土地と建築の関係に限らず、「有機的な関係」は僕らが興味を持って建築で取り組もうとしている課題のひとつです。しかしそれも、さまざまな分野で「有機的なもの」、「生命的なもの」は共通の課題になっているようにも思います。

〈ルーブル・ランス〉の常設展示室は「タイム・ギャラリー」という名前で、紀元前三千五百年から十九世紀半ばまでの各時代の作品群が、時間軸に沿って展示されています。部屋の壁が年表になっていて、よく見ると、年表の目盛り間隔が均質ではなく、ムラがあることに気づかされます。作品が量産された世紀と、ほぼ何も生まれなかった世紀とがあるのです。それは等分割された機械的な時間というより、有機的な脈動のようなものに感じられます。その年表を見るたびに、人間にとって各世紀は本当に同じ長さだったのだろうか？と思ったりします。子どもの時間と大人の時間とでは、時間の密度や早さが違って感じられるように、不作の百年と多産な百年とでは、時間の経験が違うのであろうかとか、または四季が豊かで台風が毎週のように通り過ぎるアジアモンスーン地帯で育つのと、一年じゅう気候が変わらない砂漠で育つのとでは、時間感覚の違う人間が出てくるのではないか、などと思ったりもします。

建築も街も住むものですから、時空間的な存在だというのはいわば当たり前のことで、時間も歴史も地域も、ポストモダニズムの大きな議題でした。それはいま、再び僕らの問題として蘇ってきているように感じます。今後はより多次元的で有機的な時空間、関係性、もしくは地域固有の時空間といったことを、人びとはますます想像するようになるのではないか？と期待しています。以前、長谷川さんは第2の自然といわれましたが、それも新しい時代の共通認識を促す言葉であるように、僕には感じられます。昨今の、人間と機械のつきあい方、自然と人工の関係性などを考えても、長谷川さんが指摘された人間と機械の対立を超えた世界は、いま多くの人が日々の生活で感じているのではないか、と思います。

人のいる建築風景

西沢立衛さま

二〇一五年八月十九日

私は中学、高校、大学と絵を描くことに夢中になっていて、静岡での新しい芸術活動に関わったりした。東京に来てからは倉俣史朗さんを通じて高松次郎[6]さんを始め、当時、魅力的な活動をしていた芸術家たちの近くで過ごし、高松さんに〈徳丸小児科〉のまちに面したコンクリート壁に円弧を重ねた抽象的なドローイングを描いてもらったりもした。その後も海外に出かけると時間があれば美術館と植物園を訪ねている。いつか公共の美術館を設計したいと思って、〈青森県立美術館〉のコンペ［二〇〇〇年］を始めいくつか挑戦してきましたが、未だにその機会がありません。

松山にある〈ミウラート・ヴィレッジ〉は、クライアントの三浦保さんのコレクションと自作の陶器や陶板を展示する美術館です。展示スペース以外に陶芸工房やゲストハウスや屋外パフォーマンスホールなどが一体になっている。アーティスト・イン・レジデンスとして海外のアーティストに制作と滞在の場を提供して作品発表やレクチャーをしてもらったり、三浦さんの素晴らしい茶器を使って屋外で茶会を開いたり、お花見をしたりする場でもある。三浦さん自身が相当の能楽師であったことから、時には薪能を催すとか、いろいろなイベントを自由に組みながら運営されており、まちの人びとにも親しまれてい

〈徳丸小児科〉
ファサードの高松次郎のドローイング

▼6…（一九三六－九八）現代美術家

ます。

富山にある〈大島絵本館〉の仕事は、まちの人びとに、設計ではなく、プログラムつくりを頼まれたことから始まった。〈湘南台文化センター〉の子ども館の展示と運営のプログラムを私たちの事務所がつくったことを知って頼みに来たということです。一年間かけて、まちの人たちとワークショップを繰り返しながらプログラムをつくり、それを建築化していった。一冊だけの絵本をつくる工房、紙や竹細工の工房兼展示場、童話のオペレッタをつくるホール、多目的に利用できる屋内のパフォーマンススペース、図書室とカフェなどの場が、丘のうえの大きな船のようなガランドウの空間に散在し、スロープとブリッジでつながれています。このネットワークは屋外ステージや風や水や音の広場にもつづいていきます。プログラムから始まって、大小の箱、開き方の異なる場が共にある、ひとつの「カタ」に到達したのではないかと思っています。〈絵本館〉は小ぶりな建築ですが、活発に利用されていることが評価され、公共建築賞をいただきました。

先日、NHK「ワールドTV」という番組[7]で私の仕事を紹介してくださったが、どの場面にも建築よりも利用者ばかりが映されており、つくづく私は「人のいる建築風景」をつくってきたのだと再確認する思いでした。民間であれ、公共であれ、ソフトとしてのプログラムとハードとしての建築がひとつのカタに到達しているとき、その建築は快適で人がいる風景をつくり出します。

〈金沢21世紀美術館〉も美術館と交流館を合体させ、特に自由に入れる交流館の開放性が人のいる建築風景をつくっています。丸いガラスの領域に四角い展示室や中庭を配置するカタと、関係者と共同して設計していったプログラムがうまく一緒にあるのだろうと思っています。

▼7…NHKワールドTV局「J-Architect」。二十人の日本人建築家を世界に紹介する番組。二〇一三年四月から二〇一五年三月にかけて放映された

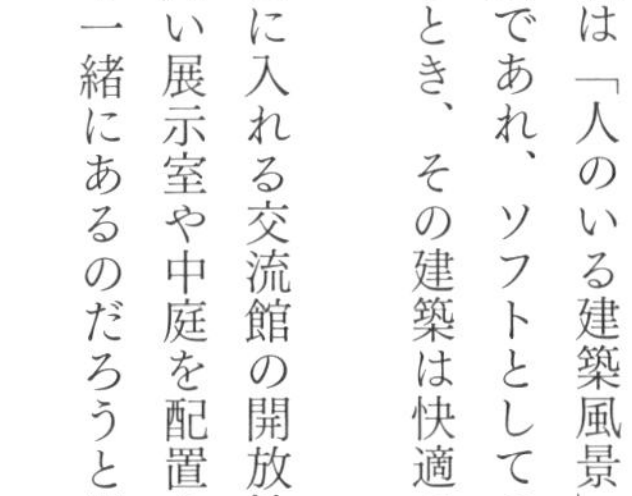

〈ミウラート・ヴィレッジ〉

〈金沢21世紀美術館〉は、四角いＢＯＸを並べて空間をつくるというカタをコンペ時に立ち上げ、箱の配置や大きさ、それぞれのディテールをプログラムと一緒に詰めていったのではないかと楽しく想像しています。カタをもつ建築は複雑さを飛び越えた明快なありようをつくる。プログラムづくりのなかで、モノではなく人びとのつくる時間風景をデザインしていき、人のいる風景を実現させてきたのではないか。さらに外光の取り入れ方を考え、光の美しさもプログラムしていくことにも成功し、中庭の光は建築が風景というより人がいる風景を美しくしている。

それにしてもこの頃の、屋根を分節させてハイサイドライトを取り入れている作品、〈日本キリスト教団生田教会〉（二〇一四）や、屋根をテーマにしたような元気な住宅作品をみると、あの複雑さは何を目指しているのかぜひ教えていただきたいと思っています。

二〇一五年九月十四日

長谷川逸子さま

〈湘南台文化センター〉は訪れるたびに、家族連れが楽しそうに内外で遊んでいて、長谷川さんが指摘された「人のいる建築風景」というものが建築の大きな魅力のひとつになっていると感じます。「人のいる建築風景」は公共建築にとって大きな課題のひとつですが、それが成功しているように感じられます。

日本の現代建築は全般的に軽く透明で、また大衆的とよくいわれます。ヨーロッパでレクチャーをすると大抵の場合、「デモクラティックだ」といわれます。ヨーロッパでは建築は富と権威の象徴で、日本の建築のカジュアルさとのギャップがあるかもしれません。以前フランク・ゲーリーが〈金沢21世紀美術館〉に来たとき、ゲーリーは美術館で遊ぶ人びとの様子に驚いていました。アメリカでは美術館というと「美の殿堂」で、基壇に乗って街より一段上がる威厳がありますが、〈金沢21世紀美術館〉は周りと地続きで、あちこちから人が入って来て子どもが走り回り、まるで小学校か公園のようで、西洋で想像できる美術館とあまりに違う美術館のあり方に、というか美術館を使う人びとの風景に、彼は感心したのだと思います。

日本は建築だけでなく通りも街も、大衆的だとよくいわれます。西洋の街は訪れるたびに、階級社会の厳しさを感じます。街は美しく厳粛で、人びとを分ける厳しさがあります。が、日本の街はゆるいというか、普段着というか、みんなごちゃっと一緒で、まるで村のようです。ヨーロッパ人はそういう日本文化、日本の都市や社会全体に、非階級性や大衆性を感じているのかもしれません。

みんなごちゃっと一緒の社会で育った我々がつくる建築はやはり、みんなのための建築に自然になるのではないかと、思ったりもします。

最近なぜ屋根の建築をやるのか？のご質問ですが、理由はいくつかあります。

ひとつは、壁で建築をつくると中と外が切れるのですが、屋根で建築をつくると中と外がつながる、ということです。環境と建築の連続が自然にやれる魅力を感じています。軒下のような空間が自然にできるのも魅力のひとつです。軒先は、部屋と道路の間、中と外の間ともいえます。「軒先を借りる」という言い方があるように、軒先は個人の所有ですが通りに属する空間でもあって、僕は面白く感じています。

屋根を架けると場ができる、というところは屋根の魅力のひとつだと思います。現代の住宅は、浴室とか寝室とか、機能が部屋名になっていますが、古民家や町屋、寺などの歴史建築物は、縁側とか広間とか、土間とか、空間名が機能を示さない名前になっています。縁側や土間、濡れ縁という空間名は、いわば場の状態、場の様子をいっているだけで、機能・用途は何でもよいのです。そういう名前のつけ方を見ても、古い建築には、使いたいように使っていいよという建築のおおらかさ、開放感があるように僕には感じられます。場だけがあって、その使い方は自由、それは人びとに委ねられている、というところは実は、〈金沢21世紀美術館〉の頃もやろうとはしていたのですが、当時は自由に使える建築というものを、平面操作でつくり出そうとしていました。結果としては、箱（部屋）を並べるというどこか機能主義的発想の建築になったように思います。屋根を架けるだけでできる建築の単純さや原始性に比べると、平面操作の建築はやはりどこか知的というのでしょうか、説明的なところがあるような気もします。

というような意味で、最近屋根に挑戦するようになってきました。複雑な操作だというご指摘はごもっともで、確かに複雑な形をやっていますが、しかし矛盾するようですが、より単純な、よりストレートな建築をめざしているのです。やってみると屋根は難しく、試行錯誤は今後も続くであろうと思います。

世界の風景と「第2の自然」

二〇一五年十二月二十日

長谷川逸子さま

ますます寒くなってまいりましたが、長谷川さんはお変わりありませんでしょうか？今回の手紙は、外国について書こうと思います。いろんな国を旅行していて、どこがいちばん印象深かったかなと考えると、まず最初に頭に浮かぶのはヨーロッパと、あとインドです。インドの街、宗教、文化、気候風土、さまざまなことに、たいへん感銘を受けました。

インドの路上では、さまざまな動物が人間と一緒に暮らしています。巨大な菩提樹が大通りを塞ぐように立ち、牛や象、ラクダや猿が、路上で寝たり、歩いたりしています。物資を運搬しているのではなくて、街を散歩しているのだそうです。さまざまな生き物が通りでくつろいで、寝たり歩いたりしている、その風景を見ていると、日本の都市がいかに人間中心主義というのか、人間の「生」のためにつくられてきたかということを思います。

インドの街に行って、もうひとつ印象的だったのが、ヒンドゥー教でした。カオスそのものというか、あまりに大衆的というのか、いろんな神さまがカオス的に混在していて、人びとの熱狂があって、そのエネルギーはすごいものでした。

そういう激しいインドで、イスラム教のモスクは、一服の清涼剤といいますか、静謐で、ちょっとホッとします。モスクには美しい中庭があって、中央に水が張ってあり、人びとは暑い太陽の下で黙々と、大理石の床を磨いています。美しい柱と文字、長方形平面の美しさ、静けさというものには、心身が清められるようです。そしてそのミニマルな中庭の向こうに、混沌の極致のようなバラックとスラムがあふれるように山積みになっていて、ぎょっとします。イスラム教の禁欲的な潔癖さにたいして、ヒンドゥー教のバイタリティ、開放性は驚くべきものです。ヒンドゥー教の神さまは、像がピカピカに磨かれて、とにかく輝いていて、たいへん印象的なものでした。それはほとんど新品で、日本の仏教のような古さ、風格というよりは、さっきつくったみたいな新しさです。扉が開かれて神さまの像が現れると、興奮した人びとがピカピカの神さまにせまり、iPadや携帯カメラでばしゃばしゃ撮影して、たいへんな熱狂ぶりでした。かつて梅棹忠夫が、日本の寺や仏像は古く、苔むしていて、逆にインドや東南アジアでは、神も仏もみんなピカピカに輝いていると言っていました。どの世界でも、愛されて大切にされているものがいつもピカピカに磨かれて輝くので、何が輝いているかを見れば、その国の人びとが何を大切にしているかがわかる、ということで、インドでは神仏が輝き、日本では新幹線やジュース自販機が輝いている、と言っていたのを、ふと思い出しました。

いま日本にいて思うのは、インドの街は、混沌として、やかましく、また厳しい階級があり、貧しい人びとは路上で生きて死に、さまざまな生き物が混ざり合って、しかし人にも街にも、動物にも、不思議な気高さがあったように思います。

いろんな生き物が押し合いへし合いする街の風景は、そのままヒンドゥー教の神々の世界にも見えました。菩提樹の下でくつろぐ人びとや牛を見ていると、ブッダが動物を従えて野を歩き、木陰で寝た時代がそのまま現代化したような、昔から何も変わっていない世界がそこにあるように思えました。宗教と文化が街に与えるものの大きさを、僕はインドに行って、あらためて感じた次第です。

長谷川さんはいままでどのような旅をされてきましたか？　お好きな国、街はどちらでしょうか？

二〇一六年一月六日

西沢立衛さま

インド旅行はずいぶんと刺激的だったようですね。西沢さんが楽しく旅行されている様子が目に浮かびます。私も若いときはいろいろの旅をしました。しかし、何故かアジアに旅行すると、帰国してから体調を崩すのです。何度さそわれてもインドに何故行かなかったのか、自問してみましたが、知人からのいろいろの情報を知るたび、私にはその場の力に立ち向かえないと思っているからかもしれません。

アトリエを立ち上げた直後、一九八〇年頃から、〈新潟市民芸術文化会館〉の仕事が始まるまでの十五年程はレクチャーと展覧会の招待をたくさんいただき、ヨーロッパとアメリカによく出かけた。コンペやその後の設計のときは旅行をするという余裕は持てなかったが、レクチャーは一日で済み、あとの三、四日は旅行に出かけられた。パリではウィークデーのチケットが安く、モロッコやアルジェリアに飛んだ。マラケシュ、ラバド、フェズ、アトラス山脈を越えてサハラ砂漠へ、アルジェからチェニスへと出かけた。この辺りは土の世界で床・壁の建物や焼き物の壷なども土っぽい。日本やアジアの土の空間と違うのは、泥を手で塗ったものでマイスターが左官で仕上げる壁より生っぽいもの。その土の床の中庭の日陰に、美しい赤い手織りの絨毯を置いて昼寝をする。カラフルな焼き物を紐で繋いだネックレス、シルバーのブレスレット、青空と同じ色のスカーフ、真っ白なロングドレス、何もかも土のなかで美しい。モノは土の空間と対比的なのに一体になって人びとを活気づけ、美しく魅せている。

八〇年代はこうして五回も北アフリカへ旅して土に魅せられていました。〈湘南台〉の壁も床も土仕上げにしようと考えたのも、こうした経験と重なっていたのではないかと思い返します。

グラスゴーに一ヶ月のワークショップ［一九八八年春］をしに行き、大学の先生たちと北部のハイランド地方にドライブしたとき、見たものは、草木の無い岩山に石の廃墟が立ち並ぶ風景だった。風化した城は山に崩れて溶け込んで、自然と人工物が溶解している風景が続いた。城は地域の家々とはまったく異なるものだった。途中で宿泊した普通の家のグリーンハウスでは、よく手入れさせた鉢の縁が爽やかな香りを漂わせ、花々に囲まれてティータイムを過ごした。石の山のなかにいたので、この家がオアシスのように感じられたのでしょう。しょっちゅう思い出します。その先のアイルランドに行ったときの記憶は断崖の地層の風景です。

ハーバードに一年間滞在したとき[8]も、何度も旅に出た。ニューイングランド地方でイギリス人の入植者がつくった煉瓦づくりのまちや、とても美しい紅葉の風景を、冬休みにはカリブの海も見に出かけた。

MIT、イエール、コロンビア、ライス、テキサス、イリノイ、ノースキャロライナ、カリフォルニア、バークレーとアメリカ中の建築の大学を一ヶ月かけてレクチャーツアーした一九九一年のことでした。アメリカの国内を移動する低空飛行機に乗ると、自然の地形の変化に驚かされる。地球の歴史が読み取れる如く思えてしまう風景が展開する。あのときのような低空飛行で、アフリカをはじめ地球全部を飛び回るのを夢にしています。私はあれからというもの日本の地層や断層の美しい半島やジオパークを見歩いています。特にこの頃は西伊豆の美しい地層や柱状節理の重なる岩石海岸などに出かけています。

一九九九年、二〇〇四年、二〇〇九年と一ヶ月のザルツブルクのサマーアカデミーに三回出かけ、夜はオペラやオーケストラを見に行き、週末の二日は周辺のいろいろな所を訪ねる生活をしていた。ウィーンからブダペストへ、グラーツ、インスブルグからリヒテンシュタインへ。特にアルプスの山々を眺めたくてロープウェイで登れるだけ登って、山々の美しさを眺めていると、清められたような快さを感じた。巨大な氷の洞窟を訪ねた。氷がつくる造形の美しさに驚いたし、ザルツブルク周辺の湖の風景も格別に美しいものでした。

アルプスの麓の緑の山々が地元の人びとが当番で清掃してつくられている美しさだと知っても、その美しさを保持する手入れを通してある風景でも私は感激してしまう。一方、氷の洞窟は長い時間、外の空気に触れることなく時間をかけて氷が変化しながらできた空

▼8…一九九二年から九三年。長谷川は客員教授として、レム・クールハースらとクラスを持っていた

間、その美しさに感激をしてしまう。人間が関わっても関わらなくても自然を保全することで美しさをつくっている。そうした自然の風景を見ることが何よりも好きでやめられない。あるがままに放り出されているのではなく、自然に人が関わることで美しい文化に高めている風景となって、はじめて第2の自然といえるもののように思います。

文化の継承から「第2の自然」へ

二〇一六年四月二十一日

長谷川逸子さま

いよいよ春がやってきて、毎日が暖かく、今年の桜はとくに華やかだったように感じます。長谷川さんはいかがお過ごしでしょうか?

長谷川さんが何度か行かれたザルツブルグ・サマーアカデミーは、僕もかつて一回だけ参加したことがあります。夏のザルツブルグ音楽祭の真最中で、そのときは旧市街にしばらく滞在しました。ある日、街の広場にバリケードがめぐらされて、仮設の屋外劇場をつくる工事が始まりました。観客席や舞台が立ち上がっていく建設風景は、まるで演劇が始まったかのようで、わくわくしました。建設が終わるといろんな機材がどんどん持ち込まれて、バナーが出て、リハーサルが始まり、本番だけでなく練習の風景も街にさらされて、街全体が祝祭空間となっていきました。街と劇場の一体感があって、それはたいへん印象的なものでした。

日本でも、街とホールの調和、街と演劇の一体感を感じたことはいくつかあります。ひとつは小豆島の農村歌舞伎で、それは、演者も観客もみな村の人びとという歌舞伎座です。美しい棚田の只中に神社があって、その境内に幕を張って歌舞伎座になるという簡単なものですが、棚田の真ん中なので、境内全体が斜面になっていて、斜面の地べたにゴザを敷いて観劇します。一年に一回、村の人びとが集まってきて、飲んだり食べたりしながら、一日中、歌舞伎を楽しんで、演者も観客もみんな村の人びとなので、村祭りの延長のような風景です。舞台と客席に一体感があり、芝居小屋と棚田の連続も素晴らしく、人びとの暮らしと文化に根差した演劇のありようが、印象的でした。

先日『名ごりの夢　蘭医桂川家に生れて』[9]という、江戸時代末期の蘭学医の令嬢の回想録を読んでいたら、江戸の人びとがどのように歌舞伎を楽しんだかが書いてありました。彼女は築地に住んでいて、明日、浅草で歌舞伎があるという前夜は興奮して眠られず、夜中に起きてお化粧したり着物を選んだりするうちに夜が明けてしまって、いざ出発となると、街のみんなで船に乗って、浅草に繰り出すのだそうです。江戸のあちこちから着飾った人びとを乗せた船団が浅草に集まってくる風景は、さぞや壮観だっただろうなと思います。歌舞伎の演目は一日がかりで、コアな女性ファンは舞台が変わる度に茶屋で衣装替えして、時には客席が舞台を圧倒するような華やかさにもなったそうです。著者曰く、当時は舞台も客席も一体で、物語の舞台が深い山に変わるとき、「舞台背景だけでなく客席全体が深い山奥になった」と書いています。舞台と客席の一体感があったのだろうと想像します。また、劇場と街の一体感というのでしょうか、華やかな人びとが船で集まってきて歌舞伎が始まるという、歌舞伎が箱のなかの出来事である以上に、街の祝祭空間になっているように感じられて、江戸時代の街と歌舞伎の一体感が、素晴らしく感じました。

東京では今日、映画もオペラも楽しめますが、場所性とは無縁の独立プログラムというか、全国配信のテレビ放映のようなところがちょっとあります。ザルツブルグにしても小豆島にしても、劇場や音楽堂が街のなかでいまも生きているのは素晴らしいいし、建築と地

▼9…今泉みね著、平凡社、一九六三年

域の連続性も、うらやましく感じます。建築が、建築単体として存在するのではなくて、街とつながっていて、地域の価値観とつながっていて、人びとの暮らしとつながっているように感じられるのです。

長谷川さんがおっしゃる第2の自然、「自然に人間が関わることで文化のレベルに高められている」というものを、長谷川さんはふだん国内や海外を回られていて、どのような実例をご覧になったのだろうか、などと考えながら、今回は思いつくままに書いてみました。第二の自然といえる建築の存在は、世界にはいくつもあるのでしょうか？

二〇一六年五月九日

西沢立衛さま

民家はまさに長く持続する「第2の自然」といえるものです。住宅設計を篠原一男先生の元で学ぼうと考え、改めて篠原先生の『住宅論』[10]を読み、惹かれたのは「民家はきのこ」という言葉で、〈スカイハウス〉も菊竹さんから久留米の実家をベースにしていることをうかがっていたので、全国の民家や町屋を一年かけて見歩くことからスタートすることにし、東北から沖縄まで旅しました。そのとき、地方では何をしても皆が集まるお祭りが年中の行事で、一番大切なお祭りに是非来るよう招待されたものです。民家は気象、材料、つくり手、生活等のその土地に長く継承されてきた固有の条件でつくられ、それは菌が飛んで来てその土地のきのことなるように、素直に立ち上がっている現実を見歩きました。

西欧にあっても近代化以前、人間と自然の連続性、一体性はその世界観の根底にあったと思います。そうした現実は未開の他の隅に追いやられながらも、この人間は自然の一部であるというコンセプトを内包する生活観はいまでも続いていると考えます。

▼10…鹿島SD選書、一九七〇年。一九五八-六七年の論考を収めている

ずっと続いている伝統芸能も地域の人たちが引き継いでいるということでは現代のものですが、時間の連続性においては民家と同じものでしょう。私が子どもの頃には公共建築といえば高齢者が集まる公民館くらいで、皆が集まる場所は神社の境内やはらっぱ、浜辺です。そこでお茶会をしたり能を見たりしました。「浜行き」といって、春一番にやってくる黒潮を確かめながら浜辺に着飾って集まり、ピクニックをしたりしました。

伝統芸はほとんど屋外で行われます。〈新潟市民芸術文化会館〉のコンペのとき、新潟にはとてもたくさんの伝統芸があることを知り、なぜ公共はそうしたものを支援していかないのか疑問に思いました。コンペ内容は優れた音響のクラシック中心のコンサートホールやコンテンポラリーシアター、能シアターとプロが使用するもので構成され、市民が担う伝統芸能の活動を支援する場はつくられない。このことがとても理解できず、信濃川にあった緑のアーキペラゴのようなデザインをランドスケープに導入し、すべての島が伝統芸の場になるようにと設計をしました。上海でも密集地で市民によって演じられて来た伝統芸が高層ビルを建てると同時に消えて行った話を聞きました。

「農村歌舞伎」といえば、南木曽の加子母村で木造の迎賓館をつくったとき、朽ちていた農村歌舞伎の建物をみつけ、復元する手伝いをしたことがありました［一九九六年］。まち中の人が演じ、飾り付けサービスをし、お祭りのような農村歌舞伎を見ました。

ザルツブルグのサマーアカデミーのワークショップに出かけると、少しまちのなかのホテルより郊外の緑の多い場所で設備が充実している学生寮に泊まることが多いです。おいしいレストランがたくさんあって、よく出かけましたが、キッチンで日本食の肉じゃがや時にはお寿司をつくって生徒たちを招待したりして楽しく過ごしました。夕食の後はだいたい中心地に出かけてスプリッツァー（ソーダ＋ワイン）をよく飲みました。夜に大型の迫力

〈新潟市民芸術文化センター〉
綾子舞を楽しむ人びと

のあるスクリーンがまちの広場につくられて大勢の人たちを集めていた。カラヤン指揮の迫力あるシンフォニーをホールで生のような音響で夜遅くまで聴いて過ごしたものでした。ザルツブルグのコンペに招待された際、カラヤンの泊まっていたというそれはすばらしい部屋に宿泊し、数日過ごしました。ロングイブニングドレスで海外の有名人に混ざって鑑賞した日もありました。この期間、アート・ファッション・工芸などのワークショップもあり、アート展もたくさん開かれ、私も展覧会をさせてもらいました。音楽、アート、ファッション、料理、美しい風景、ザルツブルグの夏は美しさと楽しさが満ち溢れています。ザルツブルグは年一回、この音楽フェスティバルの為に市民も生きているようなもので、モーツァルト誕生の地らしくクラシックを引き継ぎながら、市民と観光客を含めまち全体が音楽祝祭空間になります。

きめ細かく見ていけば「第2の自然」空間といえるものと一緒に、世界中にこうした歴史を持続した祝祭空間がまだまだ残っているのではないでしょうか。

二〇一六年八月二十四日

日本、そしてアジアの建築の未来へ向けて

長谷川逸子さま

暑い日が続きますが、いかがお過ごしでしょうか？　前回の「浜行き」のお話はたいへんインパクトがありました。といっても実は、浜辺の写真を拝見したときは、不思議な風景だ、というくらいの印象だったのですが、その後、長谷川さんのギャラリーで詳しくお話をお聞きして、驚きを新たにしました。春がきて、青い太平洋に黒い海が到来する風景、また、光る鰹の群れがやってきて、黒潮を食べて行く風景、浜辺から眺める人びと、どれ

も自然なこととはいえ、この世のものと思えないというか、まるで神話のようだと感じました。あえて人びとが正装して出かけていくのも、黒潮をただの観光物ではなく、神聖なものとみなしていて、自然への畏怖を感じました。その後、砂浜が港につくり変えられることで「浜行き」自体もなくなったという近代化の歴史も、たいへん示唆的なものでした。

いまの私たちの時代は、当時の焼津の人びとが正装して出かけたような、春の黒潮にあたるものを果たして持ち得ているかと思うと、考え込んでしまいます。もしかしたら地震や津波、台風といった自然の脅威は、災害でありながら、同時に神聖なものでもあるのだろうか、と思ったりもします。「浜行き」のような、大自然の営みを私たちが畏敬し祝福するようなことが、私たちの生活にもまだ残っているのか、もし残っているとしたらそれは今後どうなっていくのか、気になるところです。

もうひとつ「浜行き」の話を聞きつつ思うのは、自分たちがポストモダン的な価値観のなかにいるということです。近代化の只中では、砂浜をコンクリートの港につくり変えることは、少なくとも当時の人びとには眩しく見えたであろうと想像できます。その後ポストモダンの時代になって、失ったものの大きさを知るようになり、近代化によって破壊された歴史的町並みの保存再生や、失われた地域性の復興が議論されました。(ジェイン・)ジェイコブズのような市民運動が大きな潮流となり、また他方で、商業主義化したアイコン的ポストモダニズムが流行り、という歴史を思い起こすたびに、長谷川さんが書いておられた、最近はコミュニティデザインか、もしくはオブジェデザインかの二極化が進んでいる、というご指摘をあらためて思い出します。こういったポストモダニズム的価値観のなかから、どのような新しい感受性が生まれ、どのように新しい時代につながっていくのでしょうか。

それに関連して漠然と思うのは、鉄とガラス、コンクリートよりもむしろ、レンガや木、土壁といった温かい仕上げ、地域性のある仕上げが望まれ、建築家もやりたがる、という流れが世界的に起きています。現に僕も、木造にはかつてよりも興味を持ち、仕上げも、ガラスよりもう少し豊かでおもしろい材料があるのではないか、と感じています。他方で、そういう発想から果たして新しい時代の建築が生まれるのか、とも思います。ガラスであれ土壁であれ、表現が建築のテーマであっていいのかな、という素朴な疑問もあります。長谷川さんはどのようにお考えでしょうか？

往復書簡の最後の最後で、質問ばかりになってしまいましたが、質問のついでにもうひとつお聞きしたいのは、長谷川さんは最近、ギャラリーを始められました。さまざまな人びとが集い交流する議論の場を始められたということが、素晴らしく感じました。フランク・ゲーリーはいま、教育の機会を与えられない貧しい子どもたちのために建築の学校を始め、また、刑務所をよりよい場所に変える運動を始めています。いまさまざまな形で、既成の教育機関・文化施設の外で、次世代に向けた活動が顕著になっています。そこで今後の展望といいますか、これからの若い人びとに何を望むか、どういう時代を期待するか、ぜひお話し頂けないでしょうか？

今回は往復書簡に指名して頂きまして、ありがとうございました。たいへん勉強になりました。また近々お会いできることを楽しみにしております。

二〇一六年九月一日

西沢立衛さま

西沢さんとの往復書簡も今回が最後となりました。楽しく続けさせていただきました。四十年近くアトリエにしてきた〈ＢＹハウス〉を若い建築家の議論の場にしたいと考えて、この春から「gallery IHA」としてスタートさせています。

　私たちが若い頃は、同期の人たちとお酒を飲みながら話すとか、若い隈研吾さん、竹山聖さんなどが「ＳＤ」のコラムに書くために、私のアトリエによく来て一緒に議論するとか、多木浩二さんを中心に議論や学習をするということもありました。倉俣史朗さん、高松次郎さんなど異分野の人とも議論する機会があり、建築についてミーティングをする場が開かれていました。

　この頃、地方に出かけたとき、ぜひ仕事を見て欲しいと若い建築家に言われ、いい仕事を見せていただきました。木構造の面白さを話されていたのですが、最後に批評を得る機会がないことを訴えられました。ジャカルタにレクチャーに行ったときも住宅建築を見て欲しいと何人かに誘われ、感激するほどの作品を見ました。その後、そのときお会いした建築家や大学の先生たちが大勢で私のアトリエにミーティングにやってきました。経済のグローバル化の状況のなかで住宅建築をつくる建築家は、これからどう立ち向かうべきかという内容の議論をしました。私はインドネシアの環境のなかでアジアの建築をつくって世界に通じさせようと話したら、感激していました。

　そのときから日本の建築家は日本の建築をつくっているのだろうか、アジアの国としての建築をつくっているのだろうかと考えるようになっています。

　若い建築家の多くは、自分の出身地や大都市郊外の建物のリフォームに関わっている人が多いようですが、大学に属していないとミーティングや作品発表の場はなかなか得られていないようです。私は日本だけでなく、アジアの国々の若い建築家にもアジアの建築とは何かを考えてもらい、それをもってオブジェクト建築をつくっている西欧によるグローバル化に対峙する人が出てくることが大きな希望であり期待です。

gallary IHA
レクチャー風景

私は以前から国内外で小学生と住宅のワークショップを何度もやってきました。「ようこそ先輩」[11]というＮＨＫのテレビの撮影で〈湘南台文化センター〉に行き、子どもたちと広場でお弁当を食べていたときに、光の変化がよくわかって面白い場所だね、光が柔らかくて美しいねとか、地下の体育館ではサンクンガーデンを新しい地面のように感じるとか、喜びを表現していました。小学五年生が建築家よりいい批評を発してくれて本当に嬉しかったです。ですから「gallery IHA」では子どもや身体障害者や高齢者の人たちのアート活動も展示していき、そうした無垢な人たちの考えも皆で知りたいと考えています。

春のレクチャーは「住宅建築を通して建築の先を考える」というタイトルで塚本由晴さんにキュレーターをお願いし、五人の若い建築家のレクチャーと作品展示を行いました。議論を繰り返してわかったのは、若い人たちが体験を通じて身体で感じ取り、地域に開かれた建築をつくっていることです。秋のレクチャーは北山恒さんにキュレーションをお願いし、「一九七〇年代の建築的冒険者と現代の遺伝子」というタイトルで五組の先輩建築家と若い建築家をセットで論じてもらう計画でいます。

西沢さんにキュレーションをお願いして、アジアの建築の追究というテーマでギャラリーのスタートを考えていました。お忙しいようなので諦めてしまいましたが、いつかぜひキュレーションをしていただきたく思っています。

私は小学生まで、美しい風景の残る環境で伝統的な生活をしていました。特に寺育ちの母の振る舞いが好きでした。野花の絵を描き、テキスタイルのデザインにして着物や洋服をつくったり、四季のセレモニーのお月見などしっかりこなす生活でした。美しかった頃のことが私の脳裏の奥にいつもあって、そうした生活空間を忘れられずいまでも求めています。社会の変化に敏感になって建築の仕事をしてきたという思いがあります。改めて日

▼11…二〇〇〇年十月十五日放映

ディスカッション風景

本の、さらにアジアの美しい空間をつくっていきたいと考えています。「第2の自然としての建築」という私のテーマも、この美しき田舎生活と根元で結びついています。

ディスカッション風景

第七章

・・・「野の花に囲まれて」

第七章「野の花に囲まれて」には、長谷川の生い立ちに関連する記事を集めた。「建築設計の原点」（序章）や「往復書簡形式と第2の自然」（第六章）で長谷川自身が述べているように、長谷川の建築観は、子供時代を過ごした伝統的な住宅や母と歩いた野山、遠く広がる海辺、地域の自然と密着した生活文化、季節ごとの行事やお祭りなどと深く結びついている。それらは高度に産業化される前の日本の原風景にもつながっているようである。公共のサービスははるかに少なかったが、そのぶん人びとは自らの手で公共空間をつくりあげていた。長谷川が語る生い立ちの風景は、近代化以前の原風景につながっているとともに、これからの社会のあり方やそこでの建築のあり方にもつながっていくように思われる。

「人が生き生活していく場所づくり」（二〇〇四年）は、「アーツ千代田３３３１」などの活動で社会芸術家として知られる中村政人によって二〇〇三年に実施されたインタビューである。中村は二十五人の芸術家・建築家・評論家らへ、建築を含めた芸術教育についてのインタビューを実施し、『美術に教育』にまとめている（同シリーズとして『美術の教育』『美術と教育』がある）。二十五人のうちには、建築家として長谷川と石山修武が入っている。インタビューの主眼は教育であるが、必然的に長谷川が生まれ育った環境を詳しく聞き出しており、一部の語句を修正したが、そのまま全体を収録している。原題は「長谷川逸子建築家」であったが、収録するにあたり、インタビューのなかの言葉を題名とした。

そのほか、建築以外の一般誌や新聞などに寄稿したエッセイを収録した。子ども時代から篠原研究室時代に至るまでずっとガラス瓶を集めていたというエピソードを綴った「ガラスびんに熱中した時代」（一九八二年）、子ども時代に親しんだ水辺空間と公共空間のありかたを結びつけて語った「水辺のはらっぱ」（二〇〇〇年）、さまざまなホールとの出会いを綴った「都市の歴史が読めるホール建築」（二〇〇六年）、豊かな自然に囲まれて過ごした子供時代の思い出を綴った「野の花に囲まれて育つ」（二〇〇七年）である。これらは一、二ページのエッセイであるが、長谷川建築の質をかたちづくってきたものの片鱗が伺えれば幸いである。それぞれ収録にあたって一部の語句を修正している。

・・・インタビュー　人が生き生活していく場所づくり

――長谷川さんはどのような環境で育ったのでしょうか?

静岡の焼津という、海も山も野原もあったいいところで人生始まりました(笑)。私の母は、寺で育った人なので、そのことが私にはとても影響していたかなと思いますね。お墓参りに一ヶ月に一度必ず行く人なのです。彼岸花いっぱいに咲く路やコスモスいっぱいの路を一時間近くわざわざ歩いていくのです。野の花がすごく好きな人で、私に花の名前を教えながら摘んでいく。帰ってきて、新聞紙に包んで植物採集するというのが、もう小学校に上がる前からやっていたことでした。母は自分のデザインした野花を配して染めた着物しか着ていませんでしたね。そういう環境があって、小さな頃私は野の花を牛乳瓶とか、ガラスのように透けた瓶にいっぱい差して、気に入った花を描いていました。小学校一年生の夏休みには、植物採集した葉っぱで模様を描いた作品を図工の宿題にしたら、先生が大きな大会にだして一等賞になった。三年生の頃には随分たくさんの葉っぱを集めて、お菓子の透明なセルロイドのケースに、思いっきりカラフルに見えるように、なかにちょっと色紙の葉も入れた箱をつくった。植物というのはこんなに多様に見えるのかとばかりに、色を詰めた抽象的な透明なセルロイドの箱を出して、また一等をもらいましてね。その頃に抽象というのも母親に教わったように思います。中学で絵画クラブに入っても、抽象ということを考え、私のメインカラーはカンディンスキーの「劇場」のイエローです。中学

原題「長谷川逸子　建築家」
中村政人『美術に教育2004』commanndN、二〇〇四年。
二〇〇三年四月十五日、長谷川逸子・建築計画工房にて

に入ったら植物採集ともおさらばしようかと思ったのですけど、池田先生という植物の研究者がいらしたのです。素敵な老人で、お休みの日はそのグループに入って南アルプスの方まで植物採集に出かけました。野の花と共にあった日常の生活を通して得たものが、私の絵画の原点だったかなと思いますね。いまもはらっぱが好きです（笑）。

――いまの環境だと花を探しに行かなきゃいけないわけですが。

西の袋井の方へよく皆と行きます。静岡辺りには、蓮池や牡丹が咲いているお寺や、百合が咲いている寺など、季節に花の咲くお寺がいっぱいあるのですよ。この頃でも静岡に出張すると時々そうした寺を訪ねます。しかし、いまははらっぱを自分でつくるのが仕事です。ですから、環境をつくるという考えで建築と一緒にランドスケープをデザインするとき、自分でも植物を知っているなと思います。建築家って植物をあまり知りませんね。「ああ、これは、母親のおかげだった」と思います。植物は私の原点だったと思います。

――美術のコンクールのようなものに学校で出されたということですが、いい賞を取ったということはやはり嬉しかったですか？

先生が勝手に県か市の子どもの夏休み展に出したことで、一等賞というのは皆が羨ましがったけど、私はあるものを詰めただけで、自慢する気はなかったのです。こういうものが通るのだという考えは持ちました。弱くて引込みがちな子どもが自信をつける動機になりました。

――賞を取るということが自信に繋がり、次回も出してみようとか、もっと絵を描いてみようとかそういう気持ちにはなりましたか？

そうですね、なりましたね。母親は鉛筆画を描いていて、兄が小さい頃から犬とか動物を彫刻する、姉が日本画を描くという環境がありました。私は日本的なものではなくて、油絵をやりたいと小学校六年生になる前から言って、道具を買ってくれる日を待っていていました。中学へ入った日に買ってもらって、中学のクラブは油絵で、高校も大学もずっと油絵を描き、建築をやる自信がつくまでは、友だちとグループ展を開いたりしていました。

――具体的には、どういったものをテーマとして描かれていましたか。

もちろん花々や植物、それから魚とか自分の顔。大学のときは空間とか宇宙とかとても抽象的なもの。自画像はずっと描いていました。いつも変な自分を（笑）。

――自画像というテーマは表面的な問題ではなくて、描くそのときの精神状況とか、いろんなものが反映されてきますよね。

そうですね。すごく痩せている細いモジリアニのようなのを。

――芸大・美大とかに行こうとは思わなかったのですか？

姉は普通に英文科に行っていたのですが、私はそういうのに適さないと思い、美大に行きたいと母に話をすると、体の弱さを気にして家で描けば良いと言われてしまった。それでも何か社会的な仕事をしたいことがあったら大学に行っても良いと言うので、一生懸命考えました。父は色々な会社をやっていたのですけど、鉄工場があって、船の部品をつくっていました。青い図面に白い線が引いてあるきれいな青図を見て、こういうのを描く人になれないかなと思ったのが高一くらいです。キレイだなと思ったのです。もちろんその頃はコンピュータじゃないから、手で定規を使って描いていたのでしょうけど、曲線がキレイで、こういうのを描くのにはどうしたらいいか、父に相談しました。これは男がやるものだよ、という感じだった。学校で一生懸命図面を描けるようになりたいって言っていたら、高二のときの友人のお父さまが早稲田の建築科を出て、家で設計事務所をしてい

高校時代

て、住宅の図面描いているからと図面を持って来てくれたのですが、その図面もきれいだったんですね（笑）。こういうのが描ける方がいいかなとだんだん思うようになった。その頃は女性が入れる大学で造船科って一ヶ所もなかったのです。いまはあるかも知れませんね。それで、建築科に行こうと。建築は工学部なのです。私は女学校に通っていたので、家政科か英文科か音大のピアノ科に行くのが普通で工学部に行く人なんていないのです。私が工学部へ行くって言うと驚かれ、先生だけじゃなく、友だちも、全員で反対って言って（笑）。そんなところに行くと、つきあってあげないって（笑）。ずっと長いこと、なぜあれほど皆が反対したのだろうということは解けなかった。それで私はひねくれて、大学は行かないで家で絵を描くのもいいじゃないかと思った。ところが東京に行っていた姉が、ヨットに乗れてヨットのデザインができる学校があるって教えてくれたのです。横浜にあって、その時期でも採るといわれました。姉の彼氏が学校の助手か何かをしていたらしくて。入学したけれど、学校行く気がないので、ヨットハーバーのとなりの造船所に通っていた。アメリカのヨットレースのように曲面のきれいなセールを縫い、風との関係でいろいろな曲面を描く、金物は英語で一生懸命ロンドンに注文したりして自分の船をつくりながら国体の選手までやって、三年生まで真っ黒になってヨットハーバーへ通っていたのです。

——すごいですね。

その間の油絵はヨットハーバーの風景になっていきましたね。友だちとやるグループ展や大学の油絵の展覧会に出したりしていた。工学部の建築の授業に疑問が多くて、私の提案を批判するのは、彼らが男性的すぎるからなどとも感じていました。そして東大か京大に行く準備をしていたのに、なぜあんなに意地悪されるような反対に負けたのだろうと考

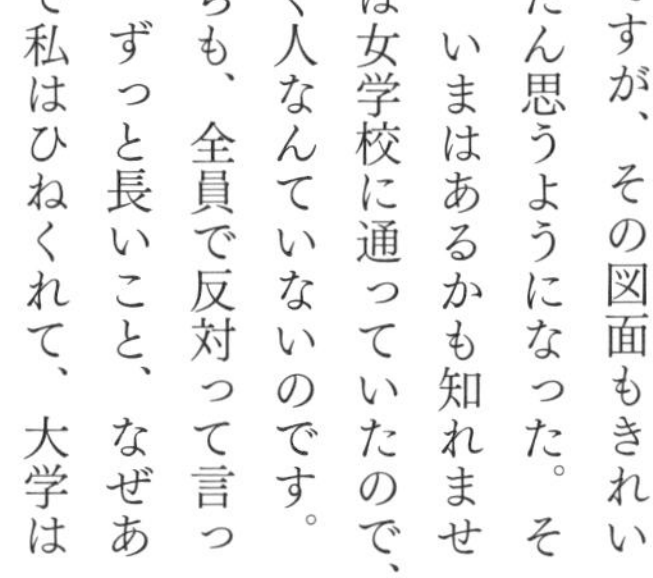

大学時代。ヨットハーバーにて

え続けた。考えるに工学部というのは「つくる論理」しか教えないですね。設計の課題のソフトプログラムは先生がつくり、ソフトを生徒が考え提案するというチャンスはない。ハードをつくる側に立たされるのが工学部なのです。使う側からのソフト発想を設計製図にぶつけると、教授にとってはうるさい生徒なのですね。とにかく男性的な感じでした。構造コースの力学の方がヨットの帆がどう風を受けるかって考えるのと一緒で楽しい。松井源吾先生が面白かったので、構造コースをとりましたね。そこで実験をしたり、ミース・ファン・デル・ローエのスチールの構造を真似して、十字型の柱模型をつくってきれいな形だと思ったりしました。四年間、うまく建築というものに乗れませんでしたね、これは本当に今日この頃までも、引きずる課題になっていました。

——構造の十字を、どの辺でキレイだと感じられる力が出てきたのか、その辺のところをお聞きしたいです。つまり花をフィールドワーク的に集めるその前に何か、長谷川さんの美しさを発見する秘密があるような気がするのですが。

すでにH型鋼のように鉄が規格化してしまった時代にあって、機械でつくるH型より手仕事で溶接して十字柱をつくるという作業は造形活動で、アートをつくっている感じがあった。十字はどこから見ても細い断面で力強く、それでいて繊細でもあるものとして魅かれました。それはステンレスの磨き仕上げにしたので、空が映り込んで空と一体化していた。セルロイドのお菓子の箱に思いっきり、葉っぱの多彩さみたいなものを、色から形からひっくるめていっぱい詰めた手づくりのセルロイドのオブジェを美しいと思った感覚に近いものだったのは正しかった。セルロイドの葉の塊は不思議なわけです。セルロイドの透明な箱に葉っぱをつめこんだ途端にまったく違うものになっていたのです。それまでずっと美しいものを花に喩えるより、ナチュラルなものを身近に感じて溶け込んで生きて

〈AONOビル〉の十字柱

きたわけですが、透明の新しい箱が輝いていて、新しい自然という感じがした。落葉がその置かれる状態を変えるとたんに、まったく異なる抽象物になっていった。そのころ描くものも変って、空間を意識するようになっていった。だから、真っ青な海だけ描いて終るとか。白いヨットも変形していって青いなかに三角形の帆だけが飛んでいる絵とかになって。どうやって風を受けて走る船が速いことを描けるか考えて、ヨットのセールのデザインを実際にミシンでつくり上げる。次第に抽象を意識してゆく先に建築はあったのかもしれないです。今度「ディテール」[1]という本の特集が出るのですが、京大を出て事務所に十三年いた比嘉〔武彦〕さんに特集号のための長いインタビューを受けたのですが、「長谷川逸子は建築というより状態とか環境をつくっている建築家ではなかったか」と言うのです。

――それはどういうことですか?

オブジェとしての建築やモダニズムの建築が持っていた建築論だけではおさまらず、もっと身体的な場や、水や植物に囲まれている快適な環境、都市の気象の変化のなかに揺らぐ新しい状態みたいなものをもって建築を説明してきたからでしょう。また、距離とか時間を問題にしながらコミュニケーションの場を立ち上げたいとか、人が躍動する劇場のような空間をつくると語ってきたからでしょう。しかし、自分で実際に住宅をつくり出す頃から、もっと建築って複雑なものではないかなと思って、思いっきり抱え込めるだけの課題を抱え込んでつくっていきたいと考えました。それはテクノロジカルなシステムという強い考えでなく、もっと弱い思考で、人が生きていく場のありさまを強調していくことが建築ではないと考えていったようです。

――著書『生活の装置』(住まいの図書館出版局、一九九九年)のなかでも施主の方と対話を深めながら設計をしていくということがとても印象的でした。

▼1…『特集長谷川逸子 ガランドウと原っぱのディテール』。「ディテール」二〇〇三年七月別冊

どうやったら「つくる論理」に使う側の論理を加えて建築をつくれるかということを、必死で考えてきた。クライアントの要求全部をつくりあげてしまったら、すぐ次の欲求が出てきて私がつくったものは古くなってしまう。それ程、日本人は変化というものを引き受けて生活している。そう思うと、複雑なものを引き受け、インクルードできる空間、何もないガランドウしかつくれない。ヴォイドというのは単純な空間のことだと考えていた。はじめの頃、クライアントが浴室を檜でこうやってつくってくれって言ったと思ったら、次の日には、真っ白い浴室をつくってくれと言うくらい、情報社会は人間を動かすものなのです。そういう体験を繰り返しながら、残せるものは何なのかを考え、強い空間をしっかりつくり、なかはガランとしていて住まい手がその時々の思いで仮設的に設えて行けばいいのではないかと。モダニズムの時代のなかで、建築とはこういうものだという考えが、六〇年、七〇年、八〇年それぞれの時代にあったわけですが、通してみるとその枠のなかにおさまらなかった。それが批判も受けるときもあれば、大変評価されるときもあるということだったような気がします。

——長谷川さんの体験から見て、現在の、美術または建築の教育の現場はどのようにお感じになりますか？

私が大学に行っているときは、社会が工業化とかそういう方に進んでいるために、工学部は大変な活気があって、大量生産や商品化建築に向うためシステムをつくり、それを明快にするためには、排除・単純にしていく方向の動きがあったと思うのです。大学が終わる頃、建築家の菊竹清訓に会って、事務所にコンペの手伝いなどに行きました。彼はメタボリストといわれていましたがモダンの論理ではなくて、自分の身丈でものを決める人でした。自分の身体をもって、経験をもって。「自分はテーブルが基準より二センチ低いほうがいい」とか、目の前で「あれはもっとやわらかいテクスチャーがいい」とか、身体でものをつくっていくということを身近で見せてくれました。そうするうちに、建築というものにすごくリアリティが見えてきたのです。私が大学を出るとき、ちょうど藝大に大学院ができるときで、私は学校に行ってなかったけれど、設計や論文はよかった。それで、菊竹事務所で建築が少し面白くなったことから、大学院に推薦を受けて行く気でいました。ところが、菊竹事務所でも誘われたから菊竹さんの方を選びました。まだどういう先生がいるのか知らない藝大に行くより、この人の近くで建築をつくりたい、と。いろいろな人たちが集まる公共の場をつくることも魅かれていました。大学卒業後に就職した四年半がちゃんとした建築教育を受けた時期で、私は菊竹スクールで学習した人間だと思っています。そこはいろいろな学校からスタッフが来ていたのですが、「生きがいも趣味も建築です」みたいな人の集団でした。そして厳しくて、その時期建築のことしか考えられなかったですね。いま思うと、その集中力たるや、自分でもびっくりです。菊竹さんを見て、朝から晩まで建築から家具、タペストリーまでもつくりました。世のなかでディスコやボーリングが流行っていようと行く暇もない。ただ音楽は好きでよく上野の〈東京文化会館〉に行きましたけど。

——それほど事務所のなかにいたんですね。

同僚の建築家の伊東豊雄さんに言わせると、私はものすごい集中力で仕事をしていたらしいです。仕事がとても面白かったのです。でもいま思うと遊ぶ暇なく、建築のことだけ考えて、あれ程集中するのは四年くらいで限度でしたけどね。すごいことだったと思います。私はいま、大学院の客員教授をしているのですが、いまの学生は情報化社会のなかでふりまわされているのか、落ち着きがない。まさに、その集中力はないですね。頭悪いとか良いとかじゃないのですよ。先生の手伝いもしなくちゃ、旅行も行かなきゃ、何か読まなくちゃ。私の出した課題も、忙しくて真剣に考える暇がないのです。考える時間がなくても、瞬発力があったらいいのですよね。多分瞬発力って日頃きちんと思考していないと出てこないと思いますね。情報をまとめる力もないのですよ。設計の課題出しても、以前程には学生に期待できない。日本の大学はどうやら遅れてしまったのではないかと思う。

――それは、制度的に何か問題はあるのでしょうか。

よくわからないですね。大学院がありながら生徒がいつも研究している場所がないという状態ですよ。論文や報告書の書き方や発表の方法もダメでしょう。これまで大学の先生というのは、自分でものをつくる体験をしてこなくて、先生をめざしてずっと来てしまった人が製図を教えたりするわけです。それから、建築家で教えに行く人たちも、とても忙しい。忙しいなか、社会的に評価されている人が非常勤で行くのです。諸外国でも設計製図は建築家が教えに行くわけですが、もっと余裕があって学生と研究しますね。学生を利用して一緒になって建築を組み立てて行くくらい、生徒と一体となってやっている。私はハーバードに一年間教えに行きましたが、そうでしたよ。事務所のことはやっていられませんでした。一ヶ月に一度帰っていいというけど、帰れませんでしたね。しかし、生徒たちがものすごい集中力で、できるまで毎日帰らないで、机の下に寝ながら毎日やっているわけですよ。それに付き合うと、先生も一緒になってやらないと駄目なのです。

――そういう向学心というか、集中力というのは、なぜ出てくるのでしょうか。例えば菊竹さんの事務所は、明らかに菊竹さんの人的魅力になるのでしょうか。

そう、先生の魅力でしたよ。伊東豊雄さんとか、仙田満さん、内藤廣さんとかさまざまな人がいましたが、菊竹さんがつくっていくのを目の前で見て議論して怒られて、大変な

ハーバード大学。
クラスの学生と

課題を投げかけられながらつくっていく厳しさがありました。

——建築を志す人は、大学を出てどこかのいわゆる設計事務所に席を置いて勉強して、そこから一人立ちして、自分たちでやっていくと。それが一般的なコースのように感じてしまうんですけれども、実際にはどうなんでしょうかね。

いろいろなコースの人がいると思います。早稲田の石山［修武］さんや東大出の若い藤本［荘介］さんは、どこにも勤めないでやりだしている。安藤［忠雄］さんもそうかな。その方が、影響受けなくて良いってこともあると思います。自分で刺激的に学んだ方が良い場合もある。安藤さんは、あちこち外国旅行しながら、建築をずっと考えていた時期が一年くらいあったのですね。石山さんは、先生につけないことで悶々として、私たちに喧嘩を売ってきたりしていた。藤本さんはずっと一人でコンペに挑戦し続けている。それぞれの建築家は、大学生のときいい先生に出会えたり、出てから出会うとかもいろいろ、ものすごく力を集中させて、若いとき自分の思考を蓄積する時期が必要だと思う。まあだれでも適当な建築はできると思うけれど。

——適当な建築？

建築は施工者が別にいるのでいい加減につくれば、いい加減にできてしまう。建築は床壁天井を組み立ててできてしまう既製品的なものでもある。またある意味では、特別なものをつくらない方がいいということもあるわけです。住宅は芸術だと、作品性を主張するのも、問題が残る。主体によって構築するのが建築として現れ残る。使用者ともコミュニケーションが必要ですし、それだけでなく建築がとても難しいのは、キャンバスに一人で絵を描くのとは違って、施工者につくってもらうのです。若いころは大工さんと一緒にセルフビルド風のこともやりましたが［〈焼津の住宅2〉］、図面も一人では書ききれない

〈焼津の住宅2〉
建設中

のでコラボレーションするのです。私が建築やり出したときの一番の課題はこれでした。小さな家を一人でつくっているときは、隅々まで自分で描けて、面白かったですよ。最初の一、二の作品は一番いいですね（笑）。斜めの壁の家とかつくっていますけれど、自分で全部やりました。その後少し規模が大きくなって、誰かに手伝ってもらうようになると、きちっと一つの方向性を示しておいてもその人の身体感覚が入ってくるせいなのか、初めは共同作業はすごく難しかったですね（笑）。

——特に住宅密集地など、一軒新しい住宅ができると近隣の人たちとの関係全体が揺らぎ、街が少し変化する。つまり、住宅をつくるということは、総合的な感覚や知識が必要になってくると思うのです。絵を描く、美術も勉強するということも、基本的にはそうなんですけれども、何かひとつのことだけを勉強してはすまない時代になってきていると感じますが。

そうですね。あらゆるものは複合化して、神経細胞のように複雑化してきている。

——例えば、緩やかな弧を描く巨大な壁があったとして、建築家はこの壁のアールを決定する感覚はどこから、どのように導いてきているのか？　また、どのようにトレーニングされ鍛えられてこういう感覚がつかめるようになったのか？というのが不思議なんですが、長谷川さんの場合はどうなのでしょうか？

なんとなく表れてくるのではなく、形態は思考することの結果ですね。いろいろなデザインをしながら学習し続けてきた結果でもありましょう。体験しながらスケール感を得ていく。私が東工大の助手をしている間、小さな家を最初一年も二年もかけて、ずるずると設計していたことがあって、これはすごく良かった。実現しなくていいかもしれないと、模型をつくったり壊したりしていた。だんだんスケールアップしていくようにして、ゆっくりと大きなものをつくるようになりました。最初の公共建築だった藤沢市の〈湘南台文

東工大・篠原研究室時代

化センター〉は、小さなものがいっぱい装置のように寄せ集まった結合体として、大きいものにするというデザインでした。装置の集合としての建築は新しかった。光や風を取り込む小さな屋根や日除けとか球儀のホール、プラネタリウム、空気観察所などが集合した大きなものなのです。そこに多目的に活動できるはらっぱみたいなものを、どうしたら残せるか、はらっぱこそ公開されている自由な空間だろうと思い、床面積七〇%も地下に埋め込んで一生懸命した。「はらっぱ」という自分のリアリティのある大きい広場を導入して、全体が公園のような建築をつくりました。公共建築をつくって二十年目くらいにして、〈新潟市民芸術文化会館〉の仕事を終えてようやく大きいスケールができたという感じでしたね。大きすぎるヴォイドのなかに立つと、逆に身体性を強く感じるという作用があり、それなりの魅力に惹きつけられた。なんでも引き受けそうなボーッとした大きなヴォイドは気持ちがよい。一方では小さなものが寄せ集まっている、その身体的空間の方にもリアリティがある。私はその二つのあり方を選択して大建築を設計している。大きな広場的な建築をつくることだけでなく、家具とか住宅を意識的に選んで小さいものも同時に設計するの（笑）。

——いまのお話ですと、現場で実際に自分が手で書いたものが、ヴォリュームとしてでき上がったものを見て、そこから次のものが出てくるということですか。

そうです。自分の考えを見つめながら変化し、経験してうまくなっていけるものかなという感じでやってきましたね。

——すると建築を勉強するということは現場を経験しておかないといけないという意味でしょうか？

そう。現場というのは、いままさにつくっているという今日性と、ものとして立ち上がる身体性を獲得するチャンスですね。しかし、建築家によっては施主からも敷地からも自由であり、現場より図面によって大きな社会システムにのせる原型をつくろうと考える人もいる。ドローイングとしてのアンビルド建築をイギリスの人は描きますが、それは自由に描けるのですけれども、つくるとなると、現場を積み重ねないものは施工会社の仕事のようになってしまう。ディテールとか、スケール感とか、そういうものが決定できないですね。私は、ゆっくり現場をやってきた感じがしますね。時間がかかったとは思いますよ。ようやく建築家らしくなったと感じたのは一九九九年の〈新潟〉の仕事の後でした（笑）。

——現在の建築または美術の教育制度はどのように改善したらよいでしょうか？

大学の建築は四年で、高校からやってきた人は七年くらいやっている。建築っていったって設計者、技術者、施工者、コンサルタントとすごくいろいろな分野があるので、自分がどれに適しているか見分けられる視線を持てるよう教育しないといけないと思います。建築家が育たなければ、評論家も育たず、施工者も育たない。中高のとき、もっといろいろな可能性にチャレンジして、自分の道を見つけ出すことができないので、大学に何となく入ってしまって、それから考えるので高校レベルになりがちです。大学は専門家としてのもっとハイレベルな教育にしたい。もっときめ細かく、時間をかけて、四年じゃなくて、六年でもいいと思います。途中で一度社会に一、二年出て自分を知るとかですね。社会にトライするチャンスを中高のあいだにもっと持たせて、目的を持った人間を育てる。どんな学問も複雑化し、コラボレーションが必要な時代。コミュニケーションのレッスンもしっかりとやって欲しい。諸外国の人と交流するとか、積極的に生きるべきでしょう。大学生になっても自分の進む道に迷っている人が大勢いすぎるのはおかしなことなのですよ。私もそうでしたけど、大学生まで、社会見学している浮浪者でした。絵を描く、ヨットをやってゆく、造園やる、ずっと迷って三年のとき、建築家に出会って決める。その五年後、もっと勉強したくて東工大へ行く。積極的に自分に適したものをチャレンジしていける学校のシステムを高校から取るべきだと思います。アメリカはそういうことにチャレンジできるように高校でシステム化していますね。

――具体的にはどのような例があるのでしょう?

友だちがニューヨークの大学でアコースティック（音響学）を教えるために、高校生のお子さんと家族を皆連れて行ったのです。私は高校を設計するにあたって、向こうの学校の資料をたくさん取り寄せてもらって見てみると、学生の個性を生かした進路を共に考えてくれるカウンセラーをクラスの担任に配置するスタイルをとっている。高校生から脚本家になりたいとか照明家になりたいという生徒にチャレンジさせたり、大学のこういうコースに行ってみなさいと言ったり。もし演劇家を目指している人が大勢いたら、専門家を呼んできてクラスを開いたりしてしまう。何をしたいか先生と相談するチャンスがある。友だちのお嬢さんは、ホールづくりをやっているお父さんと小さいときから演劇をずっと見ていたので、やはり演出家になりたいと高校生から大学の授業を、ニューヨークのどこどこに聞きに行けるように手配してもらい、一年生から行っています。

――面白いですね。

左官や大工など、中学校をでたらすぐに修業しないと遅いといわれていたり、ピアニストなどの音楽家も子どものときからやるじゃないですか。ハーバードの大学院で教えたとき、思ったのですが、アメリカの学生は高校生のとき早々に家を出て自立するために、何でも自分でやり、自分を見つめる。高校のとき、専門家としてのレポートの書き方などをきちんと教わっているのですね。社会全体でめざすものにチャレンジできるように、コンサルタント・カウンセリングを盛んにして、いくつでもどこでも新しいことをめざさせる。高校生のときからさまざまなことにチャレンジできて、大学に行く頃までには、自分は何になりたいという見定めができる人が相当出てくるのです。まだ出てこない人がいて、大学行ってまた移ってもいいと思うのですが、日本は受験勉強はするけれど将来にチャレンジもせず、ゆっくりと大学で遊んでいれば何とかなるという感じじゃないですか。めざすものがあると面白い大学生活があるのでしょうが。例えば、MITに教えに行っていたときに、お医者さんグループの教室がありました。二十代から、五十代の人も六十代の人もいる。お医者さんとして手術とかやってきて興奮しなかったけれども、家をセルフビルドしたらすごく面白かったので建築家になりたいと考えるようになってトライし直している。そういう人は、お医者さんにすごく多いのですね。MITにはお医者さんから建築家になるためのクラスっていうのがあるのですよ（笑）。

——それはすごいですね。

絵画も歳をとってからトライする人がいますでしょ。いつでも自由にチャレンジできて、自分の能力を生かせる社会は必要でしょう。

——アメリカのいまの社会は早熟な感じがして、これは私見ですけども、要するに四十までの人生設計と四十以降の人生設計が違う。普通日本の場合はその境目が六十五ですよね。アメリカの場合、非常に若い頃からうわーって働いて金をためて、四十になったらぴったり仕事辞めて別のことをやる、という生き方が一つのステイタスになっているような感じがします。

外国に行くといろいろな生き方をしている人がいる、年取ってからすごいことやっている人だっているじゃないですか。辞めちゃったり、見切りつけて遊んでいる人だけでなくて、四十からスタートして映画つくる人もいるじゃないですか。私は本当に建築家になれるのかなぁと思いながら、東工大で建築科の助手をしているときに、村野藤吾という大先輩のえらい建築家が「長谷川、友だちが事務所をつくったり建築家やっていたりしたって焦らなくっていいのだよ。五十になって始めたっていいのだよ。自分は四十五で始めたのだ。五十頃から本当に建築がわかってきた」というような話をしてくれた。ゆっくりここで勉強していていいのだと思いました。菊竹事務所を辞めた伊東さんたちから十年も遅れて私はスタートするのですが、早く始めてもすごく遅いスタートもあったっていいじゃないかと思います。友だちのお兄さんの病院をつくる[2]というチャンスが十年くらいで来たのでスタートしましたけれども、建築家になれるとは全然思っていませんでしたね。外国では早い人だけじゃなくて、自分でよいときに勉強をはじめることが可能で、いろんなやり方があってもいいのに日本では、一つの生き方しか教えてくれないというのが問題だと思うのですね。

——そうですね、そう思いますね。

人が住むことをじっくり捉えず、お金儲けのための仕事としてやりすごしてしまう。まちを見ればわかりますが、鉄骨でＡＬＣをペタペタ貼ってペンキかタイルというプレファブリックなものばかりが建ち並ぶ状態なのですよね。それは誰にも幸福なことではないんじゃないかな。社会にとってもいい状態ではないんじゃないかなというように思いますね。

——建築をつくるということは、環境の一部分をつくるということだともいえますが、長谷川さんの環境に対する配慮やお考えについて教えて頂けますか?

建築を自立したものとしてではなく、いつも環境として立ち上げたいと考えています。住宅のクライアントに指摘されたのですが、敷地の隅々まで考えて設計するので、ゴミが

▼2…徳丸小児科（一九七九）のこと

溜まるところもないと。建築を都市のなかに埋め込むと考えるとき、建築には、目に見えない影響力があるのですよ。新しい住宅をつくるとそこに合った活発な生活をしだしたりするのですね。それまでスカートしかはかなかった奥さんが、ズボンはいて庭いじりしたりですね。そういう動きが周辺にも波及するのですね。一戸の家を新築すると、周辺に目に見えて影響しちゃうんですよ、ましてや、都市のなかのとても広い敷地に公共建築をつくると、その環境がどうあるかっていうのは、やっぱりものすごい力を持つことになるんですよ。

〈新潟市民芸術文化会館〉の敷地は埋立地なので、そこに植わっていたヒノキとか桜は、まったく伸びていなかったんです。掘ってみるとすぐ地下水で根が腐っている。街のなかに同じ頃に植えたケヤキは一〇メートルになっているわけです。ですから九ヘクタール近くを土壌改良したのですよ。それをやったために、一〇メートルのケヤキを植えるつもりが、五メートルのものしか植えられなかったのですが、三年で、もう八、九メートルありますからね。ものすごい勢いで伸びるわけですよ。そうすると、それまで埋立地でアスファルトがあってぼそぼそしていた、いつまでたっても明治の頃の埋立地で都市の一部にならないまま、パーキングだったというような場所だったところが、いま一番しっとりしている緑の公園になっています。

ランドスケープデザインも一緒に設計できたので、駐車場のうえを空中庭園として主には伝統芸能のパフォーマンスの庭をいくつもつくった。そしてブリッジで繋ぐことで、車道と歩道の区分された交通としての空間が生まれた。さらに全体を緑として、水の動きを導入するとまさにヒートアイランド現象を防止して、夏は涼しく、冬は暖かい都市公園が出現しました。そのことは、行政のトップの人の気持ちを動かして県知事は、「百年かけ

〈新潟市民芸術文化会館〉
敷地の樹木が大きく成長した

て、かつての、水と都と緑の街に新潟県を取り戻しましょう」って新聞一面に広告を出すの。それからというもの「緑植えよう」と動き出すとすごい勢いでまちが変わるのね。

快適な都市にするためには、「第2の自然」という状態を持ち込みたいのです。亜熱帯で島国の日本のまちは、かつて緑のなかに埋もれていました。そういう状態に近づけたい。〈湘南台〉から始まって〈新潟〉まで、オープンな空間を現代の「はらっぱ」としてつくり、皆がフリーにカジュアルに使える公共性を持ち込む。緑化に対しては若い人から高齢者まで「誰が管理するんだ、こんなぜいたくな花物なんかは植えてはいけないんだ」とすごく批判する人たちもいます。メンテナンスの方法を一緒に提案しないとダメですね。新潟で私がレクチャーすると新潟大学の先輩が来て手を挙げて、「緑化なんてお金かかるから、やらないでパーキングにしてアスファルトでいいんです」って言い切るんですよ。是非やってほしいという人は声を出さないけど、嫌だと思っている人が発言することが多い。つくっていく過程はいろいろな意見が飛び交います。何をつくるかは行政が考えたことなのに、そのプログラムの基本から市民は追求しますね。コンペで審査員が緑化を含めた案を認めたのですが、「花の咲くものは華美になるので農業のまちとしては植えては困る」とまで言います。

——そんなことまでですか?

はい、新潟にはそういう人がいました。〈湘南台〉では敷地は区画整理を行うまで農業地で、小さな丘が防風林になっていて、そのあいだに畑をつくっていた。その丘の一つが敷地で、周辺もまだ田畑でした。もう十年たったら、周りはマンションです。大勢の人たちがうえから見ると、屋上庭園とせせらぎのある広場が見えるので公園みたいになる。しかし、この設計のときも、屋上庭園を誰が手入れするんだって大変だったんですよ。でも、市長さんが、じゃあ緑の手入れをするボランティアを育てるための小屋をつくって、手入れの仕方なんかを教えたらいいといって、応援してくれたんですね。とにかく、初めての公共建築で緑をどうやって手入れするかという人づくりからしないと植物が植えられないということでした。人づくりからやらないと設計したものがつくれないことを最初に教わったんですよ。

――郊外だけじゃなく、日本全国どこでも均一な風景が広がっていますが、それらの風景の場合は立て売り住宅であるとか、ハウスメーカーの住宅が多いと思いますが。そういう風景のなかでの建築の在り方、その辺が気になっているんですけど、住宅というのは、確かにいま、長谷川さんがおっしゃったような一つの場所から伝播していく力というものがあると思うのですけど、伝播する力・速度に比べて住宅地ができてくるスピードの方がはやくて、戦後万博の頃からいままでのようなサイクルで見ても、当時言っていたことと違う方向に行ってしまっているんじゃないかと感じます。長谷川さんは、住宅地の風景についてどのようにお感じになられますか？

住宅地もマンションも大企業の商品になってしまってからというもの、住まいは個性も無くなり、均一化した商品になってきてしまった。それから開発する不動産屋さんにはランドスケープをデザインする余裕がないのですね。どういう環境になるということを広告して欲しいのに、家が並び建つ風景で広報するだけ。日本の学校では造園家はいても、ランドスケープやグランドデザインをする人を育ててこなかったんです。ハーバードにランドスケープデザインコースがあるのですが。この頃ようやく大学でランドスケープデザインをハーバード出身の先生が教えだしています。ただしそのやり方はアメリカ的に、樹木をきれいに碁盤の目のように植える人工的で建築的なもので、日本の風土には合わないかなと思っています。

——いままでなかったのですか?

千葉大学園芸科とか東京農業大学造園科とかしか。だから造園デザインですね。私は自らランドスケープをデザインしてきました。コラボレーションしたいランドスケープデザイナーをいつも物色している状態ですね。

——美術の方ですと、関根伸夫[3]さんとかが、七〇年くらいから環境美術ということで、パブリックアートを街のあちこちにポンと置いたりすることを始めたと思います。

パブリックアートの方からでもいいですが、地域の特徴を生かしたグランドデザインをやる必要がある。

——ランドスケープデザイン、パブリックアートの専門の教育機関が必要ということですね。

ええ、それは、急いで育てる必要がありますよ、住環境をつくるために。建築科のコースに近年できてきていると思うけど。日本で日本の気候に合ったデザインを教育した方がいいと思うのですよ。日本人は水とか緑のなかにいると、快適さを感じるところあるでしょ。四季の変化のあるという特質を生かし、環境としての建築のデザインを考えたいです。グリーン派が多いから諸外国でも仕事できると思うけど。イタリアはちょっと違って都市も建築も元々、アーティフィシャルなものでナチュラルという概念が含まれていないわけですよ。だから、都市のなかに自然をテーマにして、その環境をもう一度再編集していくという考えは通りにくい。しかしヨーロッパの庭園には日本の植物が沢山あるし、エコロジカル、グリーン派が多いから諸外国でも仕事できると思うけど。建築だけでなく、ランドスケープデザインをもって、世界でもっともっと仕事すべきだと思う。

——心強いですね。

この国は植物も亜熱帯でたくさんあるし、世界中にある植物は日本にほとんどあります

▼3…(一九四二-二〇一九)
現代美術家、彫刻家

からね。キューガーデンに行くと日本館がありますが。イギリス、ドイツのガーデンに行っても日本と同じ植物がいっぱいあるんです。日本から多分明治頃持っていったのですよ。田園都市の計画を立てるとき、イギリス人の都市計画家ハワードは緑化都市江戸の庭付き住宅の様相から学んだといわれています。イングリッシュガーデンが有名なようにイギリス人は庭園家でもありますけど、ランドスケープデザインもうまい。やれば、地面のデザインをすることは日本人もうまいと思うんですね。

――長谷川さんにとって建築とは、現在どのようにお考えですか？

人が生き、生活していく場所づくりでしょう。建築家がどこまでつくるべきかという課題をずっと考えてきました。生きられた家づくりのプロセスといいますか、そのはじめに空間をどのように立ち上げるかということです。ある建築家は「建築は芸術である」っていいました。しかし、そう言い切っちゃうときに、持続する建築の多様なもの、複雑なるものを排除しちゃうことになると思うのです。具体的に人が生活して生きてく場所と考えていくときに、何か、アートという枠組みだけではこたえられないですね。建築というのはインクルーシブなものだと考えているので。そして長い期間のプロセスのスタートを立ち上げるのであって、使っていくことでよくなる空間にしたい。持続と自由さを持ち込めるガランドウあるいははらっぱのようなイメージをどのように空間化すればいいか考えている。それはアートというより建築を立ち上げたい。アートと言い切ったほうが、幸福だとも思うのですが（笑）。

――建築を志す方ですとか、またはアートを志す方に一声アドバイスをお願いします。

答えになるかわかりませんが、私、ワークショップという課外授業で夢の建築づくりを子どもたちとやります。日本だけでなく、オランダ建築博物館のＮＡｉでもやったのです。

古いものも新しいものも自然も人工もごっちゃに持ち込むのがいい。自分は動物たちとこんな風に過ごしたいとか、水のなかの家とか、木のうえの家とか描くのですが、上手いですよね。大学生よりも家をつくるのが上手いですよ。それは、純粋に考えたことを表現する夢みたいなものを持っているから。年をとっていくと同時に、そう純粋になれないじゃないですか。私は設計を進めながら、市民と意見交換をするのですね。そのときに、小学校へ行くと、もう全員手を挙げてですね、「こういうもの欲しい、こうして欲しい」って創造力豊かな発言をしますね。で、中学に行くと、途端に、ホールは五百人より千人の方が良いのではとか、お母さんに聞いてきたようなことを話す。高校に行ったらもっとひどく無口になってしまう。社会性を得ていくということは、自分をなくしていくことのように見えます。能登半島の先端の美しい自然の残る、珠洲市という所で、小学校の四、五年生と住みたい家をつくるというのをやったんですけど、色彩が美しく、アートのような建築をつくるのにびっくりしました。オランダの子どもも色彩感覚がものすごくいいですよ。小学生は全員アーティストだとそう思わされます。生き方を通してものづくりの力がついてくる。文化的で芸術的な都市を私たちはつくって、若い人たちがもっと自由で楽しく生きられる環境にしていかなければと思う。アートも建築も、思考するなかから生まれてくるのだから、若い人たちも積極的に生きて自分の道を極めていく環境を自らつくっていってほしいです。

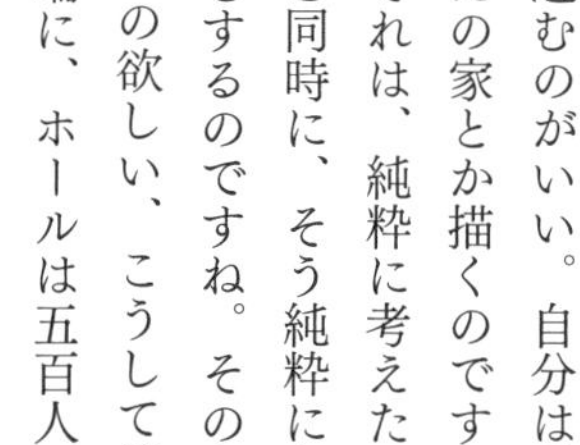

〈塩竈ふれあいセンター〉
子どもワークショップ

・・・ガラスびんに熱中した時代

「ゴブgob」一九八二年秋号

部屋を装飾するためだったのか、ガラスびんが好きだったのか、はっきりしませんが、自分の部屋にガラスびんを並べたことが何度もありました。

はじめに思い出すのは、母をまじえて兄や姉と絵をかいたりして遊んだ田舎の板の間の部屋の低い出窓を、つぎつぎにガラスびんやコップ類でいっぱいにしたことです。私の母は、若い頃に自分で絵柄をデザインして染めた着物を大切にしていましたが、子育てが忙しくなっても、出かけると草や花を摘んで来てはスケッチをしていました。

私たち子どもも、まねてよく絵を描きました。幼かった私がつくった色水をとっておくためのガラスのコップや薬びんを、出窓のところに並べたのが始まりだったようです。その後はびんにビーズや貝殻をつめたり、気に入った色の紙をとっておくためつめ込んだりしていたときもありました。だんだん家族の皆が、そこにガラス器を集めるようになり、たくさんいつまでも並んでいました。

中学生頃から始めた油絵は、大学の建築科に進んでもつづけていました。その大学生の一時期、ガラスびんばかり描いていたことがありました。持ち帰ったラムネびん、友人の下宿からもらって来た酒びん、下宿の台所で使い古したびんなどで、製図板のうえはいっぱいでした。

ラベルを剝がすと現れるいろいろな形の集まりを楽しんでいたのですが、そのうち、ガラスの質感からくる透明さとか脆さ、ピーンと音をはじく緊張をキャンバスに表現しようと、夢中で何枚もかきました。絵は田舎の父の家にあるので、いま取り出して見ることはできませんが、そのなかになんでもないワインのびんと、透けたブルーのリアルなびんと、抽象としての同形の白いびんを二本並べた絵があるはずです。日常の生活品としてのありようを超えて、なお変質してある存在感を表現しようとした絵だったと思います。

それから、長いこと通った東工大で、化学の実験室から出る薬用びんを集めたことがありました。焼却炉の近くに山積みに捨てられていた五センチくらいのものから、上下に口のある五〇センチほどのびんまで、口の広いもの狭いもの、ガラスのふたのついたものと、いろいろありました。持ち帰っては本箱のうえに置くうちにいっぱいになった頃、友人が実験室みたいだというので、昔のことを思い出し自分の大小のスケッチに色をつけては挿しておいたものでした。

その後、同じ本箱のうえを、ラベルを洗い落としたマテウス・ロゼのびんを一ダースほど並べたこともありました。

もうひとつ、七年ほど前、松山で民芸品の店から白い一升びんの形の砥部焼きを買って来て、普通の茶色い透けた一升びんのラベルを洗い落としたものとを、書机のうえにしばらく並べて置いたことがあります。一升びんそのものだと思って持ち帰ったのですが、口先の細い部分が三センチほど長いだけで、その白い一升びんは何とも芸術品に見えることと、大きさが大きすぎることもあって、早々に押入れにしまい込んでしまいました。私は三十歳を過ぎた頃からお酒を飲むようになったのですが、なぜだかはっきりしませんが、その頃から部屋にびんを並べることはなくなったようです。

・・・水辺のはらっぱ

田舎育ちも都会育ちも、人はそれぞれ育った場所の川にまつわる思い出を持っている。私は子どもの頃、ドライブ好きの父に連れられて、天竜川上流の川辺でのキャンプや、大勢でのピクニックを楽しんだ思い出がある。しかし何といっても、未だに鮮明に私の脳裏に焼きついているのは、母との月に一度の墓参りの途中でみた花舟の風景だ。川に浮かぶ木舟のなかには季節の野の花があふれ、それは、まるで川のなかに突然花畑が現れたようで、なんとも美しい光景だった。

私は母と川辺で野の花を摘み取り、家でスケッチをしてその後に押し花をつくるのが好きで、それは高校生の頃まで続いた。川面のゆらぎのなかに包まれた花舟のシーンが未だに時々まぶたに浮かんでくる。

群島から成る私たちの国には、中央を走る山地がつくる複雑な地形によって、さまざまな特徴を持った河川がある。その河川は、流域の運輸と情報のネットワークでもあり、稲作や養殖、水車での製粉、染め物流しなどの産業の場であり、灯籠流しや流し雛祭りなど、地域の生活様式が地域ごとの風景をつくってきた。

水辺の空間は、パブリックスペースとして大きなポテンシャルをもっている。生物の生息生育の場であると共に四季の花々に彩られ、花見や紅葉狩り、芋煮会のような行事をし

原題「水辺の原っぱ」「河川」
二〇〇〇年一月号

たり、魚獲りなど水遊びを楽しむ。このように水辺空間は人びとの集まるフリースペースだった。古くから都市のできる場が河川の中洲や河原であったのも、水辺が人間にとって魅力があったからだ。人びとが集まり、芸能が繰り広げられ、市が立つ。物品の交換が行われる。水辺は、異なるものたちの共存を許し、解放区としてエネルギーに満ちていた。こうして都市は河川と共にあり、劇場のように新しいものを引き受けつつ、歴史を刻み発展し続けた。ところがこの百年間で工業化・近代化を成し遂げようとしたとき、ウォーターフロントは開発の舞台となり、水辺はコンクリートの護岸となり、美しい川辺の風景は人びとの視界から消えてしまい、景観は一変してしまった。

住宅建築を中心に学んできた私は、かつて十年近くにわたって、青森から沖縄に至るまで民家や集落を見歩き、伝統建築の技術や素材が私たちの身体から身振りに至るまで深く関わっていることを知った。民家はその風土からきのこのように生え出たもので、決して建築だけ単独にあるのではなく、衣食住、つまり生活の一部であり、環境の一部である。そしてこの環境をつくる大きな要素として河川があった。まちのなりたちや生活様式は水との関わりによって大きな影響を受ける。河川をめぐる技術は建築を含めて地域固有の体系をかたちづくる。

河川伝統技術が地元の職人芸になっている地域もあった。川の氾濫を防ぎ、安全な自然護岸のために、雑木の枝を束にして格子状に組んで石を詰め込み、沈めて護岸を守る粗朶沈床という装置が開発された。それは同時に漁礁の役割や水遊びの浅瀬をつくってくれるものでもあった。こうして自然護岸の保存には、伝統建築と同様に、河川に関わる伝統技術があったことを見出した。しかもそれは単なる防災のための治山治水としてだけではなく、人が生きていくための環境、文化をつくりあげるような、ベーシックなテクノロジーであり、河川文化、河川伝統といえるようなものであることを知った。

最近大変興味深く参加させていただいた河川審議会管理部会の河川伝統技術小委員会において、専門の方々からいろいろのことを学ぶことによって、かつて建築を学ぶ過程で見てきた河川とまち、そして建築との深い関わりが思い出され、建築だけではなく、土木設計の分野にこそ、環境デザインが必要という、前々から感じていた考えをもっと主張してもいいのではないかと考えるようになった。

私はこの十五年間、文化会館、生涯学習センターや学校建築などの公共建築の仕事をしてきた。最初は、藤沢市の〈湘南台文化センター〉で、これは公開コンペによるものである。その後の仕事全体を振り返ってみると、「第2の自然としての建築」、「幔幕としての建築」そして「使用する側から建築を考える」というようなテーマを掲げ、これらはどの作品にも共有されてはいるが、その根底には、いつも子どもの頃に見た水辺の「はらっぱ」があるように思う。「はらっぱ」はいつも緑や花であふれ、フレンドリーな広がりがあって、可能性に満ちている。建築や都市もこんな「はらっぱ」であっていいのではないか。こうして自然のイメージを都市に重ねて、自然と人工のうつろう環境を第2の自然として表現した。建築を「はらっぱ」のうえの幔幕としてイメージし、複数の人びとの活動、光や風、ランドスケープまで包み込んで、オーケストラを奏でるような空間としてデザインした。そこではさまざまな世代、異なるものたちが共存し、コラボレーションが行われ、新しい創作が生まれる場となる。

これらはすべて自由でのびやかな「はらっぱ」の空間である。私のつくる公共空間のなかには、いつも日本の原風景を思い起こすような水辺の「はらっぱ」がある。

・・・

都市の歴史が読めるホール建築

「さろん」二〇〇六年九月号

これまで三回夏をザルツブルクで過ごした。一回目はレクチャーに、二回はザルツブルクサマーアカデミーの教室を持って八月の一ヶ月滞在し、オペラを観るという恵まれた夏を楽しく過ごした。週末はグラーツ、インスブルック、リキテンシュタインの方に小さな旅をして建築を見て歩くのもまた楽しかった。今年もモーツァルト生誕二百五十年の音楽祭に地元の方々のご招待で出かける予定でいる。

クラシックを聴いた最初は小学校六年のとき、オーケストラで聴いて心に響くものがあり、その後、上野の〈東京文化会館〉で小澤征爾氏のデビューのコンサートを聴くことで、以来この感動を求めてずっとクラシック音楽を聴くために、いろいろな街のコンサートホールやオペラハウスを訪ねてきた。沢山のホールを通して音楽はどんな空間で聴くかによって、同じオーケストラでもまったく異なる音楽を聴くことになったという感想をもった。

ホールだけでなくホールを取り巻くロビーなどから、さらにはホールに向かう外部空間を含めた環境の全体も音楽を聴く状態に影響すると感じている。環境に感激した代表といえば、グラインドボーンのオペラハウスが挙げられる[1]。ドレスアップすることも、会場の広がるイングリッシュガーデンでゆったりとランチすることも、イブニングドレスに着替えてダイニングルームでのディナーも含めてのオペラ鑑賞も。美しい館で一日中楽しさに

▼1…グラインドボーン（Glyndebourne）。東サセックス郊外に建つオペラハウス

包み込まれる幸福さを体験した日のことはいつまでも心に残っている。

〈ベルリンフィルハーモニー〉には何度も訪れたが、なかほどのとても良い席でベルリンフィルハーモニーを聴くと急勾配のせいか二千人もの人がステージに集中し、大興奮に包まれるのに刺激される。次の日も音楽を聴きに行きたいと思うようになり、返還直後のライプチヒのレクチャーを組んでもらいながら〈ゲバントハウス〉に向かった。設計者のスコダ氏の案内も得て見せてもらう。社会主義建築らしく、全体がコンクリートのホールでホワイエがガラス張りという固いもので、都市の中心にシンボリックに佇む。私はそこで購入したゲバントフィルハーモニーのCDをアトリエに戻って聴いていると、ベルリンともサントリーとも異なる音響空間のホールと感じた。つまり建築音響が日本のホールのように非常に上手いハーモニーをつくっているのと異なって、そこに生の楽器の音を上手く混合させる力強さが収録されていて、惹かれるものだったのだ。だから私は〈新潟〉のコンペの際に審査員の團伊玖磨氏がどんな建築音響をイメージしているのかと質問されたとき、ベルリンやサントリーより一人当たりのボリュームを下げて、コンパクトなかに〈ゲバントハウス〉のように生音も混ざって伝わるようなものを考えていると話をした。後に團氏からコンペの審査のとき、この私の話に同感して選んだら、他の建築家審査員も皆同じに評価していたので全員一致で決まったと話して下さった。

私はいくつものホールの設計をしてきたが、プログラムを見つけては出かけて鑑賞しながら建築のチェックもしてくる。

東工大の篠原研究室に十年在籍した内のはじめの二年間は先生の「民家はきのこ」という言葉に惹かれて、日本中の民家を見ると勇んで旅行ばかりしていた。その頃地方のお祭りもよく見た。それぞれのところに独自の笛や太鼓のリズムと、舞いがあり、このうえなく面白く地域の歴史を垣間見て歩いた。続きで能や歌舞伎もよく観にいく。

またウィリアム・フォーサイス[2]を知ることから始まって、よくダンスも見に行く。ニューヨークで見たマース・カニングハム氏が〈新潟〉のオープニングでジョン・ケージ氏の音楽とのコラボレーション（「オーシャン」）を上演してくれたときは会いに行き親しくお話しもした。この間は国立劇場で特有の身体所作のピナ・バウシュ[3]を観て感激したが、日本の勅使河原三郎や金森譲、**Noism**も追っかけている。

パフォーマンスアーツは人間の身体を通じて表現していくもので単に表現を見るだけでなく、身体そのものの動きのなかに空間と時間の流れを見て、思考するものであって、いろいろなホールでいろいろと楽しい出会いをしてきた。

私の主な仕事としてホールの設計が挙げられるが、地域の人びととのコミュニケーションを通して、新しい建築を求めて設計をすすめる。それぞれの地域には独自の歴史につながる長い人びとの活動があり、関わりながら設計するからか、完成した建物はいつも新しさと同時にその長い持続が含まれていることに気付かされる。

▼2… William Forsyth（一九四九–）アメリカのコンテンポラリーダンサー、コリオグラファー

▼3… Pina Bausch（一九四〇–二〇〇九）ドイツのコンテンポラリーダンサー、コリオグラファー

野の花に囲まれて育つ

歳を重ねて、子どもの頃の田舎で思いきり楽しく生活したことが、いまでも前向きに活動できることの原点になっていると思う。ときどき、どんな子ども時代を過ごしてきたかという質問を受けるが、同世代の人は戦後の苦しい生活のことしか思い出せないようで、私の夢のような話は信じられないとよく言われた。親のつくった池のなかを泳いでいたようなものだが、野の植物が好きで絵を描くことが趣味だった母にくっついて歩いていた私は、子どもの頃にどんなものを食べていたかというよりも、どんな花を見に行ったかという記憶の方が強く残っている。田舎でたくさんの花に囲まれて育ったことを私は自慢したい。

彼岸花、蓮華草、菜の花畑で友人とふざけたり、月一回の墓参りでは季節の野の花を摘んで家に帰り、牛乳瓶に活けてスケッチをする。母はときどき気に入ると自分の着物の柄にしていたし、私は押し花や紅葉を貼り込んで、絵にしてみたりした。そして、父の車で藤枝の蓮池をはじめ、袋井の寺まで藤や牡丹、百合などのお花見によく出かけたものである。私は中学に入ると素晴らしい植物学者の先生と出会い、日本平からはじまって西伊豆、南アルプスと数日歩く植物採集に参加し、植物学者を夢見たものだった。

焼津の海岸には一・五メートルぐらいの立方体のテトラポッドがあり、小学生の夏には

原題「野の花に囲まれて育つ
随想里の実り」「静岡新聞」
二〇〇七年九月三十日

そこを自分の部屋のように見立てよく貝殻のお皿でままごとをしたりした。少し高学年になると、父や兄たちと灯台のある防波堤で釣りをした。父は黒鯛など釣り上げていたが、釣れない私はそこでボーっとしているのがとても気持ちよくて、よくついて行った。

中学から静岡の学校に通ったが、高校を卒業する頃に工学部建築科に進みたい希望が学校の先生には通じず、友人たちからも嫌がらせがひどくなった。そうしたときには学校には行かずに、たびたびこの防波堤に来ては灯台に寄りかかり、駿河湾のずっと先の水平線と船がゆっくり行き交うのを眺めていた。船でこの海の向こうの外国に行こうと考えていたことを思い出す。田舎の海も山も野もずっと私に力をくれるものだった。

『長谷川逸子の思考』の構成について

『長谷川逸子の思考』は、最初の作品発表をした一九七二年から二〇一六年までの長谷川の論考や作品解説・講演録・インタビューなどのテキストの選集である。『ガランドウと原っぱの建築』（二〇〇三年）に収録された比嘉武彦との対談をベースとして、関連テキストを集め、二〇〇三年以降のテキストを補った。長谷川逸子・建築計画工房（一九七九年設立）では長谷川のテキストを継続的にファイリングしており、その膨大なファイルに国会図書館や大学図書館などから若干の拾遺を加え、収録すべきテキストを選出した。論考からインタビュー、そして多木浩二をはじめとする他者の批評をも組み込んでいるのは、長谷川自身の希望にもよるが、単なる著作集ではなく、長谷川の思考の軌跡を辿るテキスト集とするためである。

『ガランドウと原っぱのディテール』は、第一章「ガランドウ（初期住宅）」、第二章「第2の自然（湘南台文化センターほか）」、第三章「原っぱ（新潟市民芸術文化会館ほか）」、第四章「つなぐ建築（二〇〇〇年以降）」と年代順に構成されている。これに倣って一九七二年から一九八四年までの初期住宅群に関連するテキストを第四部「ガランドウ・生活の装置」、一九八五年から一九九二年までの〈湘南台文化センター〉（一九九一）を核とする第三部「第2の自然」、一九九三年から二〇一六年までの著作を第一部・第二部として、時代を遡るように構成した。

『ガランドウと原っぱのディテール』から十五年以上のときを経て、すでに歴史的段階に入った一九七〇年代のテキストから始めるより、現在から遡行するほうが若い世代には理解しやすいのではないかと考えたからである。

第一部「アーキペラゴ・システム」は〈新潟市民芸術文化会館〉（一九九八）を核とし、第二部「はらっぱの建築」は〈新潟〉と並走していたプロジェクトを集めた。同時期のテキストを二部に分けた第一の理由は〈新潟〉に関するテキストの物理的な量であるが、〈新潟〉に結実する一九九〇年代の思考のディテールは、むしろ、より小規模な公共建築や経済重視の社会と向き合わざるを得ない集合住宅、七〇年代の思考と繋がっている住宅を語るテキストによく読み取れるからでもある。

各部の序章に『ガランドウと原っぱのディテール』の該当章を配置しているが、今回の出版にあたって、長谷川・比嘉両氏の意向で一部修正補足している。第三章「原っぱ」は、〈新潟〉とその他のプロジェクトで分けて第一部と第二部に分けて収録し、まだ計画段階のプロジェクトを含む第四章「つなぐ建築」は住宅関連だけを残して削除し、新たな論考と置き換えた。……………（編集：六反田千恵）

初出一覧

「建築設計の原点」——The Role and Importance of Architecture in Everyday Life; Traditional Residence Architecture as My Starting Point, *MIEJSCE SPOTKANIA* (meeting place), Centrum Spotkania Kultur w Lublinie (Centre for the Meeting of Cultures in Lublin), Lublin, Porland, 2018.（「伝統的住宅建築は私の設計の原点」）改稿、和文未発表

比嘉武彦＋長谷川逸子「はらっぱの建築」——『特集長谷川逸子　ガランドウと原っぱのディテール』第三章前半、「ディテール」二〇〇三年七月別冊、

比嘉武彦＋長谷川逸子「新しいガランドウへ向けて」——同書第四章部分

「コミュニケーションが開く建築」——「建築文化」一九九三年一月号

多木浩二「出来事としての建築　長谷川逸子の対話的プログラム」——同右

「下町的共同体と複合機能の建築化を意図して」——「GA JAPAN 12」一九九五年一月

「「場」の可能性」——「GA JAPAN 11」一九九四年十一月

比嘉武彦＋長谷川逸子「場のなかに立ち上がる建築」——「新建築」一九九五年八月号、原題「「場」の中に立ち上がる建築」

「コミュニケーションの装置としての建築」——「新建築」一九九六年一月号

「自然環境と人の生命の循環」——「新建築」一九九六年七月号、原題「氷見市海浜植物園」

吉良森子＋長谷川逸子「コミュニケーションを通して建築を立ち上げる」——Creating Architecture through Communication, *Island Hopping: Crossover Architecture*, Nai Publishers, Netherland, 2001.　和文未発表

「建築が担う社会的プログラムの空虚　集合住宅論」——「新建築」一九九八年六月号

「棲まわれた団地　人びとの生活の展開がつくりだす風景」——「新建築」一九九四年十月号、原題「熊本市営託麻団地五、十一、十二棟」

坂本一成＋松永安光＋長谷川逸子「関係性をデザインする　熊本市営託麻団地の設計をめぐって」——同右

「住宅建築をつくり続けたい」——「SD」一九九五年十一月号

「住宅群をネットワーク・リングでつなぐ」——「SD」一九九九年九月号

「高齢化社会の新しい姿」——在塚礼子『老人・家族・住まい　やわらかな住宅計画』住まいの図書館出版局、一九九二年、栞

「いろいろな人が共に生きられる場をつくるために　高齢社会時代の住宅」——「住宅特集」一九九四年七月号

「年齢と関係なく住み心地のいいユニバーサルデザインの定着を」——日本医療企画「ばんぶう」二〇〇〇年八月号、原題「提言　建築家が考える高齢者の住まい」

「持続する豊かさを求めて」——日本住宅協会「住宅」二〇〇一年八月号

「T字形プラン　海とともに過ごす」——「住宅特集」二〇〇一年十月号、発表時無題

「個の集まりとして」——「建築技術」二〇〇三年二月号、原題「個の集まりとしてのSNハウス」

「都市の新しいグランドレベル」——「新建築」二〇〇二年二月号、発表時無題

「斜めから見る　新しいガランドウへ」——「住宅特集」二〇〇五年九月号

「都市の過密で触覚的な住空間」——「新建築」二〇〇九年八月号

「劇場空間のデザインとテクノロジー1　多様なホール設計」——未発表。二〇一八年十月十八日、長谷川逸子・建築計画工房にて

「同2　新潟市民芸術文化会館」——同右

「スチール建築の可能性」——鋼構造出版「鉄構技術」臨時増刊号一九九九年一月

倉俣史朗＋植田実＋長谷川逸子「マテリアルについて」——「AXIS」一九八七年四月号、原題「マテリアルについて考えること」

西沢立衛＋藤本壮介＋長谷川逸子「ガランドウとはらっぱをめぐって」——『特集長谷川逸子　ガランドウと原っぱのディテール』「ディテール」二〇〇三年七月別冊、原題「ガランドウと原っぱをめぐって」

西沢立衛＋長谷川逸子「往復書簡　形式と第2の自然」——「LIXIL eye」二〇一五年二月から二〇一六年十月、原題「新・建築家の往復書簡7–12」

「人が生き生活していく場所づくり」——中村政人『美術に教育2004』commanndN、二〇〇四年、原題「長谷川逸子　建築家」

「ガラスびんに熱中した時代」——「ゴブgob」一九八二年秋号（発行元不詳）

「水辺のはらっぱ」——日本河川協会「河川」二〇〇〇年一月号、原題「水辺の原っぱ」

「都市の歴史が読めるホール建築」——「さろん」二〇〇六年九月号

「野の花に囲まれて育つ」——「静岡新聞」二〇〇七年九月三十日、原題「野の花に囲まれて育つ　随想里の実り」

大島絵本館

富山県射水市鳥取50
1994年7月竣工
敷地面積:9,111㎡, 延床面積:2,405㎡
地上2階地下1階
S造, 一部RC造

1. 絵本館
2. 野外シアター

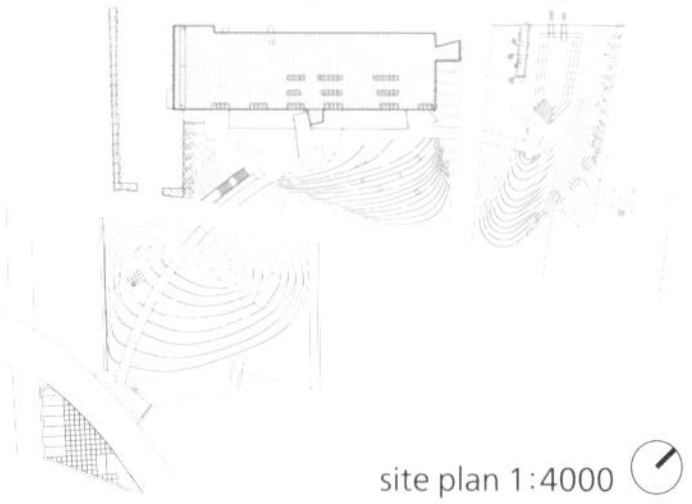

site plan 1:4000

1. シアター
2. カフェ
3. エントランスホール
4. ライブラリー
5. パフォーマンスホール
6. ワークショップ室

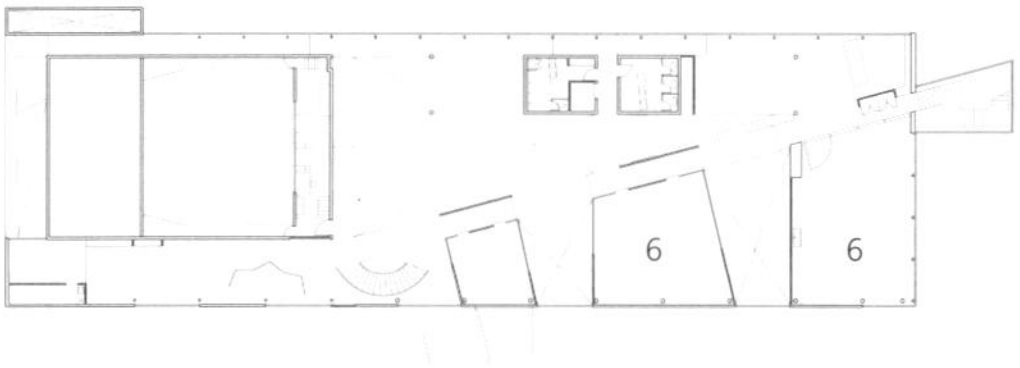

2F plan 1:1000

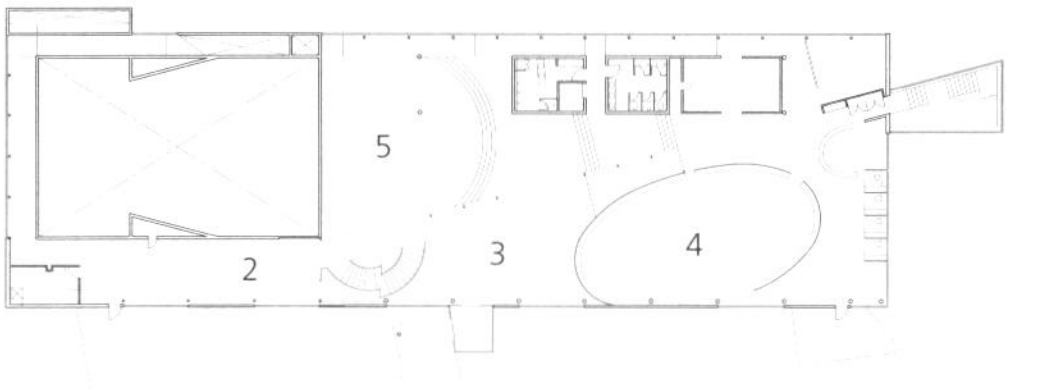

1F plan 1:1000

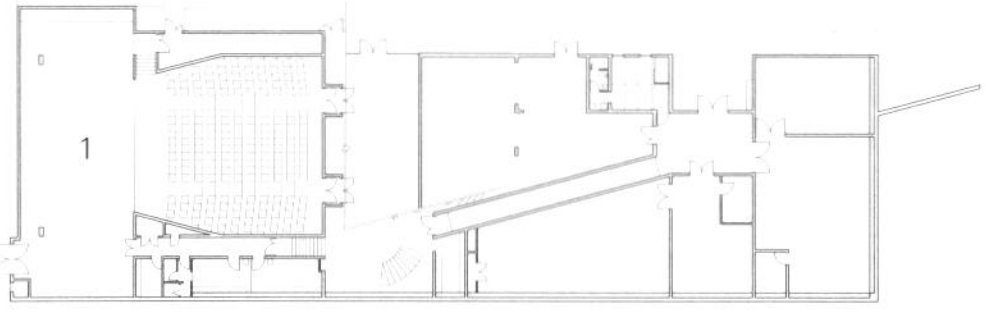

B1F plan 1:1000

すみだ生涯学習センター(ユートリヤ)

東京都墨田区東向島2-38-7
1994年9月竣工
敷地面積:3,400㎡, 延床面積:8,447㎡
地上5階地下1階
RC造, 一部SRC造とS造

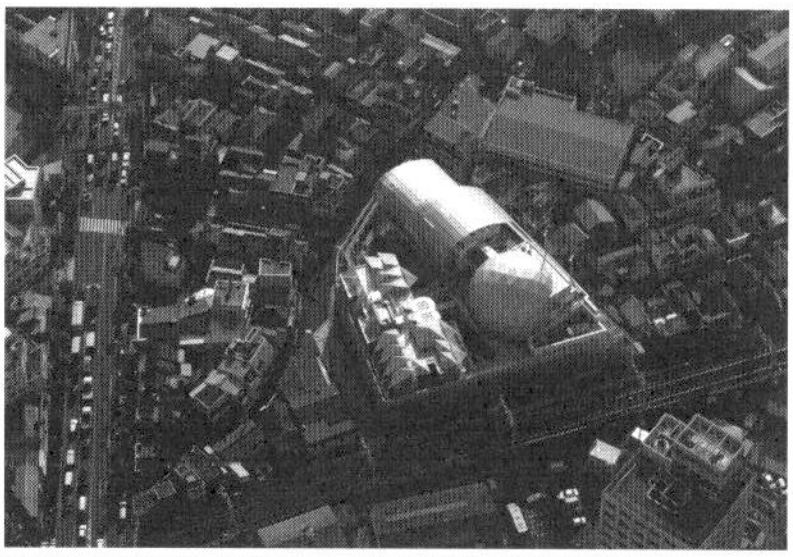

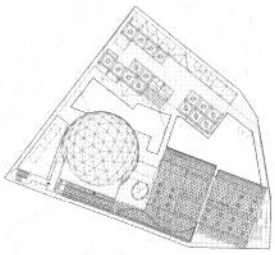

site plan 1:4000

1. ロビー
2. レストラン
3. 展示ギャラリー
4. プラザ

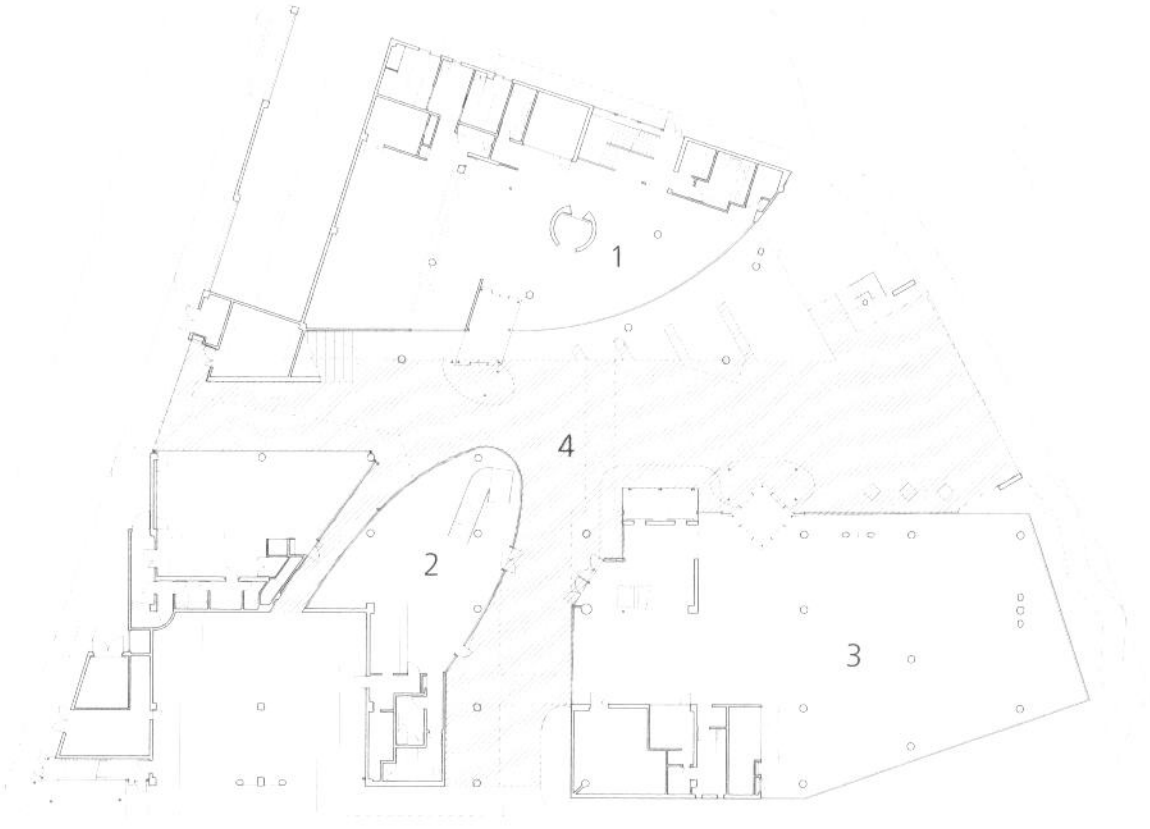

1F plan 1:1000

山梨フルーツミュージアム

山梨県山梨市江曽原1488笛吹川フルーツ公園
1995年8月竣工
敷地面積：19,500㎡, 延床面積：6,459㎡
地上1階地下1階（一部地上3階）
S造, 一部地下RC造

1. エントランス・ロビー
2. ステージ
3. 温室
4. トロピカル・グリーンハウス

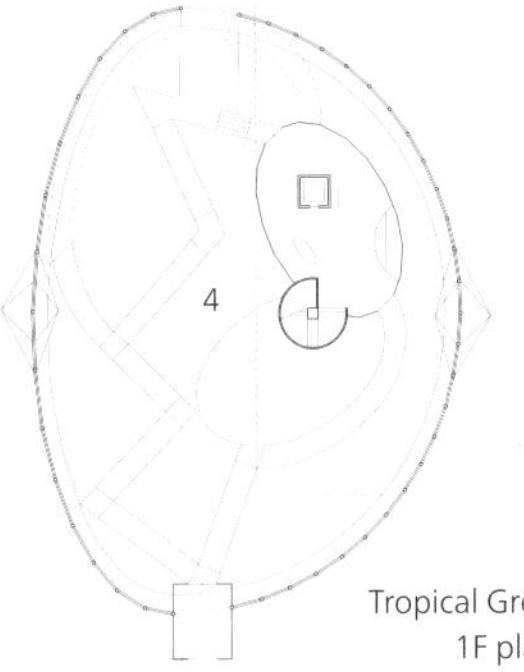

Tropical Green House
1F plan 1:1000

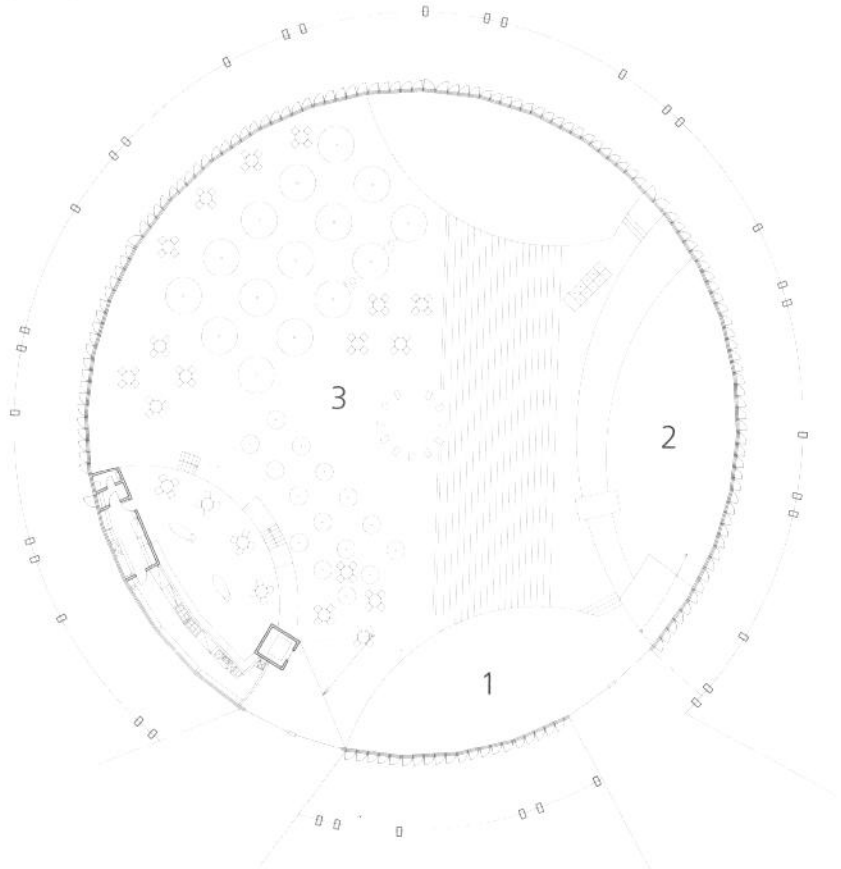

Fruits plaza
1F plan 1:1000

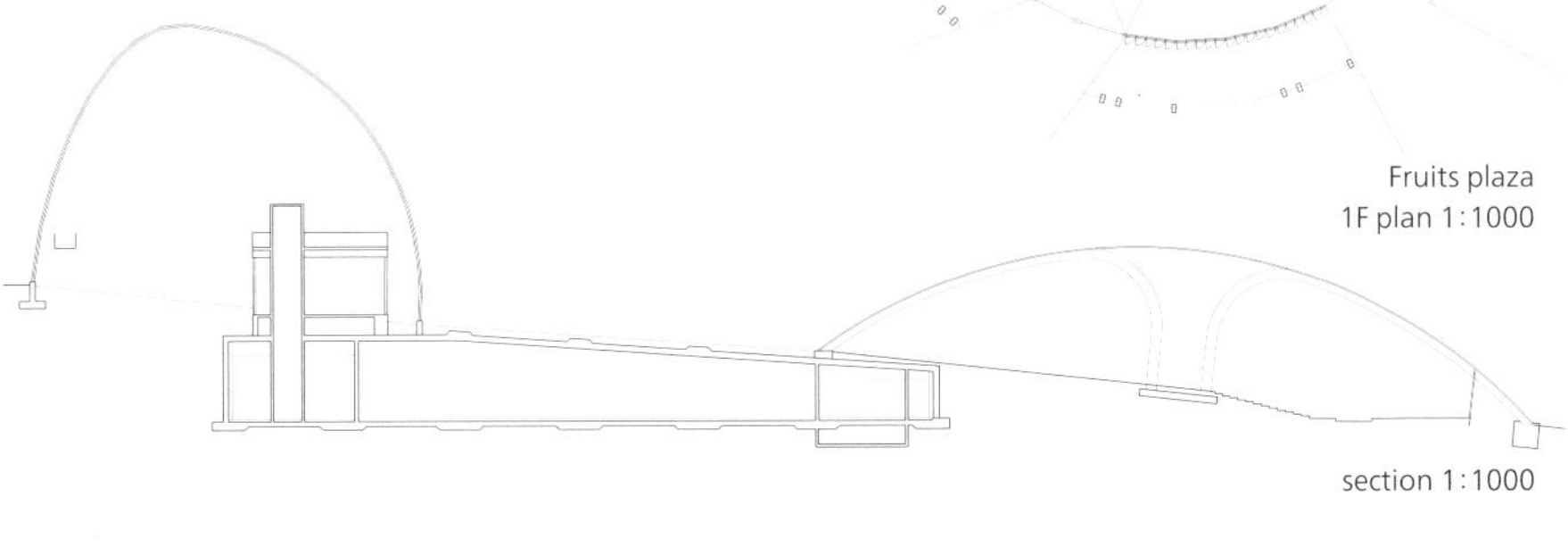

section 1:1000

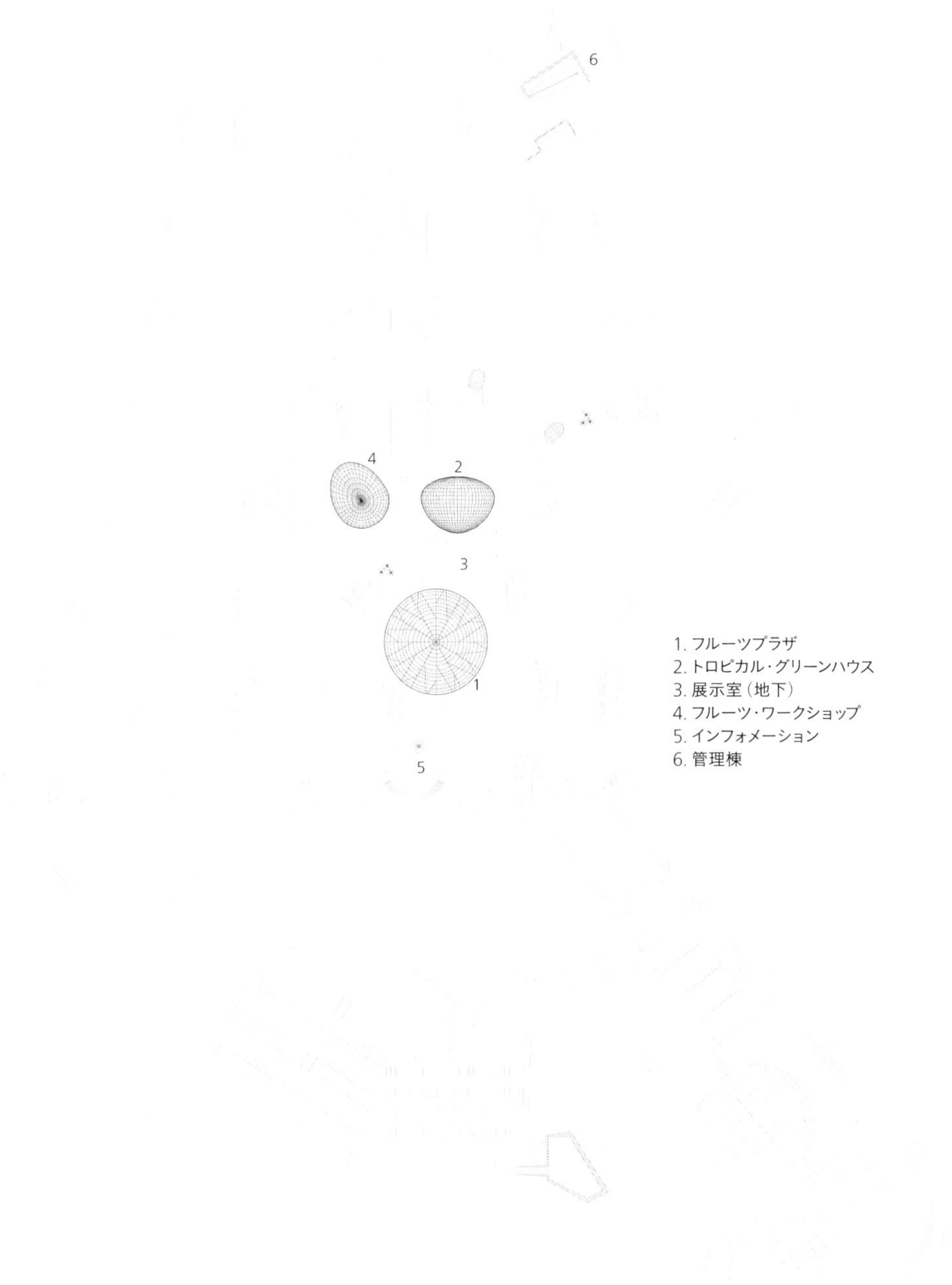

1. フルーツプラザ
2. トロピカル・グリーンハウス
3. 展示室（地下）
4. フルーツ・ワークショップ
5. インフォメーション
6. 管理棟

site plan 1:4000

1. 海浜植物園
2. 海浜散策園
3. 富山湾

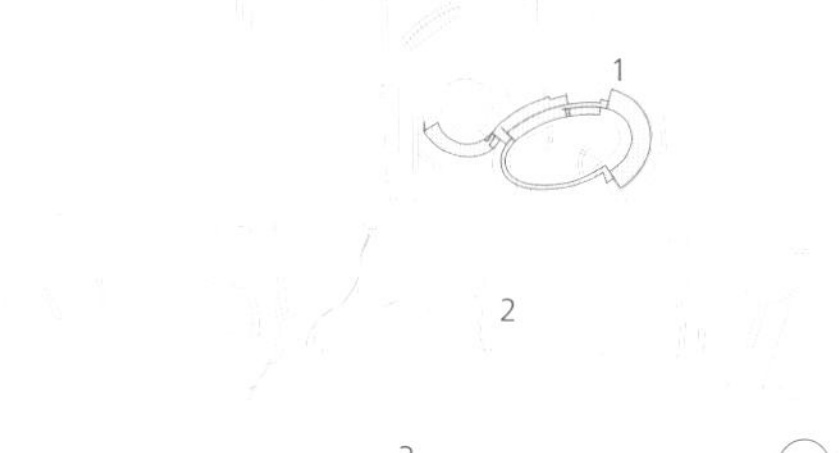

site plan 1:4000

氷見海浜植物園

富山県氷見市柳田地内
1995年5月竣工
敷地面積:10,119㎡, 延床面積:2,294㎡
地上4階
S造+RC造, 一部SRC造

1. エントランスホール
2. 展示ホール
3. 温室
4. グラス・チューブ
5. 展示ホール
6. 中庭

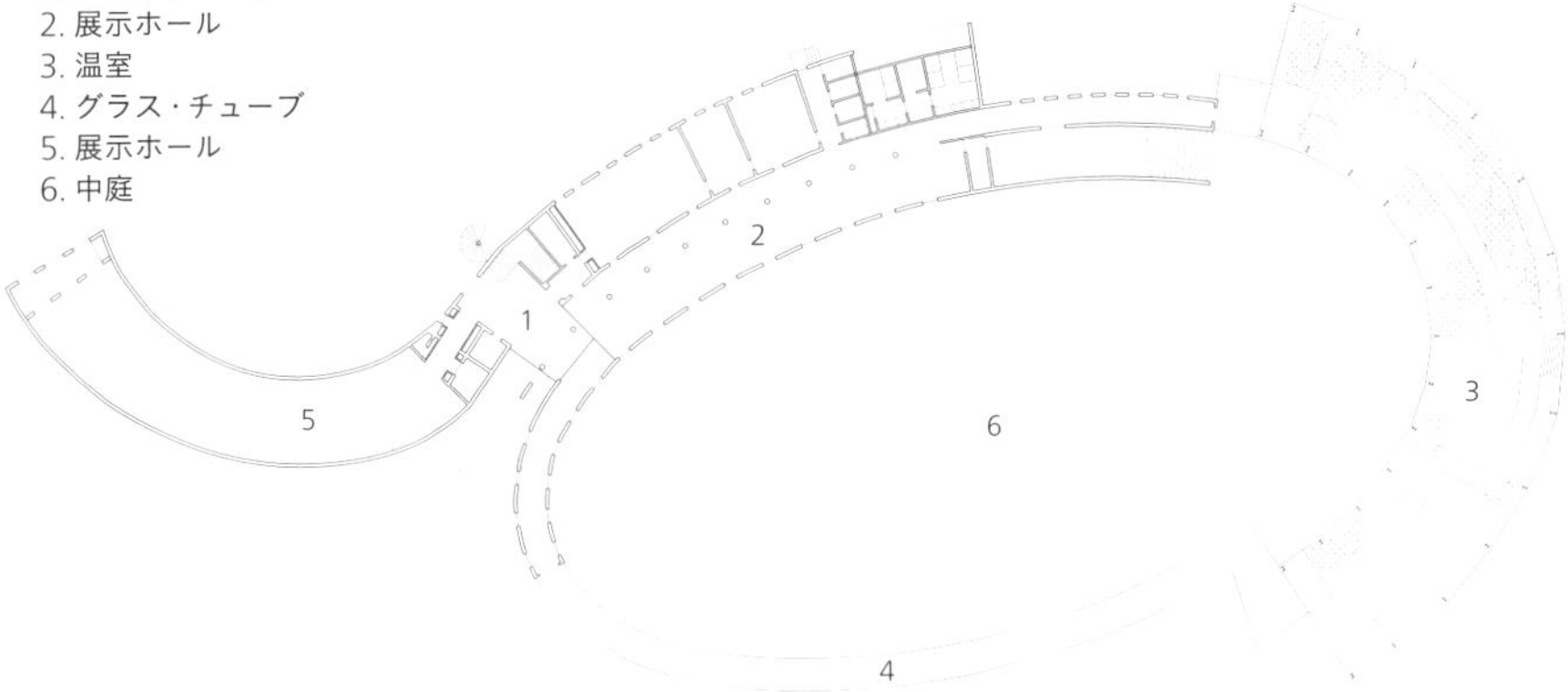

1F plan 1:1000

elevation 1:1000

熊本市営託麻団地

熊本県熊本市東区西原
1993年8月竣工
敷地面積：35,873㎡, 延床面積：9,336㎡
地上4階一部地上3階
RC造

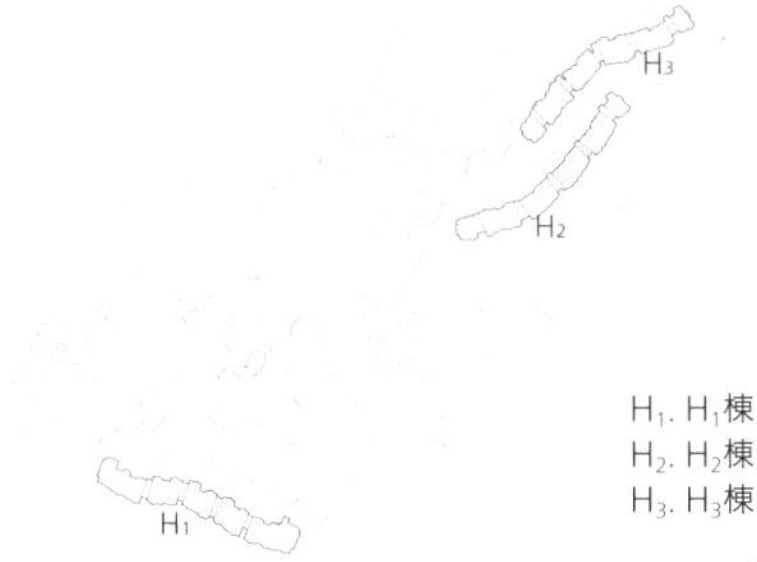

H_1. H_1棟
H_2. H_2棟
H_3. H_3棟

site plan 1:5000

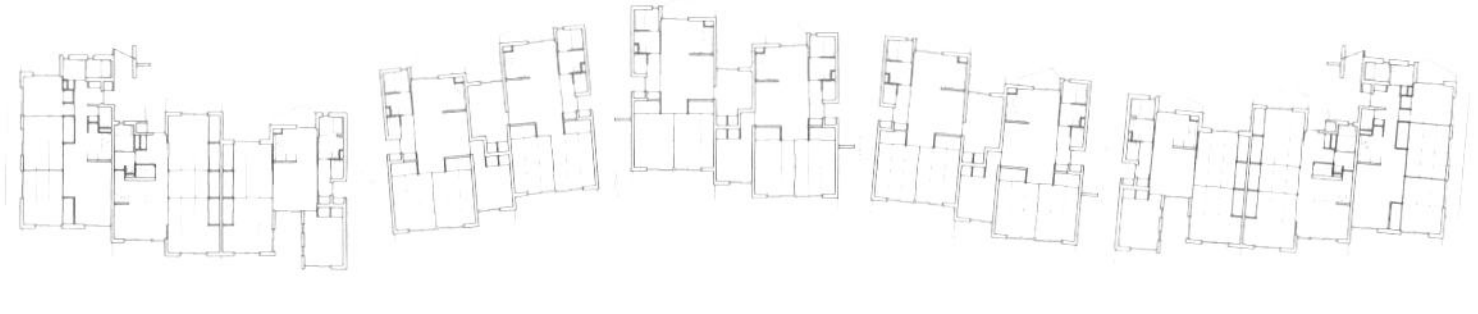

HI Plan 1:1000

1. エントランス
2. リビング・ダイニング
3. 寝室（和室）
4. バルコニー

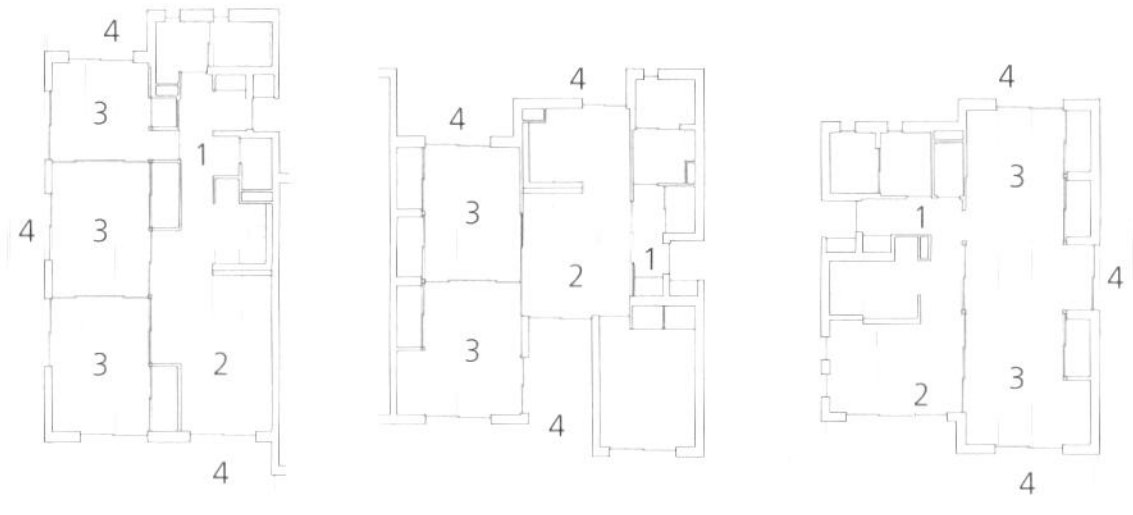

unit plan 1:400

茨城県営滑川アパート

茨城県日立市滑川町
1998年3月竣工
敷地面積：10,462㎡, 延床面積：5,825㎡
地上4階
RC造

1. 東棟
2. 西棟＋南棟

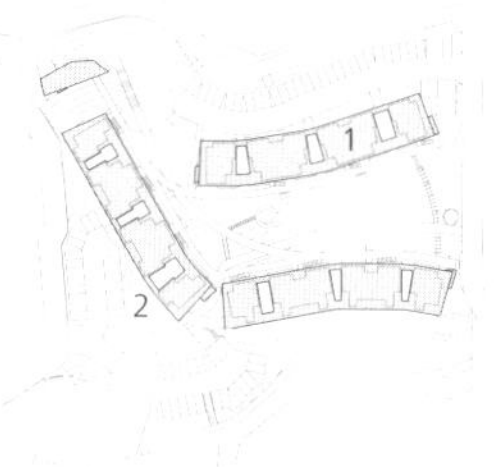

site plan 1:4000

1. エントランス
2. リビング・ダイニング
3. 寝室
4. バルコニー

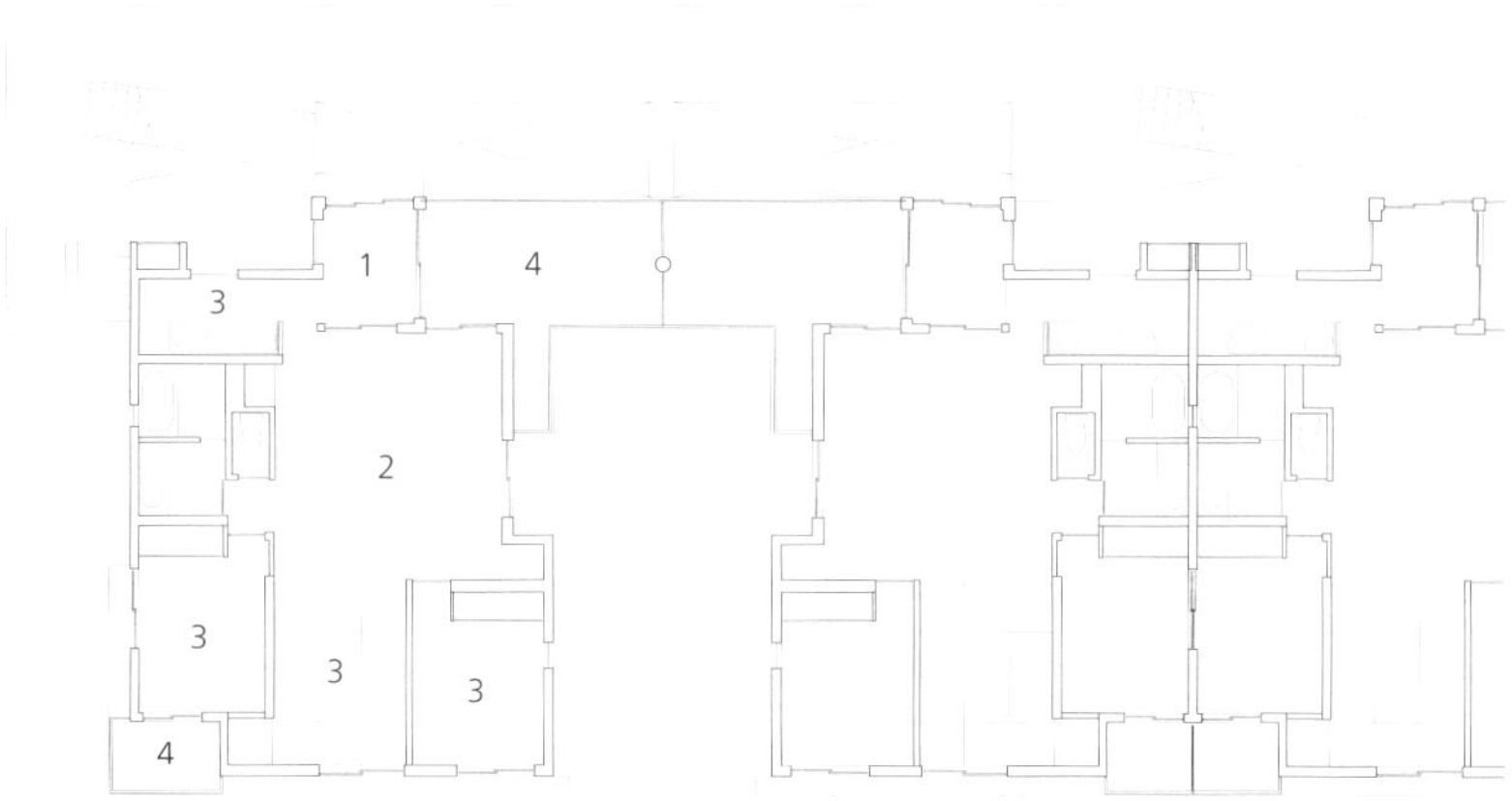

north-block unit plans 1:300

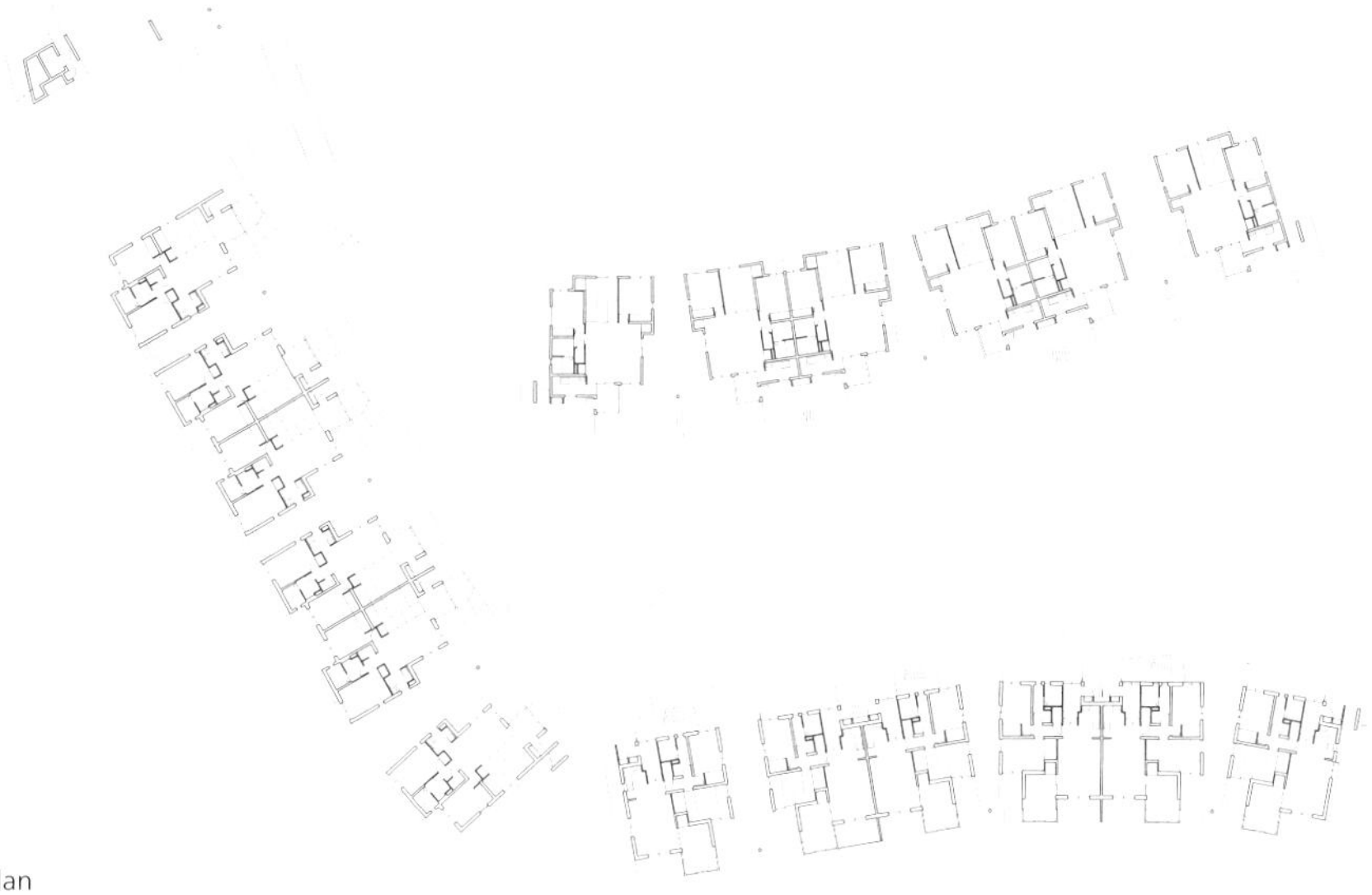

3F plan

1F plan 1:1000

長野市今井ニュータウン

長野県長野市川中島町今井原
1998年7月竣工
敷地面積：11,782㎡, 延床面積：10,231㎡
地上5階塔屋1階
RC造

site plan 1:5000

1. エントランス
2. リビング・ダイニング
3. 寝室
4. ガラスルーム

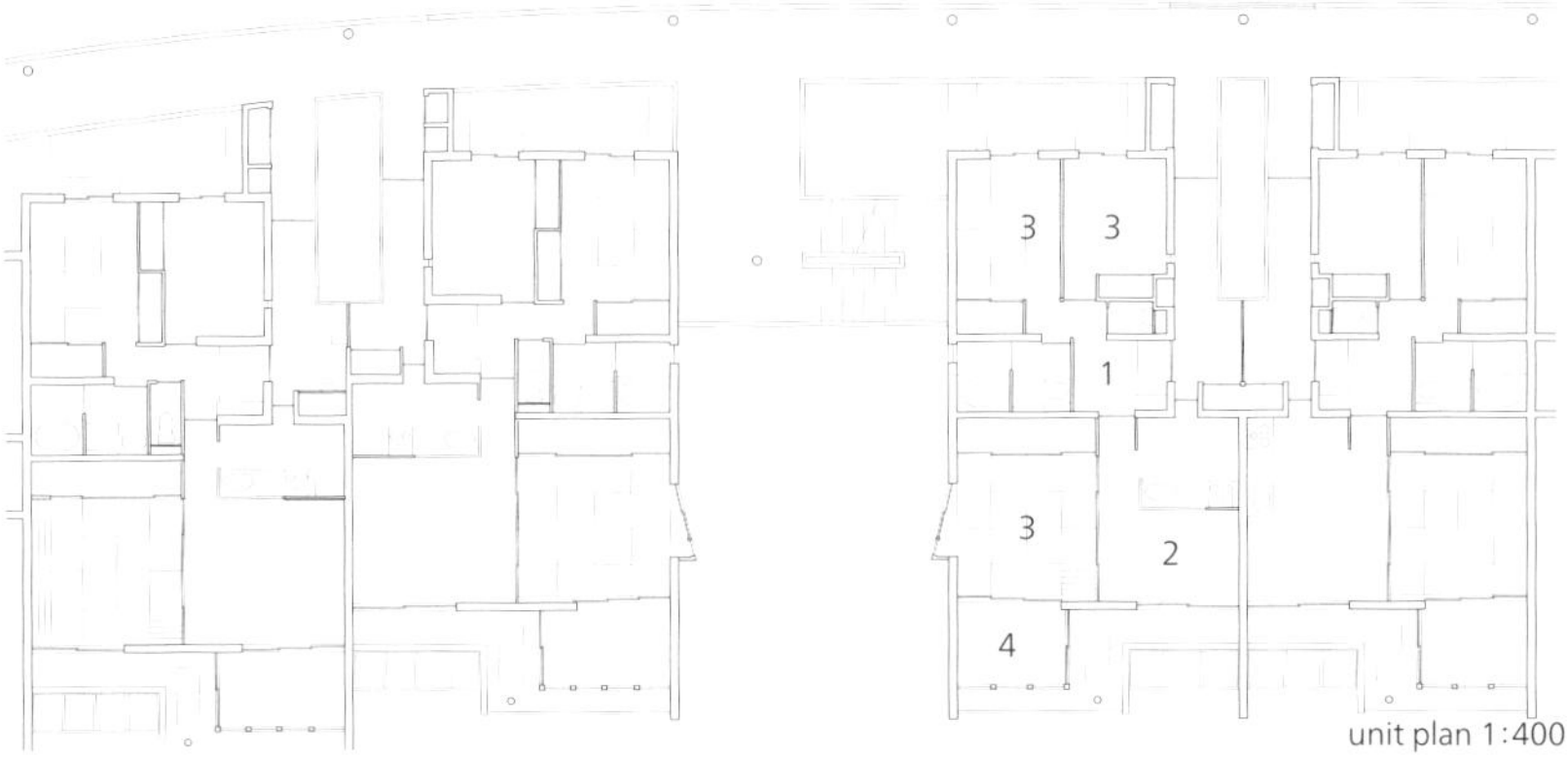

unit plan 1:400

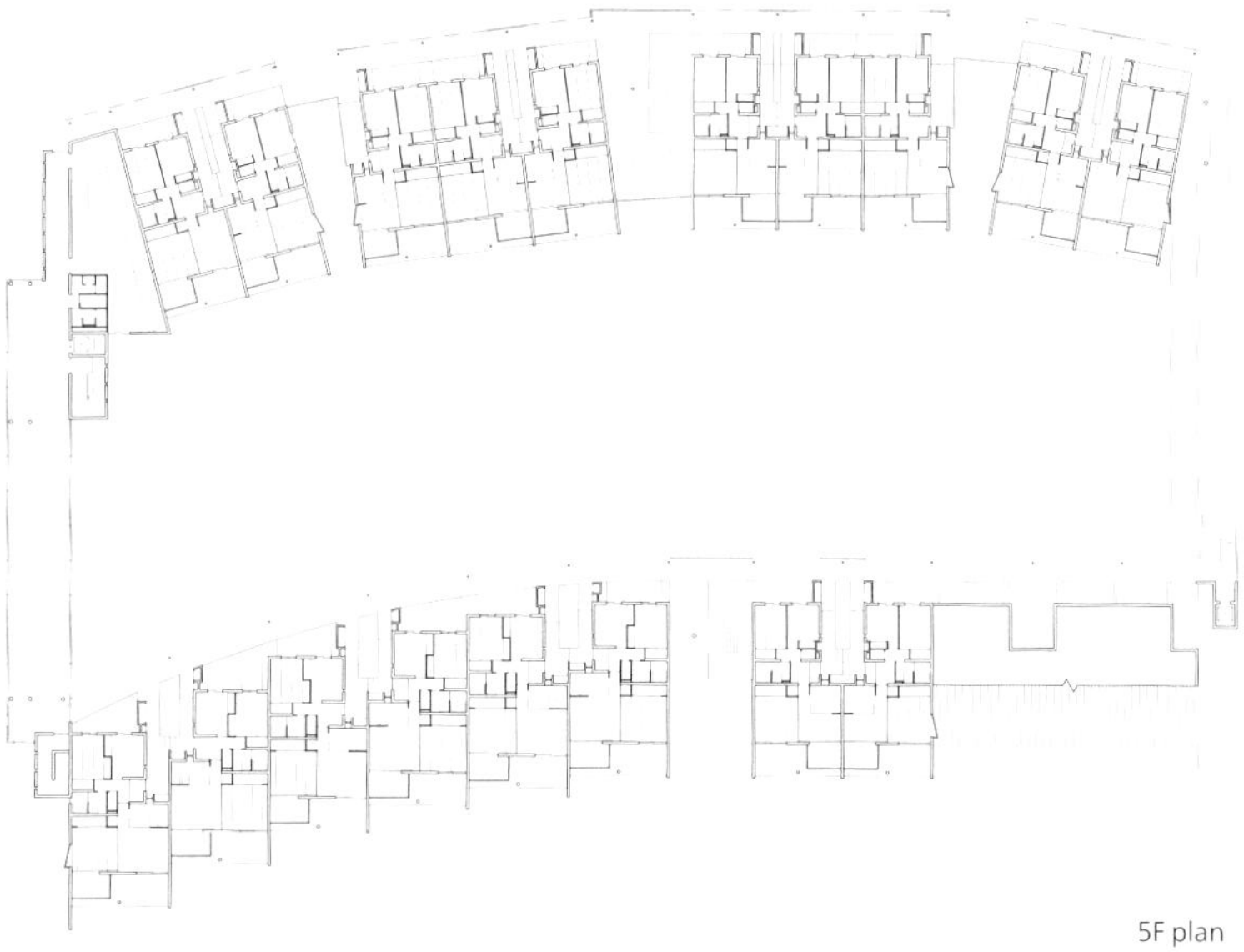

5F plan

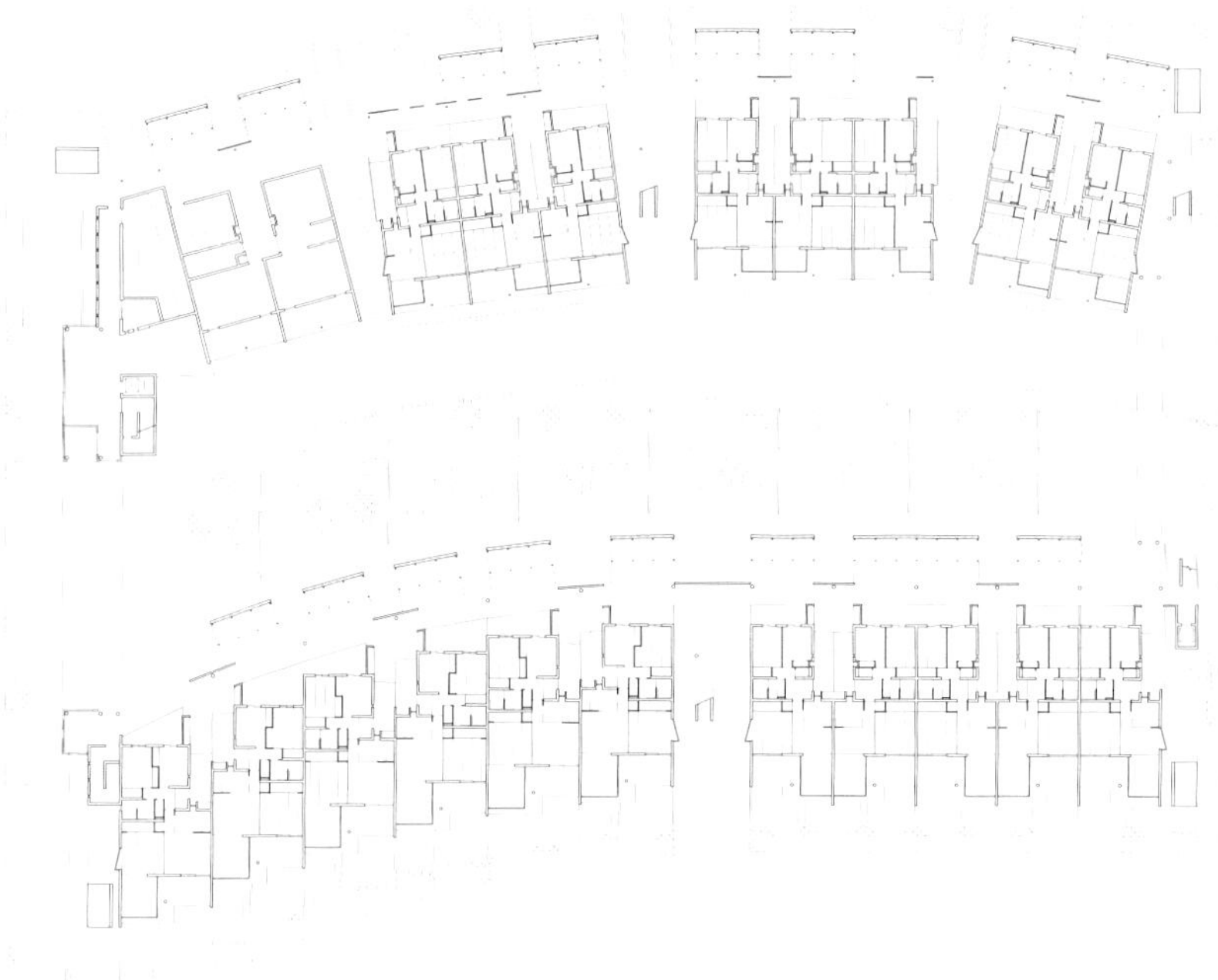

1F plan 1:1000

宝塚ガーデンヴィレッジ

兵庫県宝塚市売布
2001年3月竣工
敷地面積：23,819㎡, 延床面積：30,734㎡
地上3階地下1階
RC造

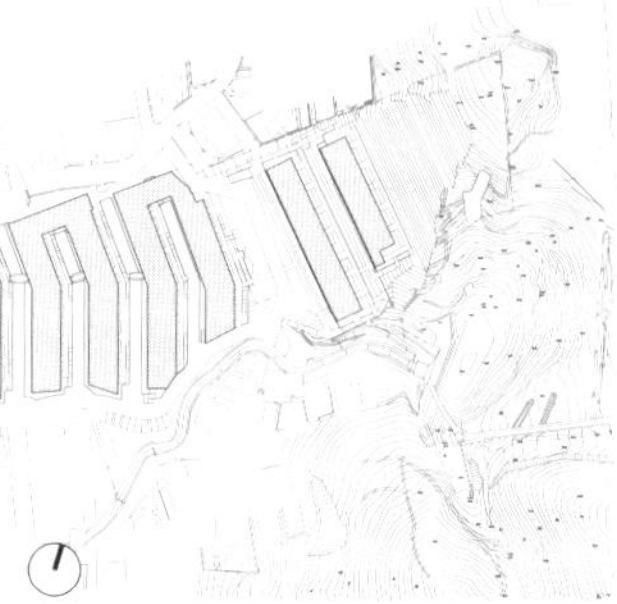

site plan 1:6000

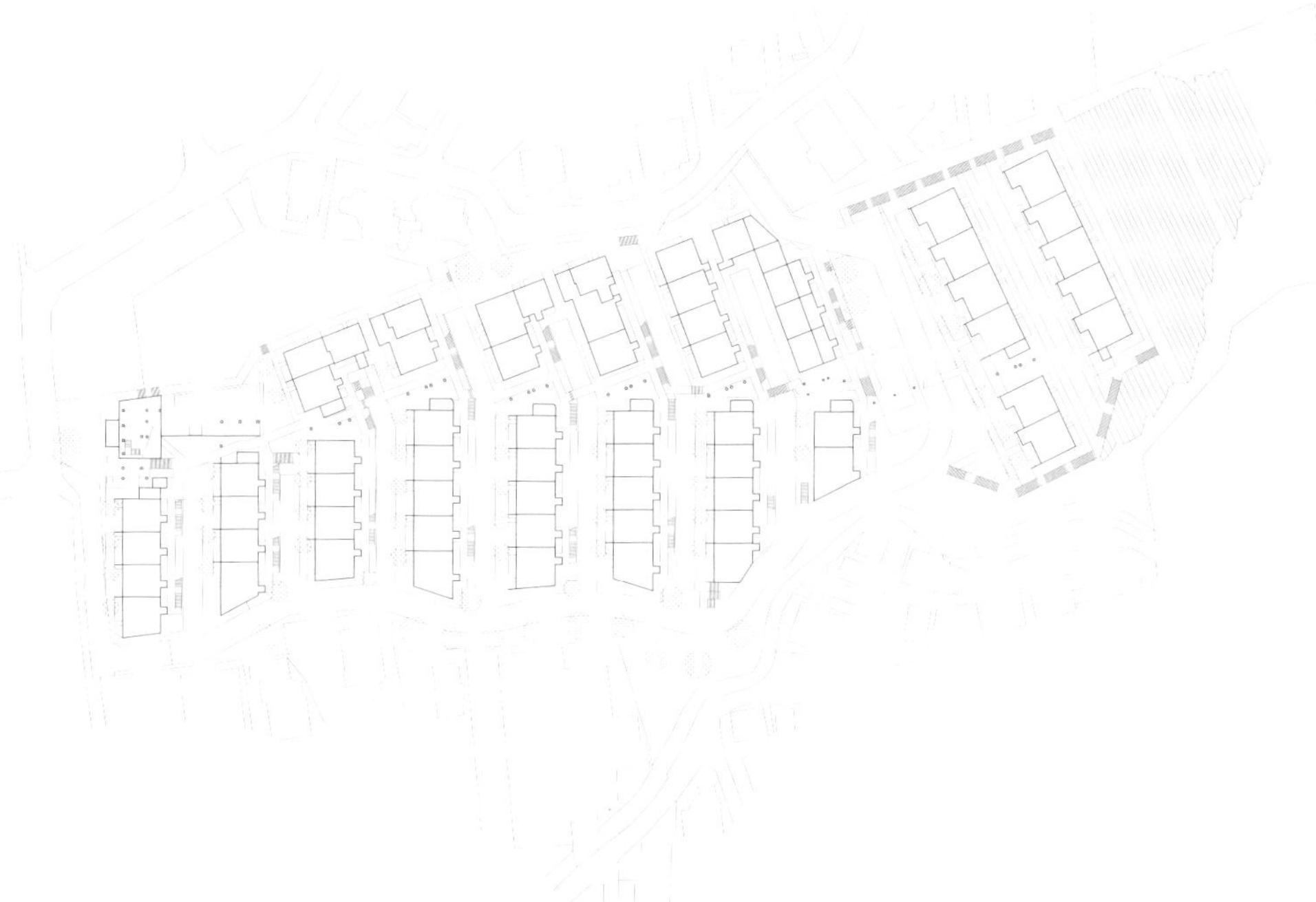

1F plan 1:3000

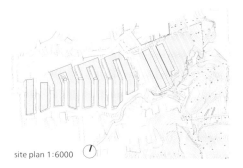

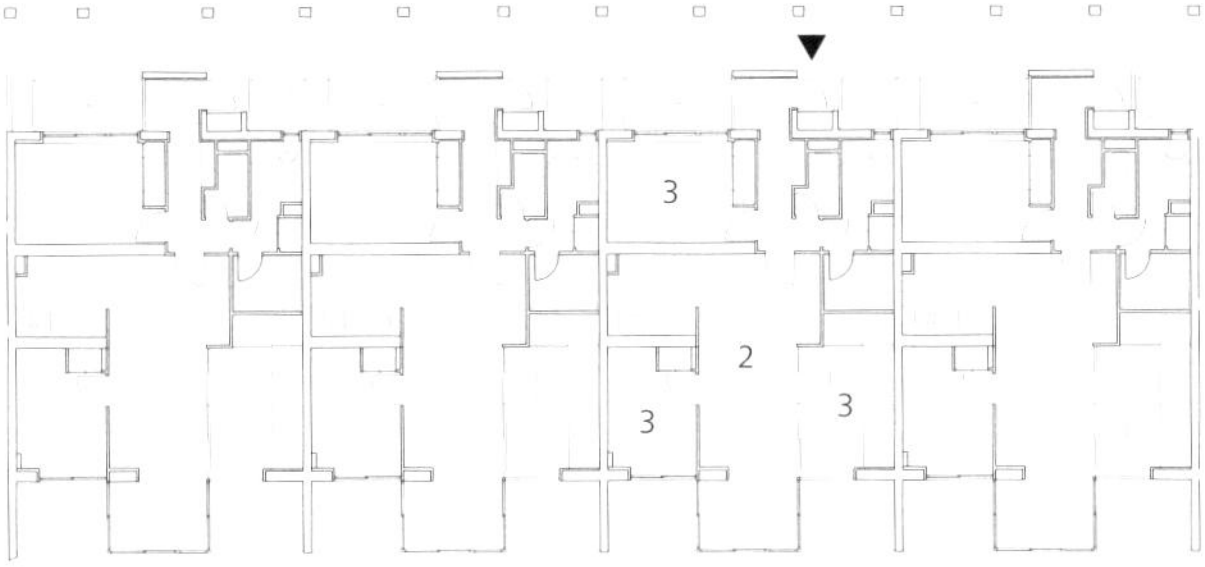

2F plan

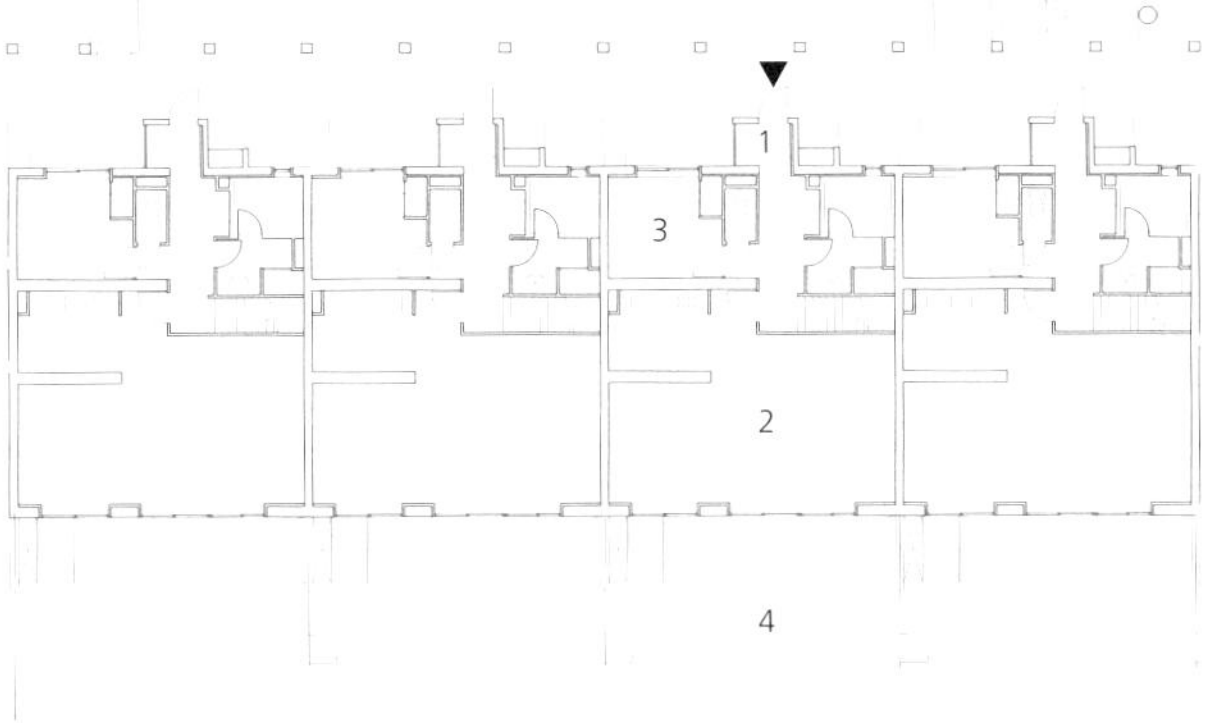

1F plan

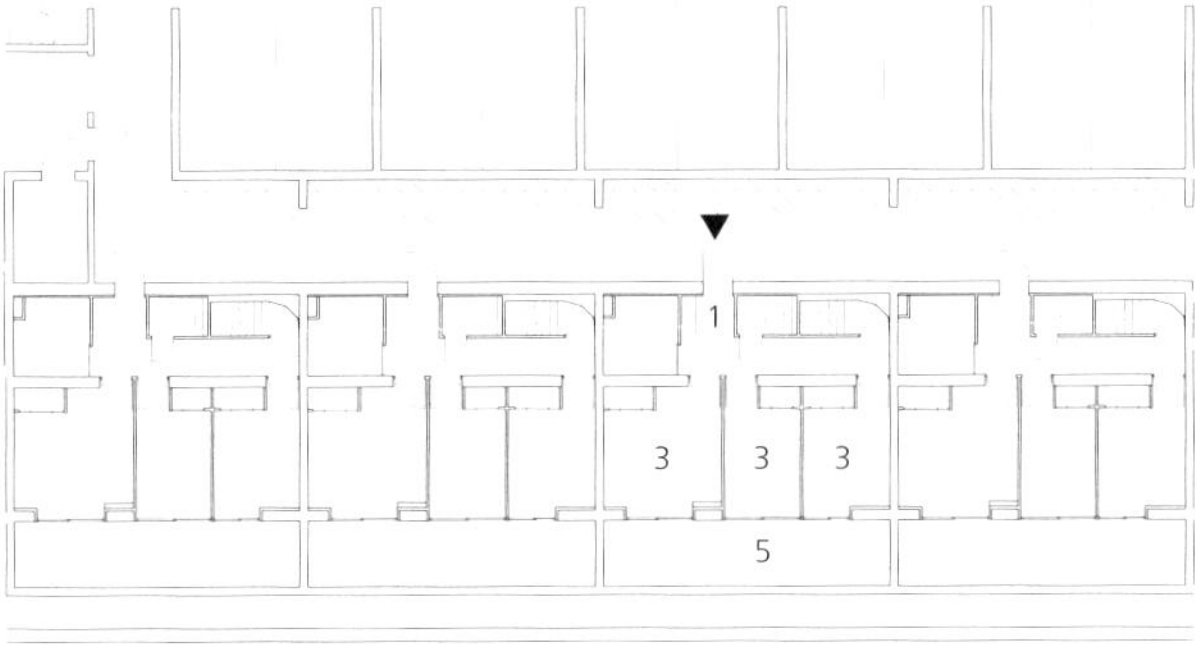

B1F plan

1. エントランス
2. リビング・ダイニング
3. 寝室
4. バルコニー
5. 光庭

unit plan 1:400

YSハウス

東京都渋谷区笹塚
2001年10月竣工
敷地面積：463㎡, 延床面積：1,081㎡
地上4階
RC造, 一部S造

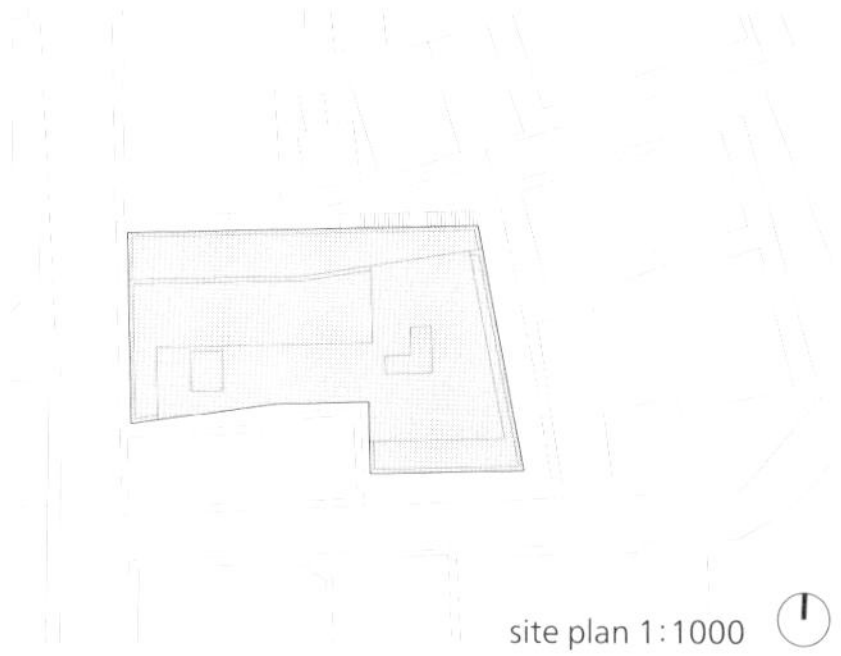

site plan 1:1000

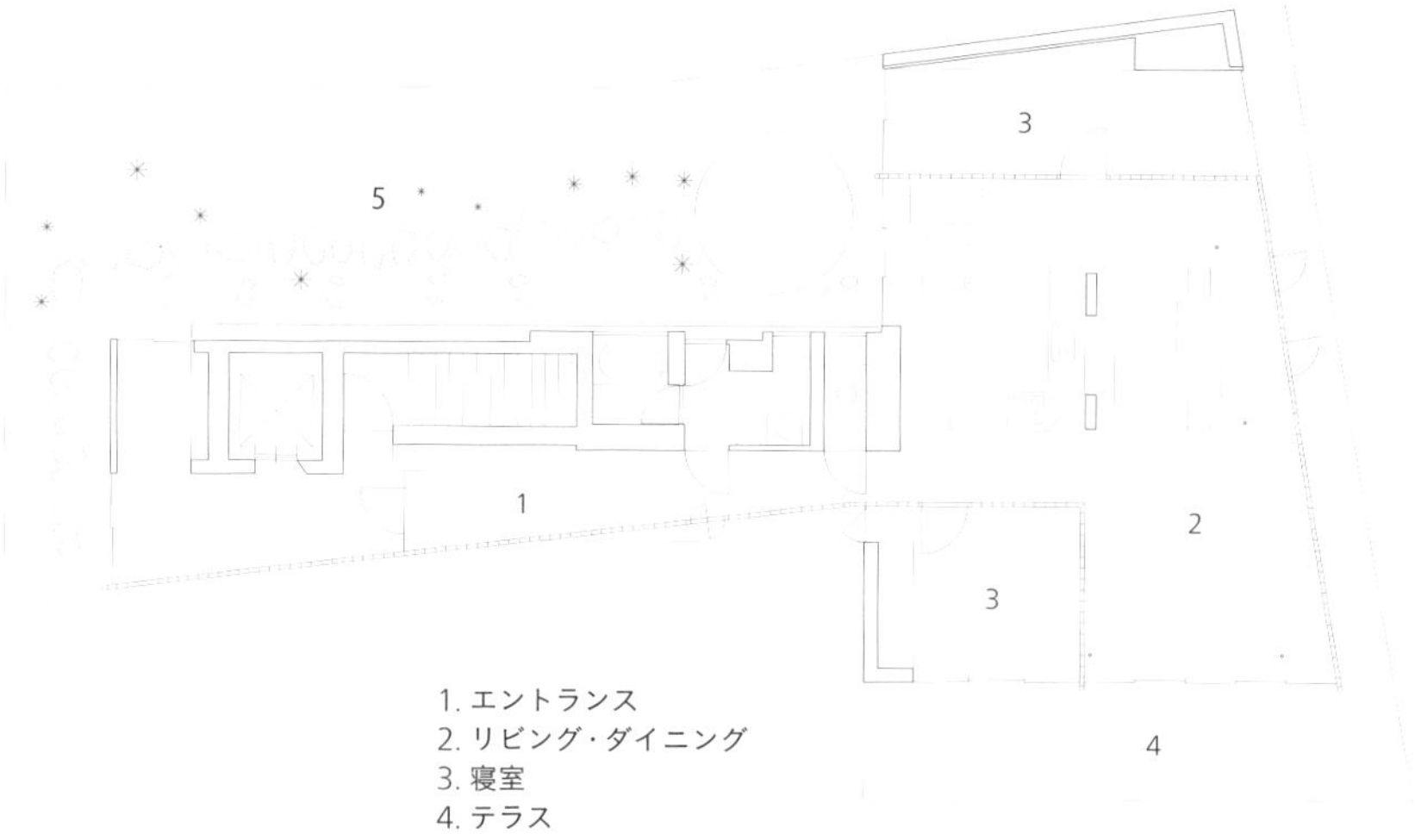

1. エントランス
2. リビング・ダイニング
3. 寝室
4. テラス
5. ルーフ・ガーデン

fourth floor plan 1:250

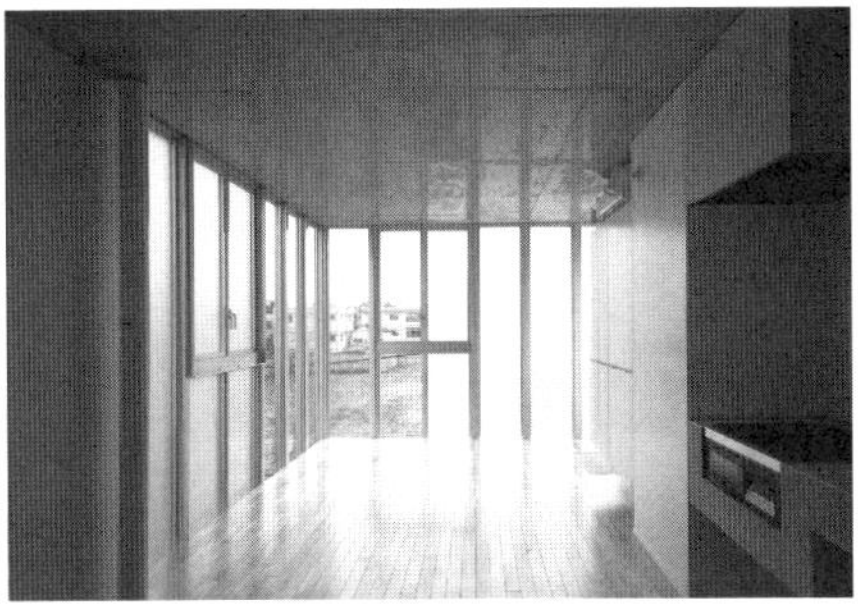

SNハウス

東京都渋谷区西原
2002年9月竣工
敷地面積：252㎡, 延床面積：490㎡
地上3階地下1階
RC造

site plan 1:1000

1. エントランス
2. リビング・ダイニング
3. 寝室
4. アプローチ

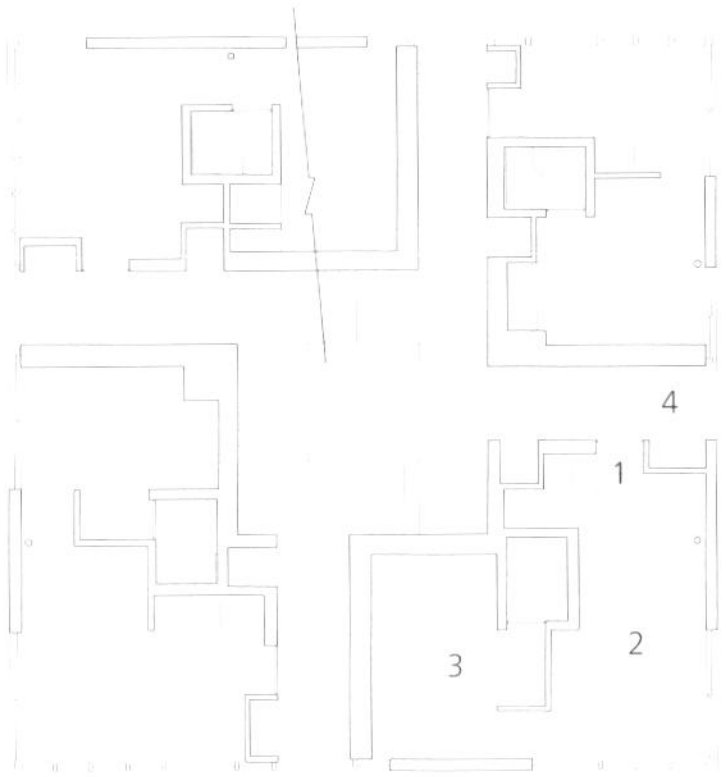

second floor plan 1:250

third floor plan 1:250

中井四の坂タウンハウス

東京都新宿区中井
2009年5月竣工
敷地面積:2,184㎡, 延床面積:3,597㎡
地上2階地下1階塔屋1階
RC造

site plan 1:2000

1. エントランス
2. リビング・ダイニング
3. 寝室
4. サンクンガーデン
5. ルーフ・ガーデン

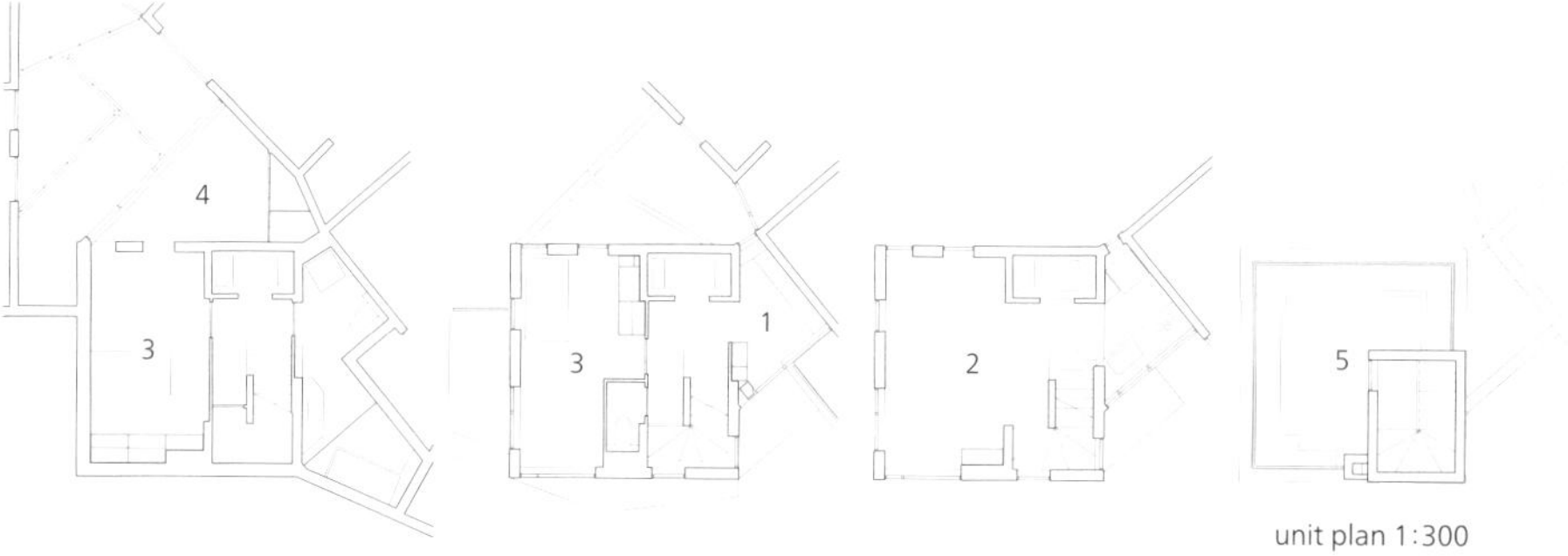

unit plan 1:300

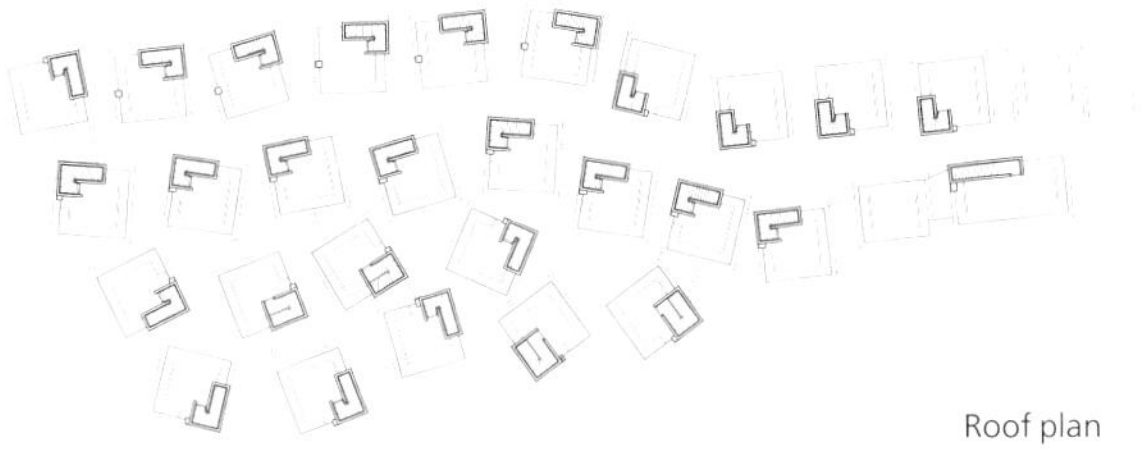

Roof plan

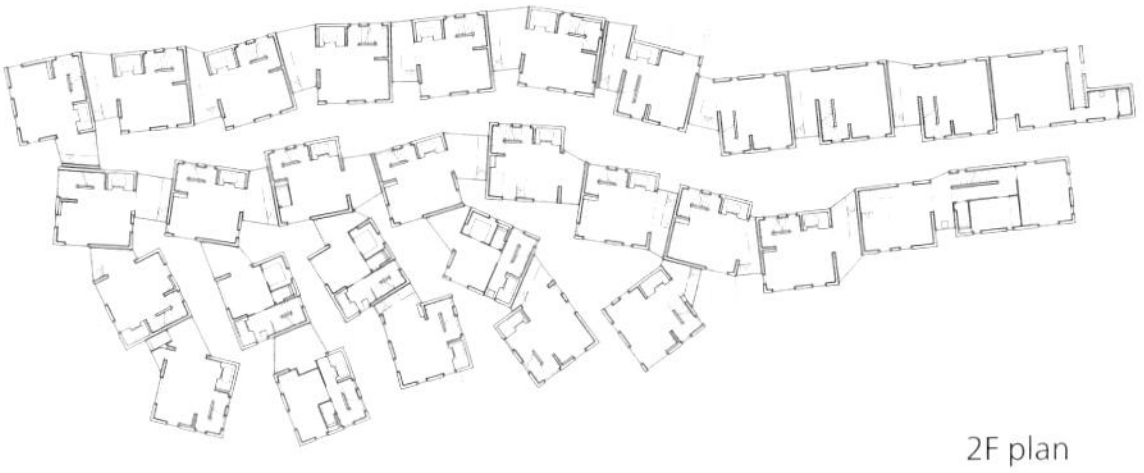

2F plan

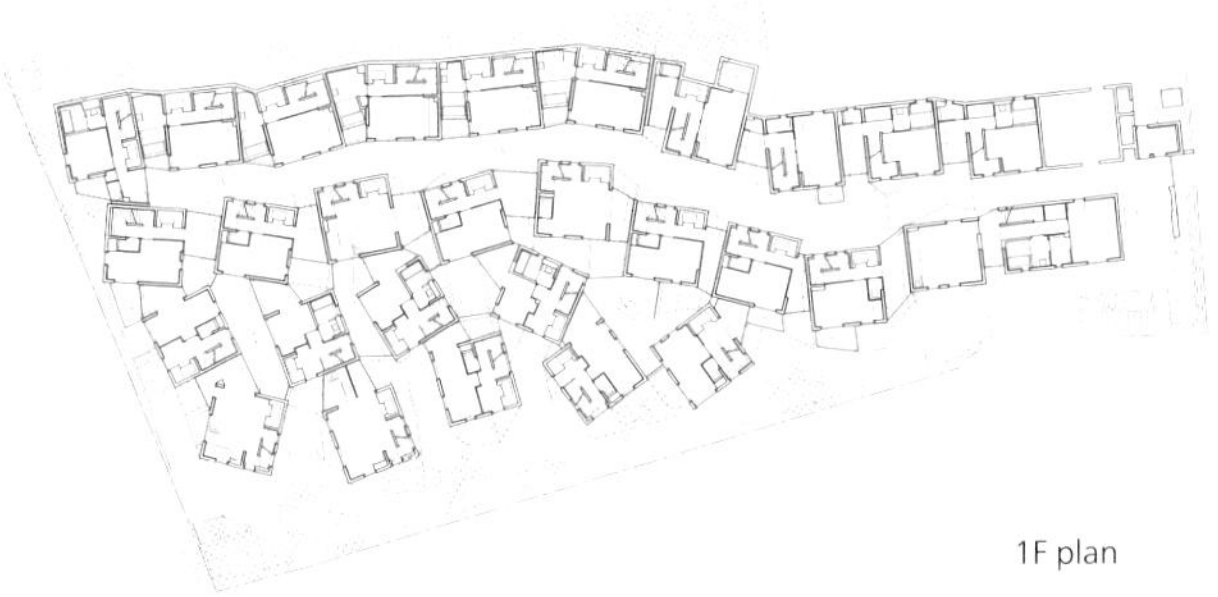

1F plan

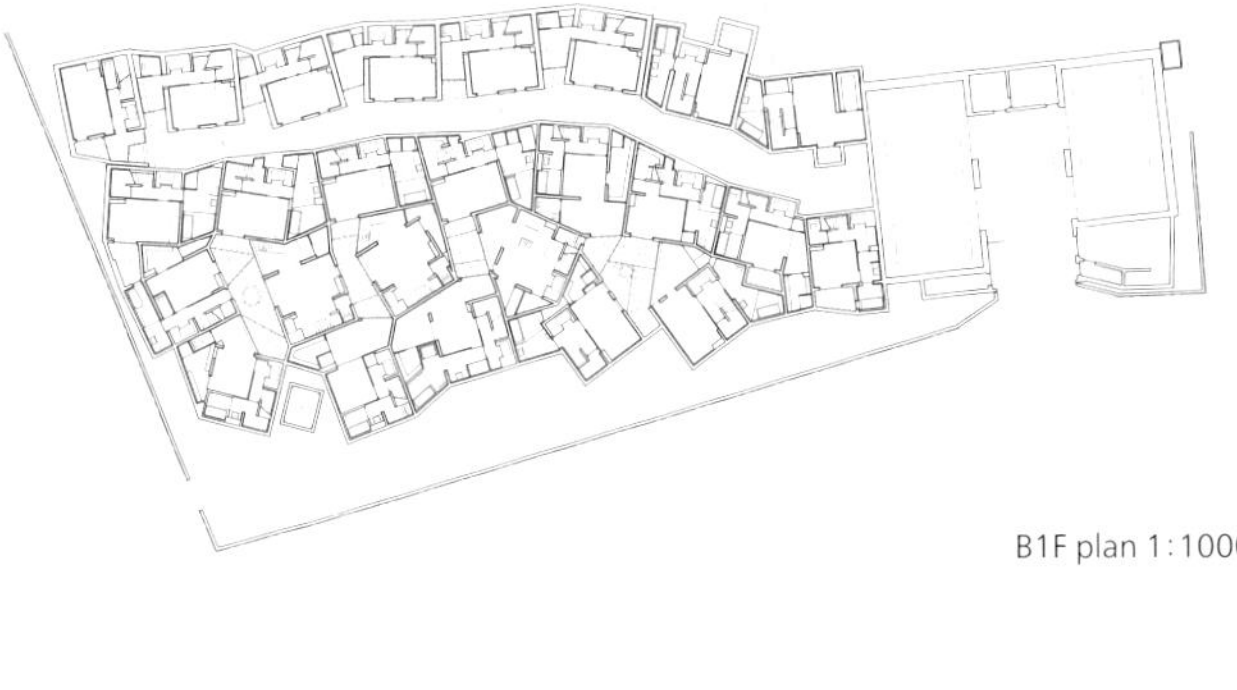

B1F plan 1:1000

小豆島の住宅

香川県小豆郡内海町
2001年5月竣工
敷地面積：921㎡, 延床面積：139㎡
地上1階
W造

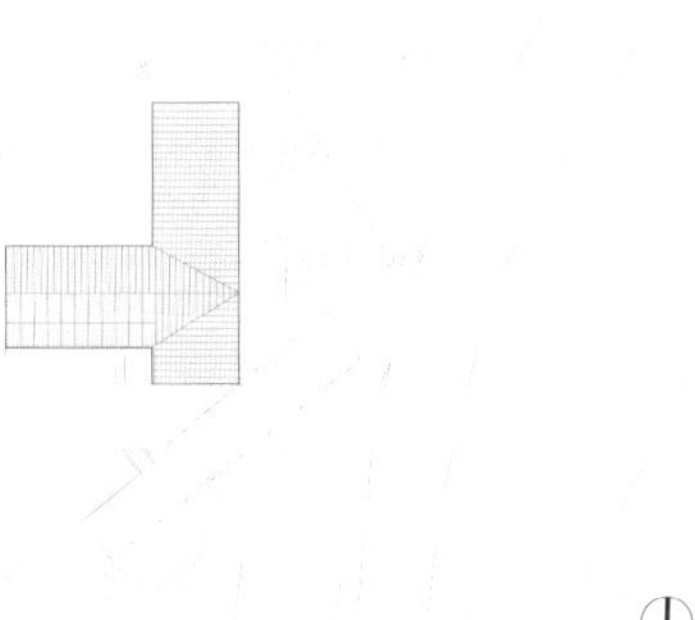

site plan 1:1000

1. リビング
2. ダイニング
3. 寝室
4. テラス

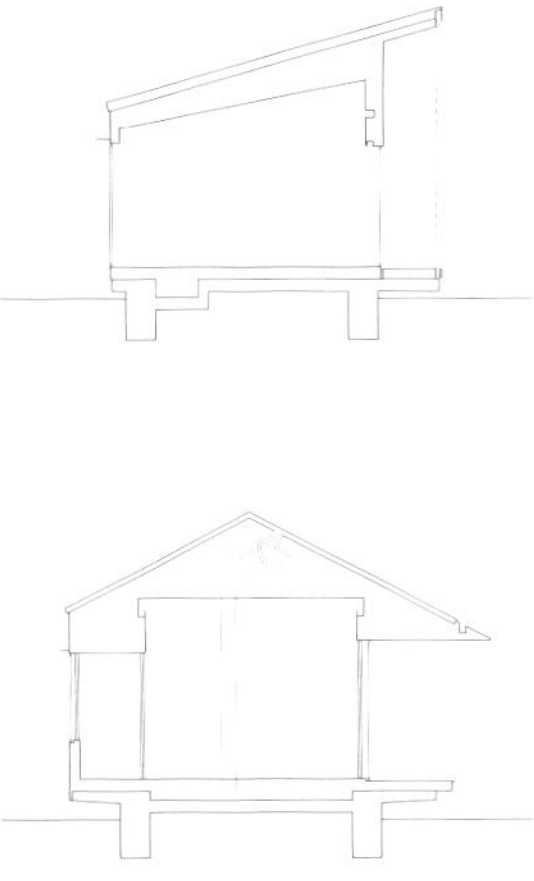

section

1F plan 1:250

品川の住宅

東京都品川区
2005年5月竣工
敷地面積：152㎡, 延床面積：213㎡
地上2階地下1階
RC造, 一部S造

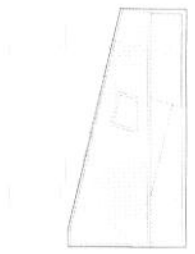

site plan 1:1000

1. リビング
2. ダイニング
3. 寝室
4. 家族室
5. スタディルーム

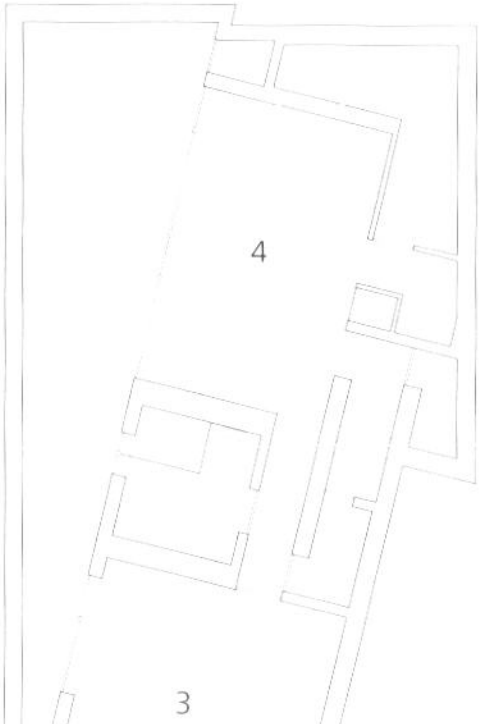

B1F 1:250

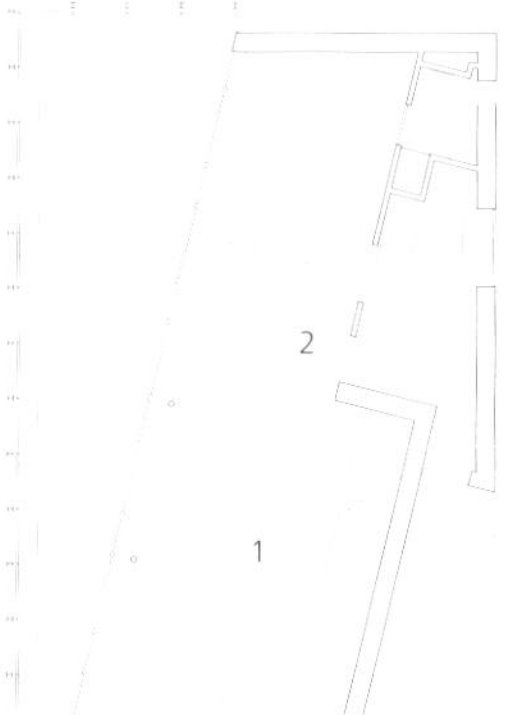

1F

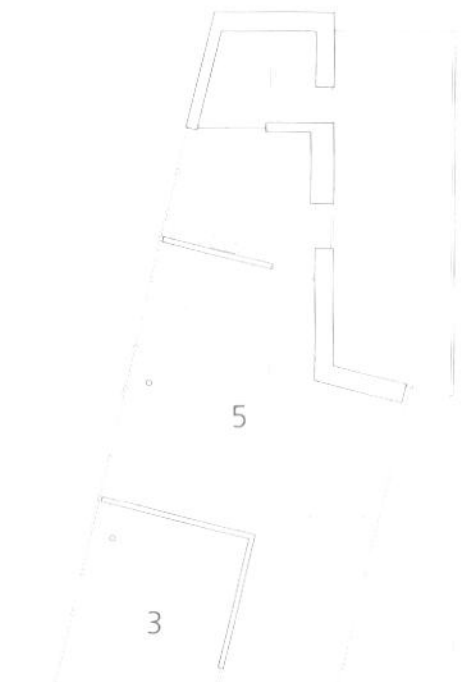

2F plan

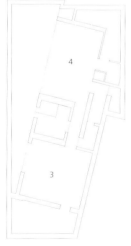

不知火病院ストレスケアセンター

福岡県大牟田市手鎌1800
1989年11月竣工
敷地面積：14,289㎡, 延床面積：1,508㎡
地上2階
S造

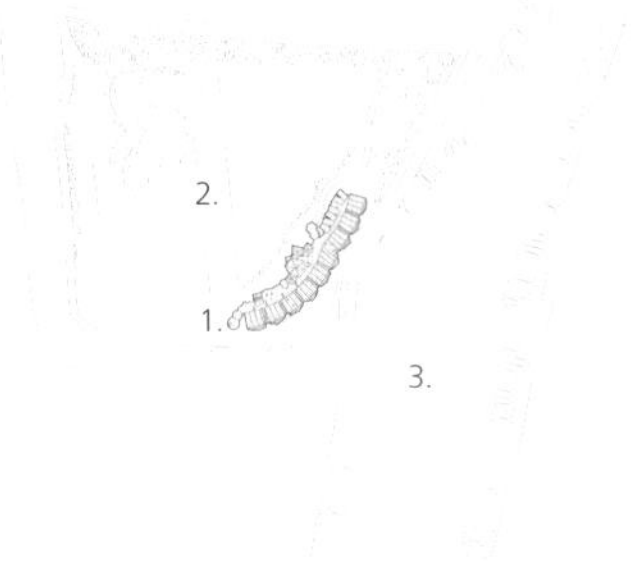

site plan 1:6000

1. ストレスケアセンター
2. 既存病棟
3. 運河

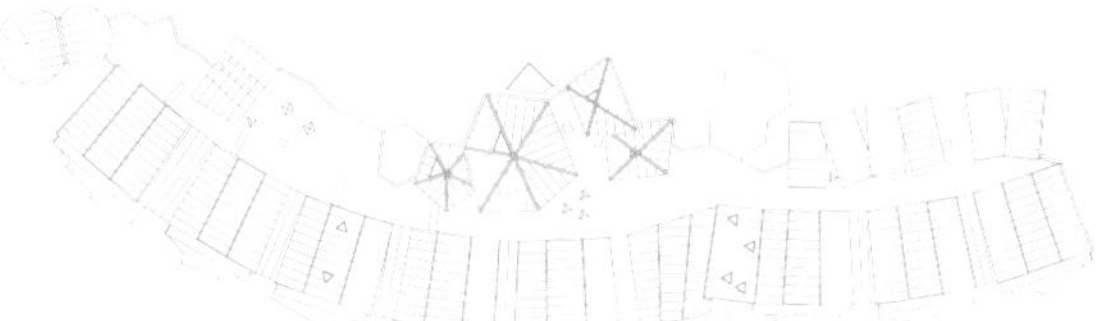

Roof plan

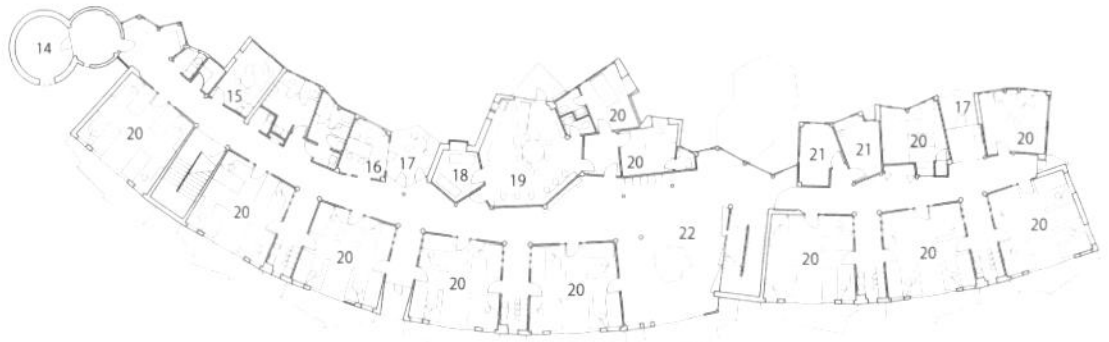

2F

1F plan 1:1000

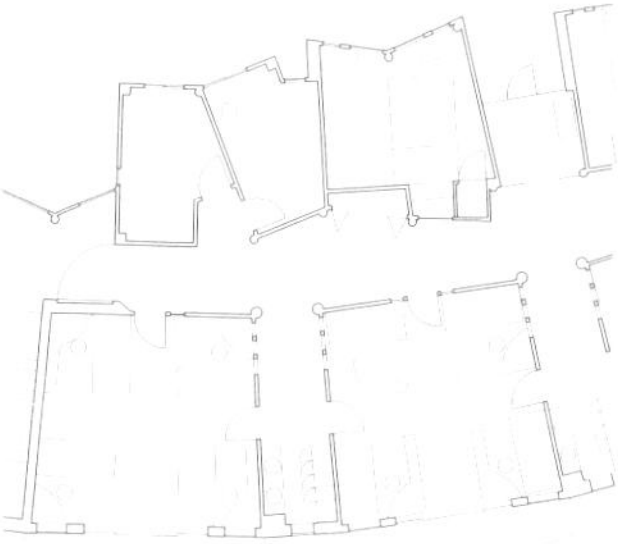

unit plan 1:400

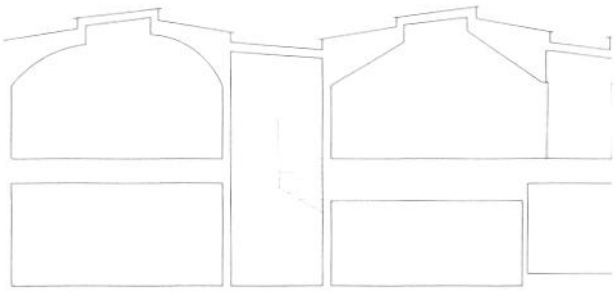

Section 1:400

黒部特別養護老人ホーム

富山県黒部市堀切1002
2000年3月竣工
敷地面積：6,333㎡，延床面積：4,019㎡
地上1階
RC造，一部S造

site plan 1:12500

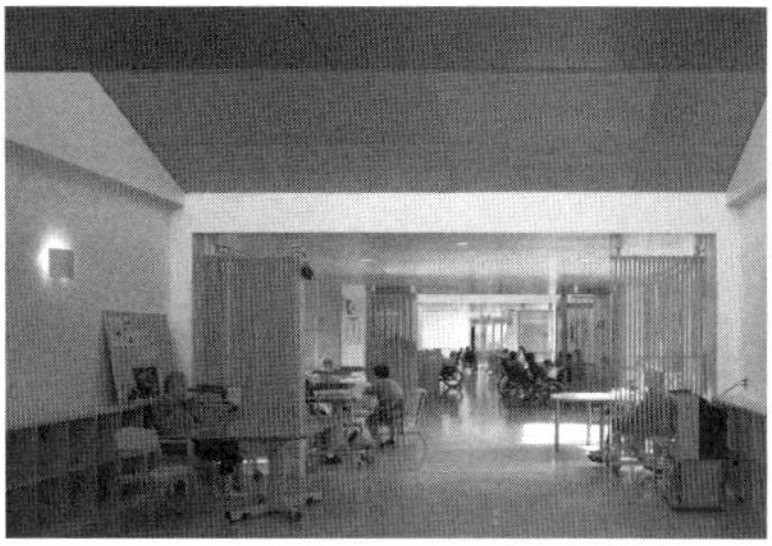

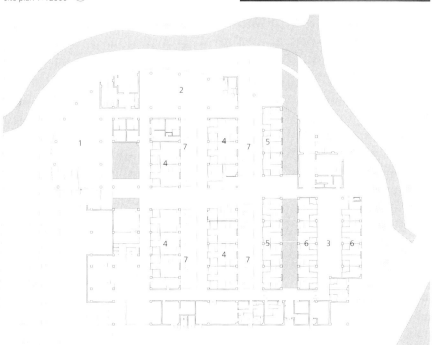

1F plan　1:1000

1. デイサービス室
2. 食堂・デイルーム
3. デイルーム
4. 四人室
5. 二人室
6. 個室
7. 中庭

1998年3月　倉橋桂浜ふれあいセンター
1998年3月　茨城県営滑川アパート
1998年5月　新潟市民芸術文化会館
1998年7月　塩竈ふれあいセンター
1998年7月　長野市今井ニュータウン
2000年3月　黒部特別養護老人ホーム
2000年3月　オレンジフラット
2000年11月　東京都境浄水場事務所
2000年12月　袋井月見の里学遊館
2001年3月　宝塚ガーデンヴィレッジ
2001年5月　小豆島の住宅
2001年10月　YSハウス
2002年　パチンコサーカス*
2002年9月　SNハウス
2002年5月　竹内整形外科クリニック
2002年8月　沼津中央高等学校
2004年9月　三重の住宅
2004年10月　静岡大成高等学校・静岡大成中学校
2004年10月　広尾アパートメント
2005年3月　徳丸小児科2
2005年3月　太田市営本陣団地・太田地区行政センター
2005年5月　品川の住宅
2006年5月　珠洲多目的ホール
2006年8月　静岡福祉大学スチューデントホール
2007年　ストックホルム市立図書館増改築*
2008年　イッシープロジェクト*
2008年3月　テクノプラザおおた
2008年3月　徳丸三世帯住宅
2009年8月　赤堤の住宅
2009年5月　中井四の坂タウンハウス
2010年　上海漕河経区マスタープラン*
2010年3月　厚木はやし幼稚園
2010年5月　かほくの住宅
2011年9月　江陰の別荘
2013年2月　富士山静岡空港石雲院展望デッキ
2013年6月　西馬込タウンハウス
2013年　ベトナムドイツ大学*
2014年　上海金橋臨港プロジェクト*
2014年3月　静岡ふじのくに千本松フォーラム
2014年6月　上海漕河経3号地オフィス
2014年7月　芦屋の住宅

——

菊竹清訓本書関連作品

1958年　旧島根県立博物館、スカイハウス
1963年　出雲大社の庁、館林市庁舎
1964年　東光園、浅川テラスハウス、鈴木邸
1965年　岩手教育会館、徳雲寺納骨堂、東亜レジン相模工場
1966年　都城市民会館、パシフィックホテル茅ヶ

長谷川逸子主要作品一覧

1972年4月　焼津の住宅1
1975年3月　鴨居の住宅
1975年12月　緑ヶ丘の住宅
1977年3月　焼津の住宅2
1977年3月　柿生の住宅
1977年5月　焼津の住宅3
1978年3月　焼津の文房具屋
1979年6月　徳丸小児科クリニック
1980年10月　松山・桑原の住宅
1982年6月　伊丹の住宅
1982年6月　AONOビル
1983年3月　金沢文庫の住宅
1984年7月　NCハウス
1984年9月　静岡精華高校眉山ホール
1984年12月　池袋の住宅
1985年4月　BYハウス
1985年4月　小山の住宅
1986年3月　熊本の住宅
1986年4月　練馬の住宅
1986年6月　黒岩の別荘
1986年7月　富ヶ谷のアトリエ
1986年9月　菅井内科クリニック
1987年3月　東玉川の住宅
1988年5月　自由ヶ丘の住宅
1988年6月　尾山台の住宅
1988年6月　なら・シルクロード博覧会浅茅原エリア
1989年　横浜グランモール*（*印はコンペ案）
1989年3月　世界デザイン博覧会インテリア館
1989年11月　不知火病院ストレスケアセンター
1990年2月　下馬アパートメント
1990年2月　コナヴィレッジ
1990年3月　下連雀の住宅
1990年3月　藤沢湘南台文化センター
1991年9月　STMハウス
1992年7月　Fコンピュータセンター
1993年8月　熊本市営託麻団地
1994年　カーディフベイ・オペラハウス*、横浜大桟橋国際旅客ターミナル*
1994年7月　大島絵本館
1994年9月　すみだ生涯学習センター
1994年9月　氷見市立仏生寺小学校
1995年　霧島アートの森*
1995年3月　滋賀県立大学体育館
1995年5月　氷見市海浜植物園
1995年8月　山梨フルーツミュージアム
1996年　国立国会図書館関西館*
1996年　メルボルン・フェデレーションスクエア*
1996年7月　氷見市立海峰小学校
1997年8月　松山ミウラート・ヴィレッジ

写真家一覧

上田宏　035, 171, 172, 173, 174, 178, 179, 331-R, 331-L, 335-U, 335-D
大橋富夫　015-R, 015-L, 022-L, 024-R, 026-L, 034-R, 034-L, 043, 044-R, 044-L, 066, 067-R, 071, 073, 076, 083, 095-R, 095-L, 101-R, 102, 103-R, 103-L, 104-R, 104-L, 128-R, 128-L, 132, 135, 137-R, 137-L, 176, 177, 180, 181-R, 181-L, 187, 191-L, 194, 195-R, 200, 215-R, 215-L, 217, 219, 222, 223-R, 228, 249, 262, 318-U, 322-R, 322-L, 323-U, 323-D, 330-R, 330-L, 332-R, 332-L, 336-U, 336-D
小川泰祐　022-R, 024-L
上山益男　019
木田勝久　013, 036-R, 107, 117, 145-R, 145-L, 146-R, 146-L, 190, 326-R, 326-L
新建築社　033, 168, 170-R, 170-L, 334-U, 334-D
高嶋典夫　159-R, 159-L, 160, 337-U, 337-D
長谷川逸子　029, 061, 100, 124-R, 202-L, 204, 218, 292, 320-U
長谷川逸子所蔵　285, 286, 291, 293
長谷川逸子・建築計画工房（IHA）所蔵
065-R, 133, 191-R, 196-L, 202-R, 205, 211, 223-L, 274, 304
藤塚光政　030-R, 030-L, 031, 036-L, 051, 062-R, 063, 064, 065-L, 070, 085, 092-R, 092-L, 120, 121, 192-R, 192-L, 196-R, 207-R, 207-L, 220, 230-R, 230-L, 240, 255, 263, 287, 318-D, 319-U, 319-D, 320-D, 324-U, 324-D
焼津市役所　025
矢野勝偉　195-L
山田脩二　016, 017-R, 017-L, 023, 082, 118-L, 118-R, 188, 232-UR, 232-UL, 232-DR, 232-DL
六反田千恵　037, 038, 077-R, 077-L, 101-L, 106-R, 106-L, 124-L, 125, 221, 229-R, 229-L, 278, 279, 280, 299-R, 299-L, 328-U, 328-D

スケッチはすべて長谷川逸子

人物一覧

菊竹清訓（1928-2011、福岡）建築家。竹中工務店、村野・森建築設計事務所を経て、菊崎、佐渡グランドホテル
1967年　岩手県立図書館、国鉄久留米駅
1968年　萩市民館、島根県立図書館
1969年　久留米市民会館、エキスポタワー、『代謝建築論』
1970年　芹沢文学館、島根県立武道館
1971年～京都信用金庫シリーズ
1973年　ベルナール・ビュフェ美術館、井上靖文学館、柴又帝釈天鳳翔館
1975年　アクアポリス、黒石ほるぷ子供館
1976年　西武大津ショッピングセンター
1979年　学習院中等科・高等科本館、田部美術館
1980年　福岡市庁舎議会棟、熊本県伝統工芸館
1981年　セゾン現代美術館（軽井沢高輪美術館）
1985年　銀座テアトルビル
1992年　江戸東京博物館
1994年　旧ホテルCOSIMA、久留米市役所、飯能くすの樹カントリー倶楽部
1997年　K-OFFICE
1998年　北九州メディアドーム、昭和館、島根県立美術館
2000年　吉野ヶ里歴史公園センター
2004年　九州国立博物館
2011年　菊竹清訓歿

篠原一男本書関連作品

1954年　久我山の家
1957年　谷川さんの家
1959年　から傘の家
1963年　土間の家
1964年　『住宅建築』
1966年　朝倉さんの家、白の家、地の家
1970年　『住宅論』
1971年　直方体の森、同相の谷、海の階段、空の矩形
1972年　久が原の住宅
1973年　東玉川の住宅、成城の住宅
1974年　谷川さんの住宅、直角3角柱
1975年　軽井沢旧道の住宅
1976年　上原通りの住宅、糸島の住宅、『続住宅論』
1977年　花山第3の住宅、愛鷹裾野の住宅
1978年　上原曲がり道の住宅
1980年　花山第4の住宅
1981年　高圧線下の住宅
1982年　日本浮世絵博物館
1984年　ハウス・イン・ヨコハマ
1987年　東京工業大学百年記念館
1988年　ハネギコンプレックス、テンメイハウス、花山の病院
1990年　熊本北警察署、K2ビル
2006年　篠原一男歿

ティ星田〉（1992）はじめ、集合住宅作品も多い。武蔵野美術大学に転出したため、長谷川と篠原研究室で活動した期間は実質1年間ほどであった。

松永安光（1941-、東京）建築家。近代建築研究所を主宰。東京大学卒業後、芦原建築設計研究所を経て、ハーバード大学修士課程修了。〈中島ガーデン〉で建築学会賞受賞（2001）。

倉俣史朗（1934-1991、東京）家具・インテリアデザイナー。毎日産業デザイン賞（1972）、フランス文化賞芸術勲章（1990）。三愛、松屋インテリアデザイン室を経て、クラマタデザインを設立（1965）ソットサスと親交があり、メンフィスにも参加した（1981）。素材から開発を手がけた実験的な作品を特色とした。

植田実（1935-、東京）編集者。70年代「都市住宅」、「GA HOUSES」、住まいの図書館出版局の編集長などを歴任、住宅に関する著作も多い。日本建築学会文化賞（2003）。野武士世代の建築家を積極的に取り上げ、紹介した。長谷川の最初期の特集を「インテリア」「都市住宅」誌で組んだ。

西沢立衛（1966-、神奈川）建築家。横浜国立大学大学院教授。妹島和世事務所を経て、SANNAを共同主宰。西沢立衛建築設計事務所として〈豊島美術館〉（2012）で建築学会賞・村野藤吾賞。SANNAとして、ベネチアヴィエンナーレ金獅子賞（2004）、〈金沢21世紀美術館〉で建築学会賞（2006）、プリツカー賞（2010）を受賞。

藤本壮介（1971-、北海道）建築家。〈伊達の援護寮〉でJIA新人賞、〈児童心理治療施設〉でJIA日本建築大賞（2008）。伊東豊雄コミッショナーのもと、乾久美子、平田晃久らと「ここに、建築は、可能か」でベネチア・ヴィエンナーレ金獅子賞（2012）。実験的な造形を特色とする。

中村政人（1963-、秋田）現代美術家。東京芸術大学教授、千代田3331アーツ統括ディレクター。芸術選奨新人賞（2010）。インタビュー集『美術と教育』（1997）、『美術の教育』（1999）、『美術に教育』（2004）。

竹清訓建築設計事務所を主宰。川添登らとメタボリズムグループを結成し、「世界デザイン会議」（1960）で世界の注目を集めた。伝統論から「か・かた・かたち」論を導き、独創的な建築作品を次々に発表した。1960年代の菊竹事務所は、内井昭蔵、仙田満、伊東豊雄、富永譲、長谷川逸子らの建築家を輩出した。

篠原一男（1925-2006、静岡）建築家。数学から建築へ転身して清家清に師事、東京工業大学で教鞭をとった。伝統建築研究を起点に、批評性の強い作品を発表。1960年代後半に「住宅は芸術である」と宣言し、〈白の家〉をはじめとする伝統住宅を抽象化した住宅作品で大規模近代建築を主流とする建築界に一石を投じた。1970年代の篠原研究室は多木浩二、磯崎新らが訪れ、多くの議論が交されていた。

多木浩二（1929-2011、兵庫）評論家。東京造形大学ほかで教鞭をとりつつ、演劇、写真、建築など幅広い評論活動を展開した。篠原一男との交流は、作品の撮影から論評に及ぶ。芸術と人間、芸術と社会の関係を問い続ける批評はモダニズムを超えていこうとする世代に響き、「篠原スクールとは多木スクールのことだ」という人もいるほど、伊東豊雄、坂本一成、長谷川逸子らとの交流も深かった。

第二部執筆者一覧

比嘉武彦（1961-、沖縄）建築家。長谷川逸子・建築計画工房で〈新潟市民芸術文化会館〉などを担当した。独立後、川原田康子とともにkw+hgを主宰する。市民に親しまれ活発な市民活動の場となっている〈むさしのプレイス〉（2011）ほか、公共建築分野で実績を築いている。

吉良森子（1965-、東京）建築家。デルフト工科大学卒業後、ベン・ファン・ベルケル事務所を経て独立、アムステルダムに事務所を構える。

坂本一成（1943-、東京）建築家。篠原研究室を修了後、武蔵野美術大学を経て、東京工業大学に着任。アトリエ・アンド・アイ主宰。〈水無瀬の町家〉（1970）などの一連の住宅作品が高く評価された。〈コモンシ

長谷川逸子

一九八六年日本文化デザイン賞、日本建築学会賞を受賞。早稲田大学、東京工業大学、九州大学等の非常勤講師、米国ハーバード大学の客員教授など務め、一九九七年ＲＩＢＡ称号。二〇〇〇年第五十六回日本芸術院賞受賞。第七回、第九回公共建築賞受賞。二〇〇一年ロンドン大学名誉学位。二〇〇六年ＡＩＡ名誉会員称号。二〇一六年芝浦工業大学客員教授。二〇一八年英国王立芸術院（Royal Academy of Arts）より第一回ロイヤルアカデミー建築賞受賞。

長谷川逸子の思考②
はらっぱの建築　持続する豊かさを求めて（1993-2016）

二〇一九年十二月一日　第一刷発行

著　者・・・長谷川逸子
発行者・・・小柳学
発行所・・・株式会社左右社
一五〇-〇〇〇二東京都渋谷区渋谷二-七-六-五〇二
TEL 〇三-三四八六-六五八三　FAX 〇三-三四八六-六五八四
装　幀・・・松田行正＋杉本聖士
印刷所・・・創栄図書印刷株式会社

Printed in Japan. ISBN978-4-86528-259-7